ISBN 978-0-282-22995-5
PIBN 10577911

Schillers
Sämtliche Werke

Vierzehnter Band

Herausgeber: Conrad Höfer

Georg Müller Verlag München und Leipzig

1914

Herausgeber: Conrad Höfer

Inhalt des vierzehnten Bandes

Das Glück.

Selig, welchen die Götter, die gnädigen, vor der Geburt schon
 Liebten, welchen als Kind Venus im Arme gewiegt,
Welchem Phöbus die Augen, die Lippen Hermes gelöset,
 Und das Siegel der Macht Zeus auf die Stirne gedrückt!
Ein erhabenes Los, ein göttliches, ist ihm gefallen,
 Schon vor des Kampfes Beginn sind ihm die Schläfe bekränzt.
Eh er es lebte, ist ihm das volle Leben gerechnet,
 Eh er die Mühe bestand, hat er die Charis erlangt.
Groß zwar nenn ich den Mann, der sein eigner Bildner und Schöpfer
 Durch der Tugend Gewalt selber die Parze bezwingt,
Aber nicht erzwingt er das Glück, und was ihm die Charis
 Neidisch geweigert, erringt nimmer der strebende Mut.
Vor Unwürdigem kann dich der Wille, der ernste, bewahren,
 Alles Höchste, es kommt frei von den Göttern herab.
Wie die Geliebte dich liebt, so kommen die himmlischen Gaben,
 Oben in Jupiters Reich herrscht wie in Amors die Gunst.
Neigungen haben die Götter, sie lieben der grünenden Jugend
 Lockichte Scheitel, es zieht Freude die Fröhlichen an.
Nicht der Sehende wird von ihrer Erscheinung beseligt,
 Ihrer Herrlichkeit Glanz hat nur der Blinde geschaut,
Gern erwählen sie sich der Einfalt kindliche Seele,
 In das bescheidne Gefäß schließen sie Göttliches ein.
Ungehofft sind sie da und täuschen die stolze Erwartung,
 Keines Bannes Gewalt zwinget die Freien herab.

Wem er geneigt, dem sendet der Vater der Menschen und Götter
   Seinen Adler herab, trägt ihn zu seinem Olymp,
Unter die Menge greift er mit Eigenwillen, und welches
   Haupt ihm gefället, um das flicht er mit liebender Hand
Jetzt den Lorbeer und jetzt die herrschaftgebende Binde,
   Krönte doch selber den Gott nur das gewogene Glück.
Vor dem Glücklichen her tritt Phöbus, der pythische Sieger,
   Und der die Herzen bezwingt, Amor, der lächelnde Gott.
Vor ihm ebnet Poseidon das Meer, sanft gleitet des Schiffes
   Kiel, das den Cäsar führt und sein allmächtiges Glück.
Ihm gehorchen die wilden Gemüter, das brausende Delphin
   Steigt aus den Tiefen und fromm beut es den Rücken ihm an.
Ein geborener Herrscher ist alles Schöne und sieget
   Durch sein ruhiges Nahn wie ein unsterblicher Gott.
Zürne dem Glücklichen nicht, daß den leichten Sieg ihm die Götter
   Schenken, daß aus der Schlacht Venus den Liebling entrückt,
Ihn, den die lächelnde rettet, den Göttergeliebten beneid ich,
   Jenen nicht, dem sie mit Nacht deckt den verdunkelten Blick.
War er weniger herrlich, Achilles, weil ihm Hephästos
   Selbst geschmiedet den Schild und das verderbliche Schwert,
Weil um den sterblichen Mann der große Olymp sich beweget?
   Das verherrlichet ihn, daß ihn die Götter geliebt,
Daß sie sein Zürnen geehrt und, Ruhm dem Liebling zu geben,
   Hellas bestes Geschlecht stürzten zum Orkus hinab.
Um den heiligen Herd stritt Hektor, aber der Fromme
   Sank dem Beglückten, denn ihm waren die Götter nicht hold.
Zürne der Schönheit nicht, daß sie schön ist, daß sie verdienstlos
   Wie der Lilie Kelch prangt durch der Venus Geschenk,
Laß sie die Glückliche sein, du schaust sie, du bist der Beglückte,
   Wie sie ohne Verdienst glänzt, so entzücket sie dich.
Freue dich, daß die Gabe des Lieds vom Himmel herabkommt,
   Daß der Sänger dir singt, was ihn die Muse gelehrt,

Weil der Gott ihn beseelt, so wird er dem Hörer zum Gotte,
   Weil er der Glückliche ist, kannst du der Selige sein.
Auf dem geschäftigen Markt da führe Themis die Wage,
   Und es messe der Lohn streng an der Mühe sich ab,
Aber die Freude ruft nur ein Gott auf sterbliche Wangen,
   Wo kein Wunder geschieht, ist kein Beglückter zu sehn.
Alles Menschliche muß erst werden und wachsen und reifen,
   Und von Gestalt zu Gestalt führt es die bildende Zeit,
Aber das Glückliche siehest du nicht, das Schöne nicht werden,
   Fertig von Ewigkeit her steht es vollendet vor dir.
Jede irdische Venus steigt wie die erste des Himmels
   Eine dunkle Geburt aus dem unendlichen Meer,
Wie die erste Minerva, so tritt mit der Ägis gerüstet
   Aus des Donnerers Haupt jeder Gedanke des Lichts,
Aber du nennest es Glück, und deiner eigenen Blindheit
   Zeihst du verwegen den Gott, den dein Begriff nicht begreift.

Der Kampf mit dem Drachen.

Romanze.

   Was rennt das Volk, was wälzt sich dort
Die langen Gassen brausend fort?
Stürzt Rhodus unter Feuers Flammen?
Es rottet sich im Sturm zusammen,
Und einen Ritter, hoch zu Roß,
Gewahr ich aus dem Menschentroß.
Und hinter ihm, welch Abenteuer!
Bringt man geschleppt ein Ungeheuer;
Ein Drache scheint es von Gestalt
Mit weitem Krokodilesrachen,
Und alles blickt verwundert bald
Den Ritter an und bald den Drachen.

Und tausend Stimmen werden laut:
Das ist der Lindwurm, kommt und schaut!
Der Hirt und Herden uns verschlungen,
Das ist der Held, der ihn bezwungen!
Viel andre zogen vor ihm aus,
Zu wagen den gewaltgen Strauß,
Doch keinen sah man wiederkehren,
Den kühnen Ritter soll man ehren!
Und zum Palaste geht der Zug,
Wo Sankt Johanns des Täufers Orden,
Die Ritter des Spitals, im Flug
Zu Rate sind versammelt worden.

Und vor den edeln Meister tritt
Der Großkreuz mit bescheidnem Schritt,
Nachdrängt das Volk, mit wildem Rufen,
Erfüllend des Geländers Stufen.
Und jener nimmt das Wort und spricht:
„Ich hab erfüllt die Ritterpflicht,
Der Drache, der das Land verödet,
Er liegt von meiner Hand getötet,
Frei ist dem Wanderer der Weg,
Der Hirte treibe ins Gefilde,
Froh walle auf dem Felsensteg
Der Pilgrim zu dem Gnadenbilde."

Doch strenge blickt der Fürst ihn an
Und spricht: „Du hast als Held getan,
Der Mut ists, der den Ritter ehret,
Du hast den kühnen Geist bewähret.
Doch sprich! Was ist die erste Pflicht
Des Ritters, der für Christum ficht,

Sich schmücket mit des Kreuzes Zeichen?"
Und alle ringsherum erbleichen.
Doch er mit edelm Anstand spricht,
Indem er sich errötend neiget:
„Gehorsam ist die erste Pflicht,
Die ihn des Schmuckes würdig zeiget."

„Und diese Pflicht, mein Sohn," versetzt
Der Meister, „hast du frech verletzt,
Den Kampf, den das Gesetz versaget,
Hast du mit frevlem Mut gewaget! —"
„Herr, richte, wenn du alles weißt,"
Spricht jener mit gesetztem Geist,
„Denn des Gesetzes Sinn und Willen
Vermeint ich treulich zu erfüllen,
Nicht unbedachtsam zog ich hin,
Das Ungeheuer zu bekriegen,
Durch List und kluggewandten Sinn
Versucht ichs, in dem Kampf zu siegen.

Fünf unsers Ordens waren schon,
Die Zierden der Religion,
Des kühnen Mutes Opfer worden,
Da wehrtest du den Kampf dem Orden.
Doch an dem Herzen nagte mir
Der Unmut und die Streitbegier,
Ja selbst im Traum der stillen Nächte
Fand ich mich keuchend im Gefechte,
Und wenn der Morgen dämmernd kam,
Und Kunde gab von neuen Plagen,
Da faßte mich ein wilder Gram,
Und ich beschloß, es frisch zu wagen.

Und zu mir selber sprach ich dann:
Was schmückt den Jüngling, ehrt den Mann,
Was leisteten die tapfern Helden,
Von denen uns die Lieder melden?
Die zu der Götter Glanz und Ruhm
Erhub das blinde Heidentum?
Sie reinigten von Ungeheuern
Die Welt in kühnen Abenteuern,
Begegneten im Kampf dem Leun
Und rangen mit dem Minotauren,
Die armen Opfer zu befrein,
Und ließen sich das Blut nicht dauren.

Ist nur der Sarazen es wert,
Daß ihn bekämpft des Christen Schwert?
Bekriegt er nur die falschen Götter?
Gesandt ist er der Welt zum Retter,
Von jeder Not und jedem Harm
Befreien muß sein starker Arm,
Doch seinen Mut muß Weisheit leiten
Und List muß mit der Stärke streiten.
So sprach ich oft und zog allein,
Des Raubtiers Fährte zu erkunden,
Da flößte mir der Geist es ein,
Froh rief ich aus: ich habs gefunden!

Und trat zu dir und sprach dies Wort:
Mich zieht es nach der Heimat fort.
Du, Herr, willfahrtest meinen Bitten,
Und glücklich war das Meer durchschnitten.
Kaum stieg ich aus am heimschen Strand,
Gleich ließ ich durch des Künstlers Hand,

Getren den wohlbemerkten Zügen,
Ein Drachenbild zusammenfügen.
Auf kurzen Füßen wird die Last
Des langen Leibes aufgetürmet,
Ein schuppicht Panzerhemd umfaßt
Den Rücken, den es furchtbar schirmet.

Lang strecket sich der Hals hervor,
Und gräßlich wie ein Höllentor,
Als schnappt es gierig nach der Beute,
Eröffnet sich des Rachens Weite,
Und aus dem schwarzen Schlunde dräun
Der Zähne stachelichte Reihn,
Die Zunge gleicht des Schwertes Spitze,
Die kleinen Augen sprühen Blitze,
In eine Schlange endigt sich
Des Rückens ungeheure Länge,
Rollt um sich selber fürchterlich,
Daß es um Mann und Roß sich schlänge.

Und alles bild ich nach, genau,
Und kleib es in ein scheußlich Grau,
Halb Wurm erschiens, halb Molch und Drache,
Gezeuget in der giftgen Lache.
Und als das Bild vollendet war,
Erwähl ich mir ein Doggenpaar,
Gewaltig, schnell, von flinken Läufen,
Gewohnt den wilden Ur zu greifen.
Die hetz ich auf den Lindwurm an,
Erhitze sie zu wildem Grimme,
Zu fassen ihn mit scharfem Zahn,
Und lenke sie mit meiner Stimme.

Und wo des Bauches weiches Vlies
Den scharfen Bissen Blöße ließ,
Da reiz ich sie den Wurm zu packen,
Die spitzen Zähne einzuhacken.
Ich selbst, bewaffnet mit Geschoß,
Besteige mein arabisch Roß,
Von adeliger Zucht entstammet,
Und als ich seinen Zorn entflammet,
Rasch auf den Drachen spreng ichs los
Und stachl es mit den scharfen Sporen
Und werfe zielend mein Geschoß,
Als wollt ich die Gestalt durchbohren.

Ob auch das Roß sich grauend bäumt
Und knirscht und in den Zügel schäumt,
Und meine Doggen ängstlich stöhnen,
Nicht rast ich, bis sie sich gewöhnen.
So üb ichs aus mit Emsigkeit,
Bis dreimal sich der Mond erneut,
Und als sie jedes recht begriffen,
Führ ich sie her auf schnellen Schiffen.
Der dritte Morgen ist es nun,
Daß mirs gelungen hier zu landen;
Den Gliedern gönnt ich kaum zu ruhn,
Bis ich das große Werk bestanden.

Denn heiß erregte mir das Herz
Des Landes frisch erneuter Schmerz;
Zerrissen fand man jüngst die Hirten,
Die nach dem Sumpfe sich verirrten.
Und ich beschließe rasch die Tat,
Nur von dem Herzen nehm ich Rat.

Flugs unterricht ich meine Knappen,
Besteige den versuchten Rappen,
Und von dem edeln Doggenpaar
Begleitet, auf geheimen Wegen,
Wo meiner Tat kein Zeuge war,
Reit ich dem Feinde frisch entgegen.

Das Kirchlein kennst du, Herr, das hoch
Auf eines Felsenberges Joch,
Der weit die Insel überschauet,
Des Meisters kühner Geist erbauet.
Verächtlich scheint es, arm und klein,
Doch ein Mirakel schließt es ein,
Die Mutter mit dem Jesusknaben,
Den die drei Könige begaben.
Auf dreimal dreißig Stufen steigt
Der Pilgrim nach der steilen Höhe,
Doch hat er schwindelnd sie erreicht,
Erquickt ihn seines Heilands Nähe.

Tief in den Fels, auf dem es hängt,
Ist eine Grotte eingesprengt,
Vom Tau des nahen Moors befeuchtet,
Wohin des Himmels Strahl nicht leuchtet,
Hier hausete der Wurm und lag,
Den Raub erspähend, Nacht und Tag.
So hielt er wie der Höllendrache
Am Fuß des Gotteshauses Wache,
Und kam der Pilgrim hergewallt
Und lenkte in die Unglücksstraße,
Hervorbrach aus dem Hinterhalt
Der Feind und trug ihn fort zum Fraße.

Den Felsen stieg ich jetzt hinan,
Eh ich den schweren Strauß begann,
Hin kniet ich vor dem Christuskinde
Und reinigte mein Herz von Sünde.
Drauf gürt ich mir im Heiligtum
Den blanken Schmuck der Waffen um,
Bewehre mit dem Spieß die Rechte,
Und nieder steig ich zum Gefechte.
Zurücke bleibt der Knappen Troß,
Ich gebe scheidend die Befehle
Und schwinge mich behend aufs Roß,
Und Gott empfehl ich meine Seele.

Kaum seh ich mich im ebnen Plan,
Flugs schlagen meine Doggen an,
Und bang beginnt das Roß zu keuchen
Und bäumet sich und will nicht weichen.
Denn nahe liegt, zum Knäul geballt,
Des Feindes scheußliche Gestalt
Und sonnet sich auf warmem Grunde,
Auf jagen ihn die flinken Hunde,
Doch wenden sie sich pfeilgeschwind,
Als es den Rachen gähnend teilet
Und von sich haucht den giftgen Wind
Und winselnd wie der Schakal heulet.

Doch schnell erfrisch ich ihren Mut,
Sie fassen ihren Feind mit Wut,
Indem ich nach des Tieres Lende
Aus starker Faust den Speer versende.
Doch machtlos wie ein dünner Stab
Prallt er vom Schuppenpanzer ab,

Und eh ich meinen Wurf erneuet,
Da bäumet sich mein Roß und scheuet
An seinem Basiliskenblick
Und seines Atems giftgem Wehen,
Und mit Entsetzen springts zurück,
Und jetzo wars um mich geschehen —

Da schwing ich mich behend vom Roß,
Schnell ist des Schwertes Schneide bloß,
Doch alle Streiche sind verloren,
Den Felsenharnisch zu durchbohren,
Und wütend mit des Schweifes Kraft
Hat es zur Erde mich gerafft,
Schon seh ich seinen Rachen gähnen,
Es haut nach mir mit grimmen Zähnen,
Als meine Hunde wutentbrannt
An seinen Bauch mit grimmen Bissen
Sich warfen, daß es heulend stand,
Von ungeheurem Schmerz zerrissen.

Und eh es ihren Bissen sich
Entwindet, rasch erheb ich mich,
Erspähe mir des Feindes Blöße
Und stoße tief ihm ins Gekröse
Nachbohrend bis ans Heft den Stahl.
Schwarzquellend springt des Blutes Strahl.
Hin sinkt es und begräbt im Falle
Mich mit des Leibes Riesenballe,
Daß schnell die Sinne mir vergehn,
Und als ich neugestärkt erwache,
Seh ich die Knappen um mich stehn,
Und tot im Blute liegt der Drache.“

Des Beifalls lang gehemmte Lust
Befreit jetzt aller Hörer Brust,
So wie der Ritter dies gesprochen,
Und zehnfach am Gewölb gebrochen,
Wälzt der vermischten Stimmen Schall
Sich brausend fort im Widerhall.
Laut fodern selbst des Ordens Söhne,
Daß man die Heldenstirne kröne.
Und dankbar im Triumphgepräng
Will ihn das Volk dem Volke zeigen,
Da faltet seine Stirne streng
Der Meister und gebietet Schweigen

    Und spricht: „Den Drachen, der dies Land
Verheert, schlugst du mit tapfrer Hand,
Ein Gott bist du dem Volke worden,
Ein Feind kommst du zurück dem Orden,
Und einen schlimmern Wurm gebar
Dein Herz, als dieser Drache war.
Die Schlange, die das Herz vergiftet,
Die Zwietracht und Verderben stiftet,
Das ist der widerspenstge Geist,
Der gegen Zucht sich frech empöret,
Der Ordnung heilig Band zerreißt,
Denn der ists, der die Welt zerstöret.

    Mut zeiget auch der Mameluck,
Gehorsam ist des Christen Schmuck;
Denn wo der Herr in seiner Größe
Gewandelt hat in Knechtes Blöße,
Da stifteten, auf heilgem Grund,
Die Väter dieses Ordens Bund,

Der Pflichten schwerste zu erfüllen:
Zu bändigen den eignen Willen!
Dich hat der eitle Ruhm bewegt,
Drum wende dich aus meinen Blicken,
Denn wer des Herren Joch nicht trägt,
Darf sich mit seinem Kreuz nicht schmücken."

Da bricht die Menge tobend aus,
Gewaltger Sturm bewegt das Haus,
Um Gnade flehen alle Brüder.
Doch schweigend blickt der Jüngling nieder,
Still legt er von sich das Gewand
Und küßt des Meisters strenge Hand
Und geht. Der folgt ihm mit dem Blicke,
Dann ruft er liebend ihn zurücke
Und spricht: „Umarme mich, mein Sohn!
Dir ist der härtre Kampf gelungen.
Nimm dieses Kreuz, es ist der Lohn
Der Demut, die sich selbst bezwungen."

Die Bürgschaft.

Ballade.

Zu Dionys, dem Tyrannen, schlich
Möros, den Dolch im Gewande,
Ihn schlugen die Häscher in Bande.
„Was wolltest du mit dem Dolche, sprich!"
Entgegnet ihm finster der Wüterich.
„Die Stadt vom Tyrannen befreien!"
„Das sollst du am Kreuze bereuen."

„Ich bin," spricht jener, „zu sterben bereit
Und bitte nicht um mein Leben,
Doch willst du Gnade mir geben,
Ich flehe dich um drei Tage Zeit,
Bis ich die Schwester dem Gatten gefreit,
Ich lasse den Freund dir als Bürgen,
Ihn magst du, entrinn ich, erwürgen."

Da lächelt der König mit arger List
Und spricht nach kurzem Bedenken:
„Drei Tage will ich dir schenken.
Doch wisse! Wenn sie verstrichen, die Frist,
Eh du zurück mir gegeben bist,
So muß er statt deiner erblassen,
Doch dir ist die Strafe erlassen."

Und er kommt zum Freunde: „Der König gebeut,
Daß ich am Kreuz mit dem Leben
Bezahle das frevelnde Streben,
Doch will er mir gönnen drei Tage Zeit,
Bis ich die Schwester dem Gatten gefreit,
So bleib du dem König zum Pfande,
Bis ich komme, zu lösen die Bande."

Und schweigend umarmt ihn der treue Freund
Und liefert sich aus dem Tyrannen,
Der andere ziehet von dannen.
Und ehe das dritte Morgenrot scheint,
Hat er schnell mit dem Gatten die Schwester vereint,
Eilt heim mit sorgender Seele,
Damit er die Frist nicht verfehle.

Da gießt unendlicher Regen herab,
Von den Bergen stürzen die Quellen,
Und die Bäche, die Ströme schwellen.
Und er kommt ans Ufer mit wanderndem Stab,
Da reißet die Brücke der Strubel hinab,
Und donnernd sprengen die Wogen
Des Gewölbes krachenden Bogen.

Und trostlos irrt er an Ufers Rand,
Wie weit er auch spähet und blicket
Und die Stimme, die rufende, schicket;
Da stößet kein Nachen vom sichern Strand,
Der ihn setze an das gewünschte Land,
Kein Schiffer lenket die Fähre,
Und der wilde Strom wird zum Meere.

Da sinkt er ans Ufer und weint und fleht,
Die Hände zum Zeus erhoben:
„O hemme des Stromes Toben!
Es eilen die Stunden, im Mittag steht
Die Sonne, und wenn sie niedergeht,
Und ich kann die Stadt nicht erreichen,
So muß der Freund mir erbleichen.“

Doch wachsend erneut sich des Stromes Wut,
Und Welle auf Welle zerrinnet,
Und Stunde an Stunde entrinnet,
Da treibet die Angst ihn, da faßt er sich Mut
Und wirft sich hinein in die brausende Flut
Und teilt mit gewaltigen Armen
Den Strom, und ein Gott hat Erbarmen.

Und gewinnt das Ufer und eilet fort,
Und danket dem rettenden Gotte,
Da stürzet die raubende Rotte
Hervor aus des Waldes nächtlichem Ort,
Den Pfad ihm sperrend, und schnaubet Mord
Und hemmet des Wanderers Eile
Mit drohend geschwungener Kenle.

„Was wollt ihr?" ruft er für Schrecken bleich,
„Ich habe nichts als mein Leben,
Das muß ich dem Könige geben!"
Und entreißt die Keule dem nächsten gleich:
„Um des Freundes willen erbarmet euch!"
Und drei, mit gewaltigen Streichen,
Erlegt er, die andern entweichen.

Und die Sonne versendet glühenden Brand;
Und von der unendlichen Mühe
Ermattet, sinken die Kniee:
„O hast du mich gnädig aus Räubershand,
Aus dem Strom mich gerettet ans heilige Land,
Und soll hier verschmachtend verderben,
Und der Freund mir, der liebende, sterben!"

Und horch! da sprudelt es silberhell
Ganz nahe, wie rieselndes Rauschen,
Und stille hält er, zu lauschen.
Und sieh, aus dem Felsen, geschwätzig, schnell,
Springt murmelnd hervor ein lebendiger Quell,
Und freudig bückt er sich nieder
Und erfrischet die brennenden Glieder.

Und die Sonne blickt durch der Zweige Grün
Und malt auf den glänzenden Matten
Der Bäume gigantische Schatten;
Und zwei Wanderer sieht er die Straße ziehn,
Will eilenden Laufes vorüber fliehn,
Da hört er die Worte sie sagen:
„Jetzt wird er ans Kreuz geschlagen.“

Und die Angst beflügelt den eilenden Fuß,
Ihn jagen der Sorge Qualen,
Da schimmern in Abendrots Strahlen
Von ferne die Zinnen von Syrakus,
Und entgegen kommt ihm Philostratus,
Des Hauses redlicher Hüter,
Der erkennet entsetzt den Gebieter:

„Zurück! du rettest den Freund nicht mehr,
So rette das eigene Leben!
Den Tod erleidet er eben.
Von Stunde zu Stunde gewartet’ er
Mit hoffender Seele der Wiederkehr,
Ihm konnte den mutigen Glauben
Der Hohn des Tyrannen nicht rauben.“

„Und ist es zu spät, und kann ich ihm nicht
Ein Retter willkommen erscheinen,
So soll mich der Tod ihm vereinen.
Des rühme der blutge Tyrann sich nicht,
Daß der Freund dem Freunde gebrochen die Pflicht,
Er schlachte der Opfer zweie,
Und glaube an Liebe und Treue.“

Und die Sonne geht unter, da steht er am Tor
Und sieht das Kreuz schon erhöhet,
Das die Menge gaffend umstehet,
An dem Seile schon zieht man den Freund empor,
Da zertrennt er gewaltig den dichten Chor:
„Mich, Henker!" ruft er, „erwürget,
Da bin ich, für den er gebürget!"

Und Erstaunen ergreifet das Volk umher,
In den Armen liegen sich beide
Und weinen für Schmerzen und Freude.
Da sieht man kein Auge tränenleer,
Und zum Könige bringt man die Wundermär,
Der fühlt ein menschliches Rühren,
Läßt schnell vor den Thron sie führen

Und blicket sie lange verwundert an;
Drauf spricht er: „Es ist euch gelungen,
Ihr habt das Herz mir bezwungen,
Und die Treue, sie ist doch kein leerer Wahn,
So nehmet auch mich zum Genossen an,
Ich sei, gewährt mir die Bitte,
In eurem Bunde der dritte."

Des Mädchens Klage.

Der Eichwald brauset,
Die Wolken ziehn,
Das Mägdlein sitzet
An Ufers Grün,

Es bricht sich die Welle mit Macht, mit Macht,
Und sie seufzt hinaus in die finstre Nacht,
Das Auge von Weinen getrübet.

"Das Herz ist gestorben,
Die Welt ist leer,
Und weiter gibt sie
Dem Wunsche nichts mehr.
Du Heilige, rufe dein Kind zurück,
Ich habe genossen das irdische Glück,
Ich habe gelebt und geliebet!"

Es rinnet der Tränen
Vergeblicher Lauf,
Die Klage, sie wecket
Die Toten nicht auf,
Doch nenne, was tröstet und heilet die Brust
Nach der süßen Liebe verschwundener Lust,
Ich, die himmlische, wills nicht versagen.

"Laß rinnen der Tränen
Vergeblichen Lauf,
Es wecke die Klage
Den Toten nicht auf,
Das süßeste Glück für die traurende Brust
Nach der schönen Liebe verschwundener Lust
Sind der Liebe Schmerzen und Klagen."

Bürgerlied.

Windet zum Kranze die goldenen Ähren,
Flechtet auch blaue Zyanen hinein,
Freude soll jedes Auge verklären,
Denn die Königin ziehet ein,
Die Bezähmerin wilder Sitten,
Die den Menschen zum Menschen gesellt
Und in friedliche feste Hütten
Wandelte das bewegliche Zelt.

Scheu in des Gebirges Klüften
Barg der Troglodyte sich,
Der Nomade ließ die Triften
Wüste liegen, wo er strich,
Mit dem Wurfspieß, mit dem Bogen
Schritt der Jäger durch das Land.
Weh dem Fremdling, den die Wogen
Warfen an den Unglücksstrand!

Und auf ihrem Pfad begrüßte,
Irrend nach des Kindes Spur,
Ceres die verlaßne Küste.
Ach, da grünte keine Flur!
Daß sie hier vertraulich weile,
Ist kein Obdach ihr gewährt,
Keines Tempels heitre Säule
Zeuget, daß man Götter ehrt.

Keine Frucht der süßen Ähren
Lädt zum reinen Mahl sie ein,
Nur auf gräßlichen Altären
Dorret menschliches Gebein.

Ja, so weit sie wandernd kreiste,
Fand sie Elend überall,
Und in ihrem großen Geiste
Jammert sie des Menschen Fall.

Find ich so den Menschen wieder,
Dem wir unser Bild geliehn,
Dessen schöngestalte Glieder
Droben im Olympus blühn?
Gaben wir ihm zum Besitze
Nicht der Erbe Götterschoß,
Und auf seinem Königsitze
Schweift er elend, heimatlos?

Fühlt kein Gott mit ihm Erbarmen,
Keiner aus der Sel'gen Chor
Hebet ihn mit Wunderarmen
Aus der tiefen Schmach empor?
In des Himmels sel'gen Höhen
Rühret sie nicht fremder Schmerz,
Doch der Menschheit Angst und Wehen
Fühlet mein gequältes Herz.

Daß der Mensch zum Menschen werde,
Stift' er einen ewgen Bund
Gläubig mit der frommen Erde,
Seinem mütterlichen Grund,
Ehre das Gesetz der Zeiten
Und der Monde heilgen Gang,
Welche still gemessen schreiten
Im melodischen Gesang.

Und den Nebel teilt sie leise,
Der den Blicken sie verhüllt,
Plötzlich in der Wilden Kreise
Steht sie da, ein Götterbild.
Schwelgend bei dem Siegesmahle
Findet sie die rohe Schar,
Und die blutgefüllte Schale
Bringt man ihr zum Opfer dar.

Aber schaudernd, mit Entsetzen,
Wendet sie sich weg und spricht:
Blutge Tigermahle netzen
Eines Gottes Lippen nicht.
Reine Opfer will er haben,
Früchte, die der Herbst beschert,
Mit des Feldes frommen Gaben
Wird der Heilige verehrt.

Und sie nimmt die Wucht des Speeres
Aus des Jägers rauher Hand,
Mit dem Schaft des Mordgewehres
Furchet sie den leichten Sand,
Nimmt von ihres Kranzes Spitze
Einen Kern, mit Kraft gefüllt,
Senkt ihn in die zarte Ritze,
Und der Trieb des Keimes schwillt —

Und mit grünen Halmen schmücket
Sich der Boden alsobald,
Und so weit das Auge blicket,
Wogt es wie ein goldner Wald.

Lächelnd segnet sie die Erbe,
Flicht der ersten Garbe Bund,
Wählt den Feldstein sich zum Herde,
Und so spricht der Göttin Mund:

„Vater Zeus, der über alle
Götter herrscht in Äthers Höhn!
Daß dies Opfer dir gefalle,
Laß ein Zeichen jetzt geschehn!
Und dem unglückselgen Volke,
Das dich, Hoher! noch nicht nennt,
Nimm hinweg des Auges Wolke,
Daß es seinen Gott erkennt!“

Und es hört der Schwester Flehen
Zeus auf seinem hohen Sitz,
Donnernd aus den blauen Höhen
Wirft er den gezackten Blitz.
Prasselnd fängt es an zu lohen,
Hebt sich wirbelnd vom Altar,
Und darüber schwebt in hohen
Kreisen sein geschwinder Aar.

Und gerührt zu der Herrscherin Füßen
Stürzt sich der Menge freudig Gewühl,
Und die rohen Seelen zerfließen
In der Menschlichkeit erstem Gefühl,
Werfen von sich die blutige Wehre,
Öffnen den düstergebundenen Sinn
Und empfangen die göttliche Lehre
Aus dem Munde der Königin.

Und von ihren Thronen steigen
Alle Himmlischen herab,
Themis selber führt den Reigen,
Und mit dem gerechten Stab
Mißt sie jedem seine Rechte,
Setzet selbst der Grenze Stein,
Und des Styx verborgne Mächte
Ladet sie zu Zeugen ein.

Und es kommt der Gott der Esse,
Zeus erfindungsreicher Sohn,
Bildner künstlicher Gefäße,
Hochgelehrt in Erzt und Ton.
Und er lehrt die Kunst der Zange
Und der Blasebälge Zug,
Unter seines Hammers Zwange
Bildet sich zuerst der Pflug.

Und Minerva, hoch vor allen
Ragend mit gewichtgem Speer,
Läßt die Stimme mächtig schallen
Und gebeut dem Götterheer.
Feste Mauern will sie gründen,
Jedem Schutz und Schirm zu sein,
Die zerstreute Welt zu binden
In vertraulichem Verein.

Und sie lenkt die Herrscherschritte
Durch des Feldes weiten Plan,
Und an ihres Fußes Tritte
Heftet sich der Grenzgott an,

Meſſend führet ſie die Kette
Um des Hügels grünen Saum,
Auch des wilden Stromes Bette
Schließt ſie in den heilgen Raum.

Alle Nymphen, Oreaden,
Die der ſchnellen Artemis
Folgen auf des Berges Pfaden,
Schwingend ihren Jägerſpieß,
Alle kommen, alle legen
Hände an, der Jubel ſchallt,
Und von ihrer Äxte Schlägen
Krachend ſtürzt der Fichtenwald.

Auch aus ſeiner grünen Welle
Steigt der ſchilfbekränzte Gott,
Wälzt den ſchweren Floß zur Stelle
Auf der Göttin Machtgebot,
Und die leichtgeſchürzten Stunden
Fliegen, ans Geſchäft gewandt,
Und die rauhen Stämme runden
Zierlich ſich in ihrer Hand.

Auch den Meergott ſieht man eilen,
Raſch mit des Tridentes Stoß
Bricht er die granitnen Säulen
Aus dem Erdgerippe los,
Schwingt ſie in gewaltgen Händen
Hoch wie einen leichten Ball,
Und mit Hermes dem Behenden
Türmet er der Mauern Wall.

Aber aus den goldnen Saiten
Lockt Apoll die Harmonie
Und das holde Maß der Zeiten
Und die Macht der Melodie.
Mit neunstimmigem Gesange
Fallen die Kamönen ein,
Leise nach des Liedes Klange
Füget sich der Stein zum Stein.

Und der Tore weite Flügel
Setzet mit erfahrner Hand
Cybele und fügt die Riegel
Und der Schlösser festes Band,
Schnell durch rasche Götterhände
Ist der Wunderbau vollbracht,
Und der Tempel heitre Wände
Glänzen schon in Festes Pracht.

Und mit einem Kranz von Myrten
Naht die Götterkönigin,
Und sie führt den schönsten Hirten
Zu der schönsten Hirtin hin.
Venus mit dem holden Knaben
Schmücket selbst das erste Paar,
Alle Götter bringen Gaben,
Reiche, den Vermählten dar.

Und die neuen Bürger ziehen,
Von der Götter selgem Chor
Eingeführt, mit Harmonien
In das gastlich offne Tor,

Und das Priesteramt verwaltet
Ceres am Altar des Zeus,
Segnend ihre Hand gefaltet
Spricht sie zu des Volkes Kreis.

„Freiheit liebt das Tier der Wüste,
Frei im Äther herrscht der Gott,
Ihrer Brust gewaltge Lüste
Zähmet das Naturgebot,
Doch der Mensch, in ihrer Mitte,
Soll sich an den Menschen reihn,
Und allein durch seine Sitte
Kann er frei und mächtig sein.‟

Windet zum Kranze die goldenen Ähren,
Flechtet auch blaue Zyanen hinein,
Freude soll jedes Auge verklären,
Denn die Königin ziehet ein,
Die uns die süße Heimat gegeben,
Die den Menschen zum Menschen gesellt,
Unser Gesang soll sie festlich erheben,
Die beglückende Mutter der Welt.

An Wolfgang von Goethe.

Jena, den 2. Jenner 1798.

Es soll mir ein gutes Omen sein, daß Sie es sind, an den ich zum erstenmal unter dem neuen Datum schreibe. Das Glück sei Ihnen in diesem Jahre eben so hold als in den zwei letztvergangenen, ich kann Ihnen nichts Beßres wünschen. Möchte auch mir die Freude in diesem Jahre beschert sein, das Beste aus meiner Natur in einem Werke zu sublimieren, wie Sie mit der Ihrigen es getan.

Ihre eigene Art und Weise zwischen Reflexion und Produktion zu alternieren ist wirklich beneidens- und bewundernswert. Beide Geschäfte trennen sich in Ihnen ganz, und das eben macht, daß beide als Geschäfte so rein ausgeführt werden. Sie sind wirklich, solang Sie arbeiten, im Dunkeln, und das Licht ist bloß in Ihnen, und wenn Sie anfangen zu reflektieren, so tritt das innere Licht von Ihnen heraus und bestrahlt die Gegenstände Ihnen und andern. Bei mir vermischen sich beide Wirkungsarten und nicht sehr zum Vorteil der Sache.

Von Hermann und Dorothea las ich kürzlich eine Rezension in der Nürnberger Zeitung, welche mir wieder bestätigt, daß die Deutschen nur fürs Allgemeine, fürs Verständige und fürs Moralische Sinn haben. Die Beurteilung ist voll guten Willens, aber auch nicht etwas darin, was ein Gefühl des Poetischen zeigte oder einen Blick in die poetische Ökonomie des Ganzen verriet. Bloß an Stellen hängt sich der gute Mann und vorzugsweise an die, welche ins Allgemeine und Breite gehen und einem etwas ans Herz legen.

Haben Sie vielleicht das seltsame Buch von Retif: Coeur humain devoilé je gesehen oder davon gehört? Ich hab es nun gelesen, soweit es da ist, und, ungeachtet alles Widerwärtigen, Platten und Revoltanten, mich sehr daran ergötzt. Denn eine so heftig sinnliche Natur ist mir nicht vorgekommen, und die Mannigfaltigkeit der Gestalten, besonders weiblicher, durch die man geführt wird, das Leben und die Gegenwart der Beschreibung, das Charakteristische der Sitten und die Darstellung des französischen Wesens in einer gewissen Volksklasse muß interessieren. Mir, der so wenig Gelegenheit hat, von außen zu schöpfen und die Menschen im Leben zu studieren, hat ein solches Buch, in welche Klasse ich auch den Cellini rechne, einen unschätzbaren Wert.

Dieser Tage las ich zu meiner großen Lust im Intelligenzblatt der Literaturzeitung eine Erklärung von dem jüngern Schlegel, daß er mit dem Herausgeber des Lyceums nichts mehr zu schaffen habe. So hat also doch unsre Prophezeiung eingetroffen, daß dieses Band nicht lange dauern werde!

Leben Sie wohl für heute, ich erwarte nun morgen eine bestimmte Anzeige, wie bald Sie zu uns kommen. Meine Frau grüßt Sie bestens. Meiern hoffe ich doch wenigstens auf einen Tag wieder bei uns zu sehen.

S.

An Wolfgang von Goethe.

Jena, den 5. Januar 1798.

Meine Hauswirte können den freundlichen Empfang, den Sie bei Ihnen erfahren, und die schönen Sachen, die ihnen gezeigt worden sind, nicht genug rühmen. Wirklich wundre ich mich über den Anteil, womit der Alte über diese Kunstwerke spricht und der

Künstler hat Ursache, sich seiner Wirkung auf eine solche Natur zu freuen.

Es tut mir sehr leib, daß Ihre Anherokunft so viele Ver= zögerungen findet, da ich nach einem frühern Brief von Ihnen schon vom Christtag an darauf rechnen konnte. Unterdessen habe ich einige Schritte weiter in meiner Arbeit gewonnen und bin im= stande, Ihnen viermal mehr, als der Prolog beträgt, vorzulegen, obgleich noch nichts von dem dritten Akte dabei ist.

Jetzt da ich meine Arbeit von einer fremden Hand reinlich ge= schrieben vor mir habe und sie mir fremder ist, macht sie mir wirklich Freude. Ich finde augenscheinlich, daß ich über mich selbst hinausgegangen bin, welches die Frucht unsers Umgangs ist; denn nur der vielmalige kontinuierliche Verkehr mit einer so ob= jektiv mir entgegenstehenden Natur, mein lebhaftes Hinstreben darnach und die vereinigte Bemühung, sie anzuschauen und zu denken, konnte mich fähig machen, meine subjektiven Grenzen so weit auseinander zu rücken. Ich finde, daß mich die Klarheit und die Besonnenheit, welche die Frucht einer spätern Epoche ist, nichts von der Wärme einer frühern gekostet hat. Doch es schickte sich besser, daß ich das aus Ihrem Munde hörte, als daß Sie es von mir erfahren.

Ich werde es mir gesagt sein lassen, keine andre als historische Stoffe zu wählen, frei erfundene würden meine Klippe sein. Es ist eine ganz andere Operation, das Realistische zu idealisieren, als das Ideale zu realisieren, und letzteres ist der eigentliche Fall bei freien Fiktionen. Es steht in meinem Vermögen, eine gegebene bestimmte und beschränkte Materie zu beleben, zu erwärmen und gleichsam aufquellen zu machen, während daß die objektive Be= stimmtheit eines solchen Stoffs meine Phantasie zügelt und meiner Willkür widersteht.

Ich möchte wohl einmal, wenn es mir mit einigen Schauspielen gelungen ist, mir unser Publikum recht geneigt zu machen, etwas recht Böses tun und eine alte Idee mit Julian dem Apostaten ausführen. Hier ist nun auch eine ganz eigene bestimmte historische Welt, bei der mirs nicht leib sein sollte, eine poetische Ausbeute zu finden, und das fürchterliche Interesse, das der Stoff hat, müßte die Gewalt der poetischen Darstellung desto wirksamer machen. Wenn Julians Misopogon oder seine Briefe (übersetzt nämlich) in der weimarischen Bibliothek sein sollten, so würden Sie mir viel Vergnügen damit machen, wenn Sie sie mitbrächten.

Die Charlotte Kalb, hör ich, soll wirklich in Gefahr sein, blind zu werden, sie wäre doch sehr zu beklagen.

Leben Sie recht wohl; ich lege hier etwas von Körnern bei, was er über Ihren Pausias schreibt. Haben Sie die Güte, mir den Humboldtischen Brief, den ich auf den Montag beantworte, zurückzusenden.

S.

An Friedrich Cotta.

Jena, den 5. Januar 1798.

Ich bins recht wohl zufrieden, daß die Horen aufhören, und bitte bloß, allen Eklat zu vermeiden, und bei Versendung des eilften und zwölften Stücks den Buchhandlungen es zu notifizieren, ohne eine öffentliche Erklärung. Da die Versendung des zwölften Stücks sich ohnehin bis zu Ende Februars oder noch später verziehen kann, so können wir die Sache um so eher einschlafen lassen. Womöglich werde ich den letztern Stücken noch einen Wert zu geben suchen. Mich selbst beschäftigt freilich der Wallenstein jetzt ausschließend, und weil ich meine Natur kenne, so erlaube ich mir nicht gern eine Diversion, die mich immer gleich zu sehr zerstreuet.

Auf den Wallenstein dürfen Sie sich freuen, es ist mir in meinem Leben nichts so gut gelungen, und ich hoffe, in dieser Arbeit die Kraft und das Feuer der Jugend mit der Ruhe und Klarheit des reiferen Alters gepaart zu haben.

Um uns vor dem Publikum eine Konsolation wegen Aufhörens

der Horen zu geben, wär mirs besonders lieb, wenn in den nächsten vier Wochen eine zweite Auflage des Musenalmanachs im Intelligenzblatt der Literaturzeitung und in dem Hamburger Korrespondenten könnte angezeigt werden. Den Wallenstein wollen wir im März anzeigen, wo ich auch den Theaterdirektionen etwas zu sagen habe.

Ich habe von der Frau von der Recke ein großes Lustspiel erhalten, das in den Horen des nächsten Jahrgangs Platz haben sollte. Nun wünschte ich die Mühe, die ich damit gehabt, nicht ganz zu verlieren und möchte es also gern um ein sehr mäßiges Honorar von 1 Karolin pro Bogen besonders gedruckt haben. Sie will aber und darf wegen politischer Verhältnisse, in denen sie ist, nicht genannt werden. Wollen Sie mir dieses Stück, das ohngefähr acht gedruckte Bogen geben wird, abnehmen, so ist es mir angenehm, denn ich wende mich nicht gern an einen andern.

Leben Sie recht wohl. Zahn soll uns allerdings noch mehr komponieren, denn so oft ich seine Melodie zum Reiterlied höre, macht sie mir Vergnügen. Petersen danke ich für sein Andenken herzlich. Ihr

S.

Manuskript zum eilften Stück bringt die nächste Post.

An Friedrich Cotta.

Jena, den 8. Januar 1798.

Für die ersten Blätter der Weltkunde, die ich vorgestern erhielt, danke ich Ihnen aufs allerschönste, sie versprechen sehr viel, und ich zweifle keinen Augenblick, daß Sie mit dieser Unternehmung Glück haben werden. Posselt ist für dieses Werk unter hunderttausenden ausgezeichnet, er hat Kenntnis, Beredsamkeit, Feuer und, wie es scheint, eine seltene Raschheit und Fertigkeit des Blicks und der Feder, was zu solchen Arbeiten conditio sine qua non ist, und was so wenige Gelehrte besitzen. Es wird dem Werk eher nützen als schaden, wenn die Ereignisse ihn drängen, daß er kurz sein muß. Dadurch wird er einen gewissen Takt erlangen, immer gleich das Bedeutende aufzugreifen und es auch auf die bedeutendste Art zu sagen, er wird die deklamatorische Art, wozu er jetzt noch etwas geneigt ist, vollends ablegen und große Resultate in wenig Worten hinwerfen.

Meinen Sie nicht, daß es der Zeitung auch vorteilhaft sein müßte, wenn Posselt zuweilen eine bedeutende Stelle aus politischen, historischen, philosophischen, selbst poetischen Werken des Altertums und der neuern Zeit auf eine geschickte Art einstreute? So etwas gibt einer Erzählung gleich eine pikante Würze und überrascht angenehm in einer Zeitung, wo man keine Nahrung für den Geist zu erwarten gewohnt ist.

Ich wünsche Ihnen nun nichts mehr als 3000 Käufer zu dieser Zeitung, so müßten Sie nach meinem Überschlag 2000 Louisdor daran gewinnen.

Mit der neuen Auflage des Almanachs wollen wir doch noch etliche Wochen warten. Ich habe mich in den hiesigen Buch=handlungen erkundigt und erfahre, daß sie noch mehrere Exemplare vorrätig haben. Zu rasch müssen Sie doch die 80 oder 100 Taler, die die Auflage betragen mag, nicht wagen.

Hier der Anfang des Manuskripts zum zwölften Horenstück. Leben Sie bestens wohl. Ganz der Ihrige   Sch.

An Gottfried Körner.

Jena, den 8. Januar 1798.

Nur ein paar Zeilen für heute, um dich wegen meiner Ge=sundheit außer Sorge zu setzen. Ich befinde mich wieder recht wohl, bin in guter Stimmung zum Arbeiten, und es geht mir von der Hand. Auch die übrige Familie ist wohlauf und grüßt euch herzlich.

Humboldt hat mir einen großen Brief aus Paris geschrieben, den ich dir schicken werde, sobald ich ihn beantwortet.

In acht Tagen erwarte ich Goethe hier und mit ihm eine wichtige Epoche für mein Geschäft; denn ich werde ihm den Wallenstein vorlesen, soweit er fertig ist. Ich bin voll Erwartung, obgleich ich, im ganzen genommen, des Eindrucks auf eine gebildete Natur mich ziemlich gewiß halte; denn ich kann nicht leugnen, daß ich mit meiner Arbeit sehr wohl zufrieden bin und mich manchmal darüber wundre. Du wirst von dem Feuer und der Innigkeit meiner besten Jahre nichts darin vermissen und keine Roheit aus jener Epoche mehr darin finden. Die kraftvolle Ruhe, die beherrschte Kraft wird auch deinen Beifall erhalten. Aber freilich ist es keine griechische Tragödie und kann keine sein; wie überhaupt das Zeitalter, wenn ich auch eine daraus hätte machen können, es mir nicht gedankt hätte. Es ist ein zu reicher Gegenstand geworden, ein kleines Universum, und die Exposition hat mich erstaunlich in die Breite getrieben. Obgleich zum zweiten Akt noch einige Szenen fehlen und von den folgenden Akten noch gar nichts in Ordnung gebracht ist, so kann ich Goethe doch viermal so viel, als der Prolog beträgt, vorlesen; du kannst daraus abnehmen, wie reich mein Stoff ausgefallen — denn an der Schreibart, die sehr konzis ist, liegt es nicht. Doch werden die letzten Akte, besonders der vierte und fünfte, merklich kleiner sein, und die Tragödie, den Prolog abgerechnet, wird nicht über fünfzehn gedruckte Bogen füllen.

Ich höre, daß man in Dresden Bordüren zu Zimmern wie auch Spiegel haben kann. Willst du so gut sein und mir eine Bordüre zu einem blauen Zimmer von den Frauen aussuchen lassen und mir einige Muster davon senden und mich zugleich wissen lassen, ob man sie nur stück= oder auch ellenweise kaufen kann. Auch wünschte ich zu wissen, ob man Spiegel ohne Rahmen bekommen kann und was zwei Spiegel von etwa einer Elle Breite und zwei Ellen Höhe zusammen kosten.

Lebe wohl und ſetze deine Kritiken über den Almanach bald
fort, die ich auch Goethe kommuniziere und die uns viel Freude
machen. Herzlich umarme ich euch alle.

Dein

S.

An Wolfgang von Goethe.

Jena, den 9. Januar 1798.

Inlage ſchickte mir Cotta für Sie und wird ferner damit
kontinuieren. Er will Ihr Paket immer an mich einſchließen,
weil man nicht bis Weimar frankieren kann.

Heute kann ich Ihnen bloß einen guten Abend ſagen. Ich
habe die Nacht nicht geſchlafen und werde mich gleich zu Bette
legen. Wie iſts Ihnen bei dem greulichen Wetter? Ich fühle es
in allen Nerven. Es iſt mir für Sie ſelbſt lieb, daß Sie jetzt
nicht hier ſind.

Leben Sie recht wohl.   S.

An Wolfgang von Goethe.

Jena, den 12. Januar 1798.

Ihr Aufſatz enthält eine treffliche Vorſtellung und zugleich
Rechenſchaft Ihres naturhiſtoriſchen Verfahrens und berührt die
höchſten Angelegenheiten und Erfoderniſſe aller rationellen Empirie,
indem er nur einem einzelnen Geſchäfte die Regel zu geben ſucht.
Ich werde ihn noch ſorgfältig durchleſen und überdenken und Ihnen
dann meine Bemerkungen mitteilen. Das iſt mir zum Beiſpiel
ſehr einleuchtend, wie gefährlich es iſt, einen theoretiſchen Satz
unmittelbar durch Verſuche beweiſen zu wollen. Es ſtimmt dies,
wie mir deucht, mit einer andern philoſophiſchen Warnung überein,
daß man ſeine Sätze nicht durch Beiſpiele beweiſen ſolle, weil kein
Satz dem Beiſpiel gleich iſt. Die entgegengeſetzte Methode verkennt

3*

den essentiellen Unterschied zwischen der Naturwelt und der Ver=
standeswelt ganz, ja sie hebt die ganze Natur auf, indem sie bloß
ihre Vorstellung uns in den Dingen und nie umgekehrt finden
läßt. Überhaupt kann eine Erscheinung oder Faktum, die etwas
durchgängig vielfach Bestimmtes ist, nie einer Regel, die bloß be=
stimmend ist, adäquat sein. Ich wollte wünschen, es gefiel Ihnen,
den Hauptinhalt dieses Aufsatzes auch für sich selbst und unab=
hängig von der Untersuchung und Erfahrungen, denen er zur Ein=
leitung dient, auszuführen. Sie würden auf eine strengere und
reinere Scheidung des praktischen Verfahrens und des theoretischen
Gebrauches bedeutende Fingerzeige geben; man würde dahin ge=
bracht werden sich zu überzeugen, daß nur dadurch die Wissenschaft
erweitert werden kann, daß man auf der einen Seite dem Phänomen
ohne allen Anspruch auf eine hervorzubringende Einheit folgt, es
von allen Seiten umgehet und bloß die Natur in ihrer Breite
aufzufassen sucht — auf der andern Seite (und wenn jene erste
nur in Sicherheit gebracht ist) die Freiheit der vorstellenden Kräfte
begünstiget, das Kombinationsvermögen sich nach Lust daran ver=
suchen läßt, mit dem Vorbehalt, daß die vorstellende Kraft auch
nur in ihrer eignen Welt und nie in dem Faktum etwas zu kon=
stituieren suche. Denn mir deucht, es ist bisher auf zwei entgegen=
gesetzte Arten in der Naturwissenschaft gefehlt worden, einmal hat
man die Natur durch die Theorie verengt und ein andermal die
Denkkräfte durch das Objekt zu sehr einschränken wollen. Beiden
muß Gerechtigkeit geschehen, wenn eine rationale Empirie möglich
sein soll, und beiden kann Gerechtigkeit geschehen, wenn eine strenge
kritische Polizei ihre Felder trennt. Sobald man die Freiheit der
theoretischen Vermögen begünstiget, so kann es nicht fehlen, und
die Erfahrung lehrt es, daß die Mannigfaltigkeit der Vorstellungs=
arten, wodurch sie sich wechselsweise einschränken und öfters auf=
heben, den Schaden gut macht, den der Despotism einer einzigen
stiftet, und so wird man selbst auf dem theoretischen Wege zu dem
Objekte zurückgenötigt.

Das metaphysische Gespräch des Paters mit dem Chinesen hat mich sehr unterhalten, und es nimmt sich in der gotischen Sprache besonders wohl aus. Ich bin nur ungewiß, wie es in solchen Fällen manchmal geht, ob etwas recht Gescheites oder etwas recht Plattes hinter des Chinesen seinem Raisonnement steckt. Wo haben Sie dies schöne Morceau aufgefunden? Es wäre ein Spaß, es abdrucken zu lassen mit einer leisen Anwendung auf unsere neuesten Philosophen.

Bouterweks ästhetischer Kramladen ist wirklich merkwürdig. Nie hab ich den flachen belletristischen Schwätzer mit dem konfusen Kopf so gepaart gesehen und eine so unverschämte Anmaßung auf Wissenschaft bei einem so erbärmlich rhapsodistischen Hausrat.

Daß Sie Ihre Herreise bis zum Februar verschieben, verlängert mir wirklich diesen traurigen Januar, aber ich werde aus dieser Einsamkeit wenigstens den einzigen Vorteil zu ziehen suchen, den sie hat, und im Wallenstein fleißig voranschreiten. Ohnehin ist es gut, wenn ich die Tragödie, ehe sie Ihnen vorgelegt wird, erst bis zu einer gewissen Hitze der Handlung geführt habe, wo diese sich dann wie von selbst bewegt und im Herabrollen ist, denn in den zwei ersten Akten steigt sie erst bergan.

Leben Sie recht wohl und grüßen Sie Meyern. Meine Frau empfiehlt sich bestens.

S.

An Wolfgang von Goethe.

Jena, den 15. Januar 1798.

Nur einen freundlichen Gruß für heute. Morgen abend werde ich mit der Post schreiben. Ich hab mich in eine Hauptszene so vertieft, daß ich vom Nachtwächter gemahnt werde aufzuhören. Es geht noch immer ganz gut mit der Arbeit, und obgleich der

Poet sein erstes Konzept nicht gewisser schätzen kann als der Kauf=
mann seine Güter auf der See, so denke ich doch meine Zeit nicht
verloren zu haben.

Leben Sie recht wohl.   S.

An Wolfgang von Goethe.

Jena, den 19. Januar 1798.

Es wird Ihnen interessant und belehrend sein, wenn Sie Ihre
Gedanken, die in jenem ältern und in Ihrem neuesten Aufsatz
aufgestellt sind, nach den Kategorien durchgehen. Ihr Urteil wird
ganz bestätigt werden, und es wird Ihnen zugleich ein neues Ver=
trauen zu dem regulativen Gebrauch der Philosophie in Erfahrungs=
sachen erwachsen. Ich will mich hier nur bei einigen Anwendungen
aufhalten und zwar gleich in Beziehung auf Ihren neuesten Aufsatz.

Die Vorstellung der Erfahrung unter den dreierlei Phänomenen
ist vollkommen erschöpfend, wenn Sie sie nach den Kategorien
prüfen. Der gemeine Empirism, der nicht über das empirische
Phänomen hinausgeht, hat (der Quantität nach) immer nur Einen
Fall, ein einziges Element der Erfahrung und mithin keine Er=
fahrung; der Qualität nach asseriert er immer nur eine bestimmte
Existenz, ohne zu unterscheiden, von ihr auszuschließen, ihr ent=
gegenzusetzen, mit einem Wort, zu vergleichen; der Relation nach
ist er in Gefahr, das Zufällige als das Substantielle aufzunehmen;
der Modalität nach bleibt er bloß auf eine bestimmte Wirklichkeit
eingeschränkt, ohne das Mögliche zu ahnden oder seine Erkenntnis
bis gar zu einer Notwendigkeit zu führen. Nach meinem Begriff
ist der gemeine Empirism nie einem Irrtum ausgesetzt, denn
der Irrtum entsteht erst in der Wissenschaft. Was er bemerkt,
bemerkt er wirklich, und weil er nicht den Kitzel fühlt, aus seinen
Wahrnehmungen Gesetze für das Objekt zu machen, so können
seine Wahrnehmungen ohne irgend eine Gefahr immer einzeln und
akzidentell sein.

b.

Erst mit dem Rationalism entsteht das wissenschaftliche Phänomen und der Irrtum. In diesem Felbe nämlich fangen die Denkkräfte ihr Spiel an, und die Willkür tritt ein mit der Freiheit dieser Kräfte, die sich so gern dem Objekte substituieren.

Der Quantität nach verbindet der Rationalism immer mehrere Fälle, und solang er sich bescheidet, die Pluralität nicht für die Totalität auszugeben, d. h. objektive Gesetze zu machen, so ist er unschädlich, ja nützlich, da er der Weg zur Wahrheit ist, welche nur dadurch gefunden wird, daß man von dem einzelnen sich loszumachen weiß. In seinem Mißbrauch hingegen wird er verderblich für die Wissenschaft, weil er, wie Sie in Ihrem Aufsatz sehr einleuchtend sagen, die ungeheure Verbindungsgewalt des menschlichen Geistes auf Kosten einer gewissen republikanischen Freiheit der Fakten geltend machen will, kurz, weil er in die bloße Pluralität schon seine Einheit legen will und also eine Totalität gibt, die keine ist.

Der Qualität nach setzt der Rationalism, wie billig ist, die Phänomene einander entgegen, er unterscheidet und vergleicht; welches gleichfalls (so wie der Rationalism überhaupt) löblich und gut und der einzige Weg zur Wissenschaft ist. Aber jener Despotism der Denkkräfte zeigt sich auch hier sogleich durch Einseitigkeit, durch Härte der Unterscheidung, so wie oben durch Willkür der Verbindung. Er kommt in Gefahr, dasjenige strenge zu sondern, was in der Natur verbunden ist, wie er oben verband, was die Natur scheidet. Er macht Einteilungen, wo keine sind usw.

Der Relation nach ist es das ewige Bestreben des Rationalism, nach der Kausalität der Erscheinungen zu fragen, und alles quâ Ursach und Wirkung zu verbinden. Wiederum sehr löblich und nötig zur Wissenschaft, aber durch Einseitigkeit gleichfalls höchst verderblich. Ich beziehe mich hier auf Ihren Aufsatz selbst, der

vorzüglich diesen Mißbrauch, den die Kausalbestimmung der Phänomene veranlaßt, rügt. Der Rationalism scheint hier vorzüglich
dadurch zu fehlen, daß er dürftigerweise bloß die Länge und nicht
die Breite der Natur in Anschlag bringt.

Der Modalität nach verläßt der Rationalism die Wirklichkeit,
ohne die Notwendigkeit zu erreichen. Die Möglichkeit ist sein un-
geheures Feld, daher das grenzenlose Hypothesieren. Auch diese
Funktion des Verstandes ist nach meinem Urteil notwendig und
conditio sine quâ non aller Wissenschaft, denn nur durch das
Mögliche gibt es, nach meinem Bedünken, von dem Wirklichen
einen Durchgang zu dem Notwendigen. Daher wehre ich mich,
so sehr ich kann, für die Freiheit und Befugnis der theoretischen
Kräfte im Felde der Physik.

c.

Zu dem reinen Phänomen, welches nach meinem Urteil eins ist
mit dem objektiven Naturgesetz, kann nur der rationelle Empirism
hindurchdringen. Aber, um es noch einmal zu wiederholen, der
rationelle Empirism selbst kann nie unmittelbar von dem Empirism anfangen, sondern der Rationalism wird allemal erst dazwischen liegen. Die dritte Kategorie entsteht jederzeit aus der
Verknüpfung der ersten mit der zweiten, und so finden wir auch,
daß nur die vollkommene Wirksamkeit der freien Denkkräfte mit
der reinsten und ausgebreitetsten Wirksamkeit der sinnlichen Wahr-
nehmungsvermögen zu einer wissenschaftlichen Erkenntnis führt.
Der rationelle Empirism wird folglich dieses beides tun: er wird
die Willkür ausschließen und die Liberalität hervorbringen: die
Willkür, welche entweder der Geist des Menschen gegen das
Objekt oder der blinde Zufall im Objekte und die eingeschränkte
Individualität des einzelnen Phänomens gegen die Denkkraft ausübt. Mit einem Worte, er wird dem Objekt sein ganzes Recht
erweisen, indem er ihm seine blinde Gewalt nimmt, und dem

menschlichen Geist seine ganze (rationelle) Freiheit verschaffen, in=
dem er ihm alle Willkür abschneidet.

Der Quantität nach muß das reine Phänomen die Allheit der
Fälle begreifen, denn es ist das Konstante in allen. Es stellt also,
völlig nach dem Sinn der Kategorie, die Einheit in der Mehrheit
wiederum her.

Der Qualität nach limitiert der rationelle Empirism immer,
wie auch das Beispiel aller wahren Naturkündiger lehret, die von
einem absoluten Bejahen und Verneinen sich gleich entfernt halten.

Der Relation nach achtet der rationelle Empirism zugleich auf
Kausalität und auf die Unabhängigkeit der Erscheinungen; er sieht
die ganze Natur in einer reziproken Wirksamkeit, alles bestimmt
sich wechselsweise, und er hütet sich demnach, die Kausalität bloß
nach einer einfachen dürftigen Länge gelten zu lassen, er nimmt
immer auch die Breite mit auf.

Der Modalität nach bringt der rationelle Empirism immer zu
der Notwendigkeit hindurch.

Der rationelle Empirism ist seinem Begriffe nach zwar nie
einem Mißbrauch ausgesetzt, so wie die zwei vorhergehenden Er=
kenntnisarten; aber vor einem falschen und angeblichen rationellen
Empirism ist doch zu warnen. So wie nämlich eine weise Limita=
tion den eigentlichen Geist dieses rationellen Empirism ausmacht, so
kann eine feige und ängstliche Limitation den andern hervorbringen.
Die Frucht des erstern ist das reine, die Frucht des andern das
leere und hohle Phänomen. Ich habe mehrmalen bemerkt, daß
bedenkliche schwache Geister aus einem zu weit getriebenen Respekt
vor den Gegenständen und deren Mannigfaltigkeit und aus zu
weit getriebener Furcht vor den Seelenkräften ihre Assertionen und
Enunziationen zuletzt so einschränken und gleichsam aushöhlen, daß
das Resultat Null wird.

Es ist noch so vieles über diese Materie und über Ihre Thesen
zu sprechen, daß ich Ihre Hieherkunft erwarte, um noch recht in die
Sache hineinzugehen, denn nur das Gespräch hilft mir eigentlich

die Vorstellung des andern schnell zu fassen und festzuhalten. In dem Monolog eines Briefes bin ich stets in Gefahr, nur meine Seite zu fassen. Besonders will ich Sie selbst noch mehr über das, was Sie die mittelbare Anwendung der Fälle auf Regeln nennen, reden hören.

Meine poetische Arbeit stockt seit drei Tagen, ungeachtet einer ganz guten Stimmung, in der ich war. Eine Verschleimung des Halses, die in unserm Haus von Mann zu Mann herumging, hat endlich auch mich ergriffen, und weil mich dies Übel gerade in einem erhöhten Zustand von Reizbarkeit überraschte, in den mich mein Geschäft versetzt hatte, so hatte ich gestern den ganzen Tag Fieber. Heute ist mir aber der Kopf schon viel freier, und ich hoffe, in etlichen Tagen den bösen Gast los zu sein.

Zu dem neuen Xenion gratulier ich. Wir wollen es ad acta legen.

Die tollen Sprünge, welche Herr Posselt vor dem Publikum macht, werden Cotta wahrscheinlich bereichern; denn er schreibt mir, daß er jetzt beinahe schon ganz gedeckt sei.

Man frägt hier sehr, ob Sie in Weimar nicht die Gotterische Oper: die Geisterinsel geben würden.

Hätten Sie jetzt nicht Lust, da Herr Hirt Ihren Aufsatz über Laokoon gewissermaßen antizipiert, diesen Aufsatz in die Horen zu geben?

Leben Sie recht wohl. Meine Frau grüßt.

　　　　　　　　　　　　　　　　　　　　S.

An Wolfgang von Goethe.

　　　　　　　　　　Jena, den 23. Januar 1798.

Ich bin meines Halsübels doch nicht so leicht losgeworden, wie ichs in meinem letzten Brief glaubte versichern zu können. Noch heute plagt es mich, und da das Übel gerade den Kopf einnimmt, so macht es mich ungeduldiger, als sonst meine Krämpfe tun. Es

ist mir in diesem Zeitpunkt doppelt lästig, da ich gerade im besten
Zuge war und vor Ihrer Ankunft noch eine gute Station zurück=
zulegen dachte.

Das kleine Schema zu einer Geschichte der Optik enthält viele
bedeutende Grundzüge einer allgemeinen Geschichte der Wissen=
schaft und des menschlichen Denkens, und wenn Sie sie ausführen
sollten, so müßten sich viele philosophische Bemerkungen machen
lassen. Der deutsche Geist würde aber nicht zu seinem Vorteil
dabei erscheinen, wenn nicht die Entwicklung antizipiert wird. Es
ist doch eigen, daß sich die Lebhaftigkeit der Franzosen so bald ein=
schüchtern und ermüden ließ. Man möchte sagen, daß es doch
mehr die Passion als Liebe zur Sache war, was den Widerspruch
der Franzosen nährte; sonst würden sie der Autorität nicht nach=
gegeben haben. Den Deutschen hält die Autorität und ein dog=
matischer Irrtum lange nieder, aber endlich pflegt doch bei ihm
seine natürliche Objektivität und sein Ernst an der Sache zu siegen,
und gewöhnlich ist er es doch, der für die Wissenschaft erntet.

Es ist gar keine Frage, daß Sie das Mögliche für Ihr Geschäft
tun und eine so weit schon geführte Sache zu einem gewünschten
Ende bringen müssen, denn daß Sie endlich durchdringen werden,
ist mir keinen Augenblick zweifelhaft. Ich glaube aber, Sie tun
wohl, wenn Sie jetzt, nachdem Sie vergebens auf einen Begleiter
und Mitforscher gewartet haben, sich auch nach keinem mehr um=
sehen und Ihr Geschäft still für sich selbst vollenden, um alsdann
mit dem fertigen, soweit es auf Ihrem Wege sich bringen läßt,
auf einmal hervorzutreten. Das erst Entstehende imponiert, scheint
es, den Deutschen nicht; es reizt sie vielmehr und macht sie eigen=
sinnig, wenn man ihre Dogmata bloß erschüttert, ohne sie ganz
und gar umzureißen. Ein völlig fertiges Ganzes und ein metho=
disch ernstlicher Angriff hingegen überwältigt den Eigensinn und
bringt die natürliche und angeborne Sachliebe des Deutschen auf
die Seite des Gegners. So denke ich mir die Sache, und wenn
Sie in drei, vier Jahren Ihre ausführliche und methodische Dar=

legung vor das Publikum bringen, so wird man gewiß Folgen da=
von sehen. Unterdessen verläuft sich auch in etwas diese chemische
Sündflut und ein neues Interesse gewinnt Platz.

Böttiger, höre ich, wollte über den Vandalism der Franzosen
bei Gelegenheit der so schlecht transportierten Kunstwerke einen
Aufsatz schreiben. Ich wünschte, er täte es und sammelte alle
dahin einschlagende Züge von Roheit und Leichtsinnigkeit. Er=
muntern Sie ihn doch und verschaffen mir alsdann den Aufsatz
für die Horen. Cotta mag immer aus derselben Druckerpresse kalt
und warm blasen.

Leben Sie recht wohl. Heute über acht Tagen hoffe ich Sie
hier zu sehen.   S.

An Gottfried Körner.

[24. Januar 1798.]

Ich bin wieder fast zehn Tage durch ein Halsweh, das in
meinem Hause herumging, in meiner Arbeit zurückgesetzt worden.
Da ich jetzt in der innersten Mitte meines Geschäftes bin, so tut
mir jede Unterbrechung doppelt leid, und sie schadet mir um so
mehr, daß sie mich aus der Stimmung bringt, die sich dann, wenn
ich auch gleich wieder wohl bin, nicht so schnell wiederfindet. Wie
will ich dem Himmel danken, wenn dieser Wallenstein aus meiner
Hand und von meinem Schreibtisch verschwunden ist. Es ist ein
Meer auszutrinken, und ich sehe manchmal das Ende nicht. Hätte
ich zehn Wochen ununterbrochene Gesundheit, so wäre er fertig;
so aber habe ich kaum das Dritteil der Zeit zu meiner Disposition.

Sei so gut und sende mir mit ehester Post Vossius de poema-
tum cantu. Man hat ihn mir abgefodert.

Hier auch der Brief von Humboldt, den ich mir zurück erbitte.
Herzlich umarmen wir euch alle.

Dein

S.

An Karl Böttiger.

Jena, den 25. Januar 1798.

Eben fällt mir Ihr letzter Brief nebst eingeschlossenem Briefe von Herrn Schröder in die Hände und erinnert mich, daß ich noch nicht darauf geantwortet.

Sie können leicht denken, wie sehr viel mir daran liegen müsse, daß Schröder in meinem Stücke spielt. Wenn ich überhaupt nur mit einigem Interesse daran denken soll, für das Theater zu schreiben, so kann es nur dadurch sein, daß ich für Schrödern zu arbeiten gedenke. Denn mit ihm, fürchte ich, stirbt alle Schauspielkunst in Deutschland und noch weiter aus. Es ist mir also auch schon darum nicht gleichgültig, daß mein Stück noch vor dem Torschluß der ganzen Kunst erscheint.

Geben Sie mir zehn Wochen ununterbrochene Gesundheit, so soll es fertig sein. Weil ich aber meiner öftern Kränklichkeit wegen nur ein Dritteil des ganzen Jahres tätig sein kann, so werde ich schwerlich vor der Mitte des Julius das Stück aus den Händen geben können. Es tut aber auch im Grunde nichts, wenn auch Herr Schröder alsdann nicht in der Regel mehr spielen sollte: eine kleine Ausnahme läßt sich ja wohl machen, und um diese werde ich ihn alsdann bitten.

Leben Sie recht wohl und empfehlen Sie mich Herrn Schröder aufs beste. Ihr ergebenster　　S.

An Adolf Nöhden.

Jena, den 26. Januar 1798.

Ihr Herr Bruber war so gütig, mir bei seiner Abreise aus Deutschland Nachricht zu geben, daß ich durch Ihre Vermittlung eine Verbindung mit ihm unterhalten könne. Dies ist mir sehr angenehm, und ich ersuche Sie daher, ihn gelegentlich wissen zu lassen, daß bloß meine oft wiederkehrende Kränklichkeit mich bisher abgehalten, das Werk zu vollenden, wovon er weiß, und das er unfehlbar, sobald es ganz fertig ist, noch im Manuskript von mir erhalten wird. Dieses, hoffe ich, soll zuverlässig im Sommer dieses Jahres geschehen, daher ich Sie ergebenst ersuche, mich bei einer vorfallenden Veränderung Ihres Aufenthalts gütigst zu benachrichtigen, auf welchem Wege ich Briefe und Pakete an Ihren Herrn Bruder gelangen lassen kann. Der ich mit aller Achtung verharre

Ihr ergebenster Diener

Schiller

An Wolfgang von Goethe.

Jena, den 26. Januar 1798.

Eben habe ich das Todesurteil der drei Göttinnen Eunomia, Dike und Irene förmlich unterschrieben. Weihen Sie diesen edeln Toten eine fromme christliche Träne, die Kondolenz aber wird verbeten.

Cotta hatte schon voriges Jahr nur eben die Kosten wieder und wollte sie auch noch dies Jahr so vegetieren lassen, aber ich sah wirklich keine entfernte Möglichkeit, sie zu kontinuieren, weil es uns ganz und gar an Mitarbeitern fehlt, auf die man sich verlassen kann, und ich, ohne eigentlichen reellen Geldgewinn, ewige Sorge und kleinliche Geschäfte bei dieser Redaktion hatte, wovon ich mich durch einen entschlossenen Schritt befreien mußte.

Wir werden, wie sichs von selbst versteht, beim Aufhören keinen Eklat machen, und da sich die Erscheinung des zwölften Stücks 1797 ohnehin bis auf den März verzögert, so werden sie von selbst selig einschlafen. Sonst hätten wir auch in dieses zwölfte Stück einen tollen politisch=religiösen Aufsatz können setzen lassen, der ein Verbot der Horen veranlaßt hätte, und wenn Sie mir einen solchen wissen, so ist noch Platz dafür.

Mit meiner Gesundheit geht es zwar seit gestern wieder besser,

aber die Stimmung zur Arbeit hat sich noch nicht wieder ein=
gefunden. Unterdessen habe ich mir mit Niebuhrs und Volneys
Reise nach Syrien und Ägypten die Zeit vertrieben, und ich rate
wirklich jedem, der bei den jetzigen schlechten politischen Aspekten
den Mut verliert, eine solche Lektüre; denn erst so sieht man,
welche Wohltat es bei alledem ist, in Europa geboren zu sein.
Es ist doch wirklich unbegreiflich, daß die belebende Kraft im
Menschen nur in einem so kleinen Teil der Welt wirksam ist und
jene ungeheuren Völkermassen für die menschliche Perfektibilität
ganz und gar nicht zählen. Besonders merkwürdig ist es mir,
daß es jenen Nationen und überhaupt allen Nichteuropäern auf
der Erde nicht sowohl an moralischen als an ästhetischen Anlagen
gänzlich fehlt. Der Realism, so wie auch der Idealism zeigt sich
bei ihnen, aber beide Anlagen fließen niemals in eine menschlich
schöne Form zusammen. Ich hielt es wirklich für absolut un=
möglich, den Stoff zu einem epischen oder tragischen Gedichte in
diesen Völkermassen zu finden oder einen solchen dahin zu verlegen.
Leben Sie wohl für heute. Meine Frau grüßt Sie bestens.

S.

An Wolfgang von Goethe.

Jena, den 30. Januar 1798.

Für die schönen Neuigkeiten und Kuriositäten, die Ihr letzter
Brief enthielt, danken wir Ihnen sehr. Sie haben uns an dem
ganzen stattlichen Aufzug teilnehmen lassen, ohne daß uns das
Gedränge und der Staub inkommodiert hätte.

Die Schrift von Darwin würde wohl in Deutschland wenig
Glück machen. Die Deutschen wollen Empfindungen, und je
platter diese sind, desto allgemeiner willkommen; aber diese Spie=
lerei der Phantasie mit Begriffen, dieses Reich der Allegorie,
diese kalte Intellektualität und in Verse gebrachte Gelehrsamkeit
kann nur die Engländer in ihrer jetzigen Frostigkeit und Gleich=

gültigkeit anziehen. Diese Schrift zeigt indes, welche Funktion
man der Poesie, bei einer großen und respektabeln Volksklasse, anzuweisen pflegt, und gibt den Philistern einen neuen glänzenden
Triumph über ihre poetischen Widersacher.

Ich glaube übrigens nicht, daß der Stoff unzulässig und für
die Poesie ganz ungeschickt ist; diese verunglückte Geburt schreibe
ich ganz auf Rechnung des Dichters. Wenn man gleich anfangs
auf alles sogenannte Unterrichten Verzicht täte und bloß die Natur
in ihrer reichen Mannigfaltigkeit, Bewegung und Zusammen-
wirkung der Phantasie nahe zu bringen suchte, alle natürlichen
Erzeugungen mit einer gewissen Liebe und Achtung aufführte,
jedem seine selbständige Existenz respektierte und so weiter, so
müßte ein lebhaftes Interesse erregt werden können. Aber aus
dem Küchenzettel, den Sie von dem Buche geben, muß ich
schließen, daß der Verfasser, gerade umgekehrt, das poetische Interesse bloß in der Zutat, nicht in der Sache selbst zu erwecken
gesucht und daß es mithin das kontradiktorische Gegenteil eines
guten Gedichts ist.

Den Trumpf, womit Sie selbst die Xenien stechen wollen, kann
ich wirklich nicht erraten, und um auch nur möglicherweise darauf
verfallen zu können, müßte ich wenigstens wissen, ob darin, so wie
in den Xenien, einzelne Personen herumgenommen werden sollen,
oder ob der Krieg dem Ganzen gilt. In letzterm Fall würde es
schwer sein, eine lebhaftere Bewegung hervorzubringen, als die
Xenien erregt haben.

Ihren Bedingungen will ich mich recht gern unterwerfen; nur
einen Anteil an der Arbeit selbst würde ich vor Ende Juli, wo
der Wallenstein hoffentlich fertig sein wird, nicht übernehmen
können. Ich vermute aber aus Ihrem Briefe selbst, daß es keine
gemeinschaftliche Unternehmung sein wird und daß Sie also allein
auch alle Kosten der Ausführung haben werden.

Böttigers Aufsatz und Herrn von Einsiedels Erzählung würden
mir beide zum letzten Horenstücke willkommen sein; nur müßte ich

beide binnen drei Wochen erhalten, und könnte mir Einsiedel gleich jetzt etwas senden, so wäre im vorletzten Horenstück auch noch Platz.

Ihr Gedanke, eine Monatsschrift jahrweise herauszugeben, ist so übel nicht, nur würde der Verleger nicht seine Rechnung dabei finden, weil man nicht gern auf einmal so viel Geld bezahlt. Bei den Horen wäre aber diese Hauptschwierigkeit immer, wo man die Aufsätze hernehmen sollte, denn es ist merkwürdig, daß wir es nicht einmal durch den Reiz eines ungewöhnlich großen Honorars haben dahin bringen können, gewisse Bäche in unser Journal zu leiten, die in andern Journalen um das halbe Geld so ergiebig fließen.

Es tut mir leid, daß Ihre Hieherkunft noch nicht ganz zu bestimmen ist. Vielleicht bringt mir Ihr morgender Brief die Nachricht mit.

Meine Frau grüßt Sie bestens. Leben Sie recht wohl.

S.

Dieser Tage hat sich wieder ein neuer Poet angemeldet, der mir gar nicht übel scheint, es müßte mich denn ein gewisser Wider= schein Ihres Geistes bestechen, denn dieser scheint viel auf ihn ge= wirkt zu haben. Ich lege das Gedicht bei, sagen Sie mir doch Ihre Meinung darüber.

An Wolfgang von Goethe.

Jena, den 2. Februar 1798.

Ihre Bemerkung über die Oper hat mir die Ideen wieder zurückgerufen, worüber ich mich in meinen ästhetischen Briefen so sehr verbreitete. Es ist gewiß, daß dem Ästhetischen, so wenig es auch die Leerheit vertragen kann, die Frivolität doch weit weniger widerspricht als die Ernsthaftigkeit, und weil es dem Deutschen weit natürlicher ist, sich zu beschäftigen und zu bestimmen, als sich in Freiheit zu setzen, so hat man bei ihm immer schon etwas

Ästhetisches gewonnen, wenn man ihn nur von der Schwere des Stoffs befreit, denn seine Natur sorgt schon hinlänglich dafür, daß seine Freiheit nicht ganz ohne Kraft und Gehalt ist.

Mir gefallen darum die Geschäftsleute und Philister überhaupt weit besser in einer solchen spielenden Stimmung als die müßigen Weltleute, denn bei diesen bleibt das Spiel immer kraft- und gehaltleer. Man sollte einen jeden immer nach seinem Bedürfnis bedienen können, und so würde ich den einen Teil in die Oper und den andern in die Tragödie schicken.

Ihr Nürnberger Meistersänger spricht mich wie eine Stimme aus einem ganz andern Zeitalter an und hat mich sehr ergötzt. Wenn Sie Knebeln schreiben, so bitten Sie ihn doch, auch mich zu einem Exemplar mit Kupfer unter den Subskribenten anzumerken. Ich halte es wirklich für nötig, daß man sich bei diesem Werklein vorher meldet, weil es sonst vielleicht nicht zustande kommt, denn der gute Freund hat sein Zeitalter überlebt, und man wird ihm die Gerechtigkeit schwerlich erzeigen, die er verdient. Wie wärs, wenn Sie nur ein paar Seiten zu seiner Einführung ins Publikum in den Horen sagten? Er scheint es wirklich so sehr zu brauchen als zu verdienen.

Nach allem, was von der unparteiischen Welt geurteilt wird, dauert mich unser Freund Knebel sehr, und ich fürchte, das Joch wird seinem Nacken nicht sanft aufliegen.

Mit Boie habe ich nur einmal Verkehr gehabt, aber seit fast eineinhalb Jahren nicht wieder. Ich weiß also nicht, wie es mit dem Pakete steht; daß er es werde erhalten haben, ist wohl kein Zweifel, und daher glaube ich, daß Sie ihm zu viel Ehre antun würden, wenn Sie weiter darnach fragten. Gelegenheitlich kann mans schon an ihn bringen.

Möchten Sie nur endlich einmal herkommen. Nehmen Sie sichs nur auf vier oder fünf Tage vor, so werden Sie schon in dem alten Schloß die Muse finden, die Sie halten wird. Leben Sie recht wohl.   S.

An Wolfgang von Goethe.

Jena, den 6. Februar 1798.

Es ist mir lieb, auch von Ihnen zu hören, daß mein Urteil über die Idylle und ihren Urheber mich nicht ganz getäuscht hat. Daß es eine weibliche Natur ist, ist wohl kein Zweifel, und dieser ganz naturalistische und dilettantische Ursprung erklärt und entschuldigt das Ungehörige in der Behandlung.

Sie scheinen mir auf das Produkt meiner Schwägerin einen größeren Einfluß einzuräumen, als ich mir gerechterweise anmaßen kann. Plan und Ausführung sind völlig frei und ohne mein Zu= tun entstanden. Bei dem ersten Teil habe ich gar nichts zu spre= chen gehabt, und er war fertig, eh ich nur seine Existenz wußte. Bloß dieses dankt er mir, daß ich ihn von den auffallenden Mängeln einer gewissen Manier in der Darstellung befreite, aber auch bloß solcher, die sich durch Wegstreichen nehmen ließen, daß ich durch Zusammenziehung des Bedeutenden ihm eine gewisse Kraftlosigkeit genommen und einige weitläuftige und leere Episoden ganz herausgeworfen.

Bei dem zweiten Teil war an nichts zu denken als an das Fertigwerden, und bei diesem habe ich nicht einmal mehr auf die Sprache Einfluß gehabt. Wie also der zweite Teil geschrieben ist, so kann meine Schwägerin völlig ohne fremde Beihülfe schrei= ben. Es ist wirklich nicht wenig, bei so wenig solider und zweck= mäßiger Kultur, und bloß vermittelst eines fast leidenden Auf sich wirken lassens und einer mehr hinträumenden als hellbesonnenen Existenz doch soweit zu gelangen, als sie wirklich gelangt ist.

In dem Verzeichnis Ihrer Arbeits=Pensen für dieses Jahr finde ich Ihre neue Epopöe nicht, da ich doch glaubte, Sie wür= den schon im Spätjahr ernstlich daran gehen können: doch das können Sie ja selbst noch nicht wissen, wie die Göttin Sie führt.

Ihr längeres Ausbleiben vermehrt allerdings meinen Wallen= steinischen Vorrat, und da ich diejenige Szene, welche am meisten

von der äußern heitern Influenz abhängt, habe liegen laſſen und
zum erſten Ausflug in meinen Garten verſchoben, ſo könnte ich
in etlichen Wochen den dritten Akt geendigt haben. Der vierte
und fünfte ſind zuſammen nicht größer als der erſte und machen
ſich beinahe von ſelbſt.

Leben Sie recht wohl. Ich habe Beſuch im Hauſe von meiner
Schwägerin, die Sie ſo wie auch meine Frau ſchönſtens grüßt.

S.

An Wolfgang von Goethe.

Jena, den 9. Februar 1798.

Herr Schloſſer hätte beſſer getan, die Wahrheiten, die ihm
Kant, und die Impertinenzen, die Friedrich Schlegel ihm geſagt,
in der Stille einzuſtecken. Mit ſeiner ſeinſollenden Apologie macht
er Übel ärger und gibt ſich die unverzeihlichſten Blößen. Die
Schrift hat mich angeekelt, ich kanns nicht leugnen, ſie zeigt einen
gegen lautere Überzeugung verſtockten Sinn, eine inkorrigible Ge=
mütsverhärtung, Blindheit wenigſtens, wenn keine vorſätzliche
Verblendung. Sie, der den Menſchen beſſer kennt, erklären ſich
vielleicht richtiger und natürlicher durch eine unwillkürliche Be=
ſchränktheit, was ich, der die Menſchen gerne verſtändiger an=
nimmt, als ſie ſind, mir nur durch eine moraliſche Unart erklären
kann. Deswegen indignierte mich dieſe Schrift mehr, als ſie
vielleicht verdienen mag. In einen arroganten Philoſophenton
finde ich eine recht gemeine Salbaderei eingekleidet, überall wird
an das gemeine niedrige Intereſſe der menſchlichen Natur ap=
pelliert, und nirgends finde ich eine Spur von einem eigentlichen
Intereſſe für Wahrheit an ſich ſelbſt.

Es läßt ſich im einzelnen über die Schrift nichts ſagen, weil
der eigentliche Punkt, auf den alles ankam, nämlich die Argu=
mente des Kritizism anzugreifen und die Argumente für dieſen
neuen Dogmatism zu führen, gar nicht von weitem verſucht

worben ist. Es ist wirklich kein einziger philosophischer Gedanke
da, der einen philosophischen Streit einleiten könnte. Denn was
soll man dazu sagen, wenn nach so vielen und gar nicht verlorenen
Bemühungen der neuen Philosophen, den Punkt des Streits in
die bestimmtesten und eigentlichsten Formeln zu bringen, wenn
nun einer mit einer Allegorie anmarschiert kommt und, was man
sorgfältig dem reinen Denkvermögen zubereitet hatte, wieder in
ein Hellbunkel hüllt, wie dieser Herr Schlosser bei der Vorlegung
der vier philosophischen Sekten tut.

Es ist wirklich nicht zu verzeihen, daß ein Schriftsteller, der auf
eine gewisse Ehre hält, auf einem so reinlichen Felde, als das philo=
sophische durch Kant geworden ist, so unphilosophisch und unrein=
lich sich betragen darf. Sie und wir andern rechtlichen Leute
wissen zum Beispiel doch auch, daß der Mensch in seinen höchsten
Funktionen immer als ein verbundenes Ganzes handelt, und daß
überhaupt die Natur überall synthetisch verfährt. — Deswegen
aber wird uns doch niemals einfallen, die Unterscheidung und
die Analysis, worauf alles Forschen beruht, in der Philosophie
zu verkennen, so wenig wir dem Chemiker den Krieg darüber
machen, daß er die Synthesen der Natur künstlicherweise aufhebt.
Aber diese Herren Schlosser wollen sich auch durch die Metaphysik
hindurch riechen und fühlen, sie wollen überall synthetisch erkennen,
aber in diesem anscheinenden Reichtum verbirgt sich am Ende die
ärmlichste Leerheit und Plattitüde, und diese Affektation solcher
Herren, den Menschen immer bei seiner Totalität zu behaupten,
das Physische zu vergeistigen und das Geistige zu vermenschlichen,
ist, fürchte ich, nur eine klägliche Bemühung, ihr armes Selbst in
seiner behaglichen Dunkelheit glücklich durchzubringen.

Wir werden, wenn Sie kommen, über diese Materie noch vieles
sprechen, aber der Schrift selbst werden wir dabei nicht viel zu
danken haben. Schlosser wird übrigens seine Absicht nicht ganz
verfehlen, er wird seine Partei, die Unphilosophen, bestärken, denn
um die Philosophen mag es ihm überhaupt nicht zu tun sein.

Leben Sie recht wohl. Das Schmutzwetter ist meinem Fleiße nicht sehr günstig, da es die alten Übel Katarrh und Schnupfen wieder zurückgebracht hat.

Meine Frau empfiehlt sich bestens.

S.

An Friedrich Cotta.

Jena, den 11. Februar 1798.

Hier der Rest des Manuskripts zum eilften Stück der Horen. Haben Sie die Güte, unter die vorhergehende Erzählung Julia Rosalva setzen zu lassen: Fortsetzung folgt. Heute erhielt ich einen offenen Brief von Ihnen, der mir das zehnte Stück anmeldet, aber es ist nichts mitgekommen. Ich lege den Brief bei. Auch ersuche ich Sie, mir von der Weltkunde das zwölfte und fünfzehnte Stück gütigst zukommen zu lassen. Denn diese Stücke habe ich nicht erhalten, das vierte Stück aber doppelt, welches ich hier beilege. Vielleicht beschwert es Sie am wenigsten, wenn Sie mir die Weltkunde wöchentlich nur einmal und dann sieben Stücke zugleich senden, denn mir liegt nicht so viel an dem geschwind erhalten, wenn ich es nur in einer sichern Folge bekomme. Jetzt habe ich es bis auf das sechsundzwanzigste Stück inklusive erhalten, jene fehlenden Blätter abgerechnet.

Beilage an meine Mutter bitte gütigst zu bestellen.

Hier ist auch, was ich von Kosegartens Gedichten noch liegen habe.

Leben Sie bestens wohl. Ganz der Ihrige

Schiller.

Ich habe das Paket, weil es zu groß wurde, geteilt. Sie erhalten also das Manuskript zu den Horen in einem besondern Paket, aber es geht zugleich mit diesem ab.

An Gottfried Körner.

Jena, den 12. Februar 1798.

Ich sende dir Humboldts Brief gleich wieder zurück, daß du in der Antwort nicht aufgehalten wirst; bist du mit dieser fertig, so sende mir ihn aber wieder, ich zeigte ihn gern Goethen, dem es immer angenehm ist, über sich urteilen zu hören.

Was du über seine Braut von Korinth schreibst, ist im ganzen unser aller Meinung, und du nimmst das Gedicht noch ästhetischer, als es vielleicht gemeint war. Im Grunde wars nur ein Spaß von Goethen, einmal etwas zu dichten, was außer seiner Neigung und Natur liegt. Die Bajadere ist freilich schöner.

Der Brief von Humboldten verriet mir ein Plänchen von euch beiden zu einem gemeinschaftlichen oder doch gesellschaftlichen Werk. Soviel ich davon erraten kann, sollte es psychologisch-kritische Zergliederungen und Darstellungen von Schriftstellern oder Schriften enthalten. Es wäre schade, wenn es nicht zustande käme, da es so ganz für euch paßt. Schreibe mir doch mehreres davon, wenn du darfst.

Daß ich den Wallenstein werde liegen lassen, ist jetzt wohl nicht mehr zu besorgen, denn das Schlimmste ist überstanden; ich bin zufrieden mit dem, was ausgeführt ist, und sehe auch hinaus. In vier Monaten hoffe ich fertig zu sein; länger, fürchte ich, würde auch die Lust und Liebe nicht reichen, denn die beständige Richtung des Geistes auf einen Gegenstand wird zuletzt zu einer lästigen Gefangenschaft, und Veränderung ist nötig, um die Seele frisch zu erhalten.

Sei so gut und nimm mir von Nummer A neunzig Ellen und von Nummer B vierzig Ellen. Letzteres ist recht hübsch zu einer gelben Tapete, und ich entschließe mich vielleicht, noch zu einem größern gelben Zimmer, welches schon Bordüren hat, die mir nicht recht gefallen, davon zu nehmen. Mit den Spiegeln will ich die Leipziger Messe noch erwarten, ich brauche sie nicht ganz so breit und kann sie also um so wohlfeiler bekommen.

Das Geld für die Bordüren, nämlich 4 Taler 6 Groschen 6 Pfennig, will ich beim ersten Paket Horen beilegen. Laß mich doch wissen, wie viel Stücke dir noch fehlen. Lebe wohl. Herzlich umarmen wir euch.

Dein S.

An Wolfgang von Goethe.

Jena, den 13. Februar 1798.

Ich suchte mich über Ihr längeres Ausbleiben durch meinen Fleiß und durch die Aussicht zu trösten, Ihnen desto mehr von meiner Arbeit vorlegen zu können, aber die Jahrszeit und die unordentliche Witterung ist mir gar nicht günstig und hindert alle meine Fortschritte, einer lebhaften Neigung und guten Stimmung zum Trotze. Der Kopf ist mir wieder seit fast acht Tagen von einem katarrhalischen Zufall angegriffen, und das alte Übel plagt mich auch. Um mein Gemüt frisch zu erhalten, darf ich an meine gegenwärtige Arbeit nicht einmal denken, ich beschäftige mich mit dem Gedanken an eine entferntere und mit allgemeinen Ideen.

Da ich seit diesem Winter viele Reisebeschreibungen las, so habe ich mich nicht enthalten können, zu versuchen, welchen Gebrauch der Poet von einem solchen Stoffe wohl möchte machen können, und bei dieser Untersuchung ist mir der Unterschied zwischen einer epischen und dramatischen Behandlung neuerdings lebhaft geworden.

Es ist keine Frage, daß ein Weltentdecker oder Weltumsegler wie Cook einen schönen Stoff zu einem epischen Gedichte entweder selbst abgeben oder doch herbeiführen könnte, denn alle Requisite eines epischen Gedichts, worüber wir übereingekommen, finde ich darin, und anch das wäre dabei sehr günstig, daß das Mittel dieselbe Dignität und selbständige Bedeutung hätte, wie der Zweck selbst, ja, daß der Zweck mehr des Mittels wegen da wäre. Es ließe sich ein gewisser menschlicher Kreis darin erschöpfen, was mir bei einem Epos wesentlich deucht, und das Physische würde sich mit dem Moralischen zu einem schönen Ganzen verbinden lassen.

Wenn ich mir aber eben diesen Stoff als zu einem Drama bestimmt denke, so erkenne ich auf einmal die große Differenz beider Dichtungsarten. Da inkommodiert mich die sinnliche Breite ebenso sehr, als sie mich dort anzog; das Physische erscheint nun bloß als ein Mittel, um das Moralische herbeizuführen; es wird lästig durch seine Bedeutung und den Anspruch, den es macht, und kurz, der ganze reiche Stoff dient nun bloß zu einem Veranlassungs= mittel gewisser Situationen, die den inneren Menschen ins Spiel setzen.

Es nimmt mich aber wirklich wunder, daß ein solcher Stoff Sie noch nicht in Versuchung geführt hat, denn hier finden Sie beinahe schon von selbst fertig, was so nötig und doch so schwierig ist, nämlich die persönliche und die physische Wirksamkeit des natür= lichen Menschen, mit einem gewissen Gehalt, den nur die Kunst ihm geben konnte, vereinigt. Le Vaillant auf seinen afrikanischen Zügen ist wirklich ein poetischer Charakter und ein wahrhaft mäch= tiger Mensch, weil er mit aller Stärke der tierischen Kräfte und allen unmittelbar aus der Natur geschöpften Hilfsmitteln die Vor= teile verbindet, welche nur die Kultur gewährt.

Leben Sie wohl für heute. Ich werde eben, nachts um acht Uhr, zum Mittagessen gerufen. Meine Frau grüßt schön.

S.

An Wolfgang von Goethe.

Jena, den 16. Februar 1798.

Es ist eine mißliche Unternehmung, einen so vermischten empi= rischen Stoff nach einer Form zu behandeln, die den Anspruch auf eine erschöpfende Vollständigkeit mit sich führt. Weil die zwölf

Kategorien alle mögliche Hauptfragen enthalten, die an einen
Gegenstand gemacht werden können, so muß, wenn richtig sub=
sumiert worden, ein Gefühl von Befriedigung erfolgen, welches
ich aber gar nicht habe, sondern eher das Gegenteil. Indessen,
glaube ich, liegt es mehr an der Materie als an ihrer Ausführung,
daß diese noch ein viel zu rhapsodistisches und daher willkürliches
Ansehen hat. Es liege aber, woran es will, so zweifle ich sehr,
daß Sie mich auf diesem Wege sich näher bringen werden, denn
unter einer so strengen Form, die eine Foderung der Totalität un=
ausbleiblich erregt, wird mir dieser empirische Gegenstand immer
als eine unübersehbare Masse erscheinen, und ich werde gerade des=
wegen, weil der Verstand darüber herrschen will, meine empirische
Insuffizienz empfinden.

Wenn die Kategorienprobe überhaupt stattfinden und von Nutzen
sein soll, so muß sie, deucht mir, mit dem Allgemeinsten und Ein=
fachsten der Farbenlehre angestellt werden, ehe von den besonderen
Bestimmungen die Rede ist, denn diese können nur Verwirrung
erregen.

Ferner scheint mir daraus eine Verwirrung entsprungen zu sein,
daß Sie nicht immer bei dem nämlichen Subjekt der Frage ge=
blieben, sondern in der einen Kategorie das Licht, in der andern
die Farbe vor Augen hatten, wie es sich am gelegensten machte,
da doch das Wesen dieser ganzen Operation darauf beruht, daß
die Kategorien immer nur die Prädikate hergeben, das Subjekt,
von welchem prädiziert wird, aber immer dasselbe bleibt.

Ich verspare es auf unsere mündliche Kommunikationen, auf
die Sache genauer einzugehen, weil das Gespräch mir viel schneller
forthelfen wird. Nur ein paar Anmerkungen will ich vorläufig
niederschreiben.

Bei dem Moment der Qualität müßte, deucht mir, die wich=
tige Frage beantwortet werden, ob die Farbe als positive eigene
Energie oder nur als limitierte Lichtenergie wirkt, und ob mithin
bei der Wirkung der Farbe das eigentlich Wirkende nur das Licht,

die Farbenerscheinung selbst aber nur eine eigen modifizierte Ne=
gation des Lichts ist. (Ohne Licht gibt es für das Auge natürlich
keine Farbe, weil das Licht die Bedingung alles Sehens ist. Aber
ohne Licht gibt es für das Auge auch keine Gestalt, Größe usw. —
und es frägt sich also, ob nicht die Qualität der Farbe auch unab=
hängig vom Licht existiert.)

Bei der Relation müßte also gefragt werden:

1) Ist die Farbe nur ein Accidens vom Licht und mithin nichts
Substantielles?

2) Ist die Farbe bloß Wirkung des Lichts?

3) Ist sie das Produkt einer Wechselwirkung zwischen dem Licht
und einem von demselben verschiedenen substantiellen Agens = x?
(Weil bei der Kategorie der Relation alles nur relativ genommen
wird, so wird bei obiger Frage das Licht als eine Substanz gleich
gesetzt, und die Frage ist also bloß: ist die Farbe durchaus nur ein
Accidens relativ vom Licht, oder ist sie auch etwas Selbständiges?)

Sollte es nicht vielleicht zu fruchtbaren Ansichten führen, wenn
die Farbe in dreifacher Beziehung betrachtet würde:

1) in Beziehung auf das Licht und die Finsternis,

2) in Beziehung auf das Auge,

3) in Beziehung auf die Körper, an denen sie erscheint.

Ihre Einteilung der Farben hat mir jetzt noch etwas nicht völlig
Bestimmtes, daher ich nicht gewiß weiß, ob ich bei dem, was Sie
zum Beispiel physische Farbe nennen, gerade das Rechte denke.
So wie es jetzt dasteht, denke ich mir darunter prismatische Farben.
Unter chemischen Farben verstehe ich Pigmente.

Ich habe heute wieder versucht, zu arbeiten, aber ich werde einige
Zeit brauchen, um die rechte Stimmung wiederzufinden.

Leben Sie recht wohl mit Meyern. Die Idylle von der Kapelle
im Walde erbitte ich mir gelegenheitlich zurück.

Meine Frau grüßt Sie herzlich.

                                        S.

An Wolfgang von Goethe.

Jena, den 20. Februar 1798.

Da ich eine Zeitlang „von dem Schall der menschlichen Rede" fast ganz entfernt lebte, so war mir die lebhafte Gesprächigkeit des Freundes, der mir gestern Ihren Brief überbrachte, sehr erfrischend und ergötzend. Es ist überhaupt unterhaltend, einen Leser zu sehen und sich die eigenen oder fremden Ideen in irgendeiner Gestalt wiedergeben zu lassen. Diesem sieht man übrigens die Filiation stark an, weil er durch Humboldts in unsern Kreis gezogen worden. Eigen ist es, wie sich bei einem gewissen Zustand der Literatur ein solches Geschlecht von Parasiten, oder wie Sies nennen wollen, er= zeugt, die sich aus dem, was von andern geleistet ist, eine gewisse Existenz bilden, und ohne das Reich der Kunst oder Wissenschaft selbst zu bereichern oder zu erweitern, doch zum Vertrieb dessen dienen, was da ist, Ideen aus Büchern ins Leben bringen und wie der Wind oder gewisse Vögel den Samen dahin und dorthin streuen. Als Zwischenläufer zwischen dem Schriftsteller und dem Publikum muß man sie wirklich sehr in Ehren halten, obgleich es gefährlich sein möchte, sie mit dem Publikum zu verwechseln. Übrigens hat dieser gegenwärtige Freund einen feinen Sinn und bei seinem räsonierenden Hange scheint er mir eine zarte Empfin= dung zu besitzen, dabei eine besondre Geschmeidigkeit, sich in Frem= des zu finden, ja, es sich anzueignen. Gegen Humboldt gehalten, scheint er mir zwar ein viel flacheres Urteil und schwankendere Be= griffe, aber mehr Gefühl zu haben.

Die Anwendung der Kategorien auf Ihren aufgehäuften Stoff kann für Sie nicht anders als fruchtbar sein. Indem es zugleich eine treffliche Rekapitulation ist, tut Ihnen dieses Geschäft die Dienste eines Freundes von entgegengesetzter Natur. Es zwingt Sie, wie ich mirs vorstelle, zu strengen Bestimmungen, Grenz= scheidungen, ja harten Oppositionen, wozu Sie von sich selbst nicht so geneigt sind, weil sie der Natur Gewalt anzutun fürchten; und weil diese Härte und Strenge, so gefährlich sie auch im einzelnen

ausfieht, durch die Totalität des Geschäfts felbft immer wieder
gut gemacht wird, fo werden Sie durch diefe Operation immer
wieder befriedigend zu Ihrer eignen Vorstellungsweise zurückgeführt.
Diefen Dienft leiftet Ihnen vorzugsweife der Begriff der Wechfel=
wirkung und der Limitation; Sie werden aber auch bei dem der
Allheit und der Notwendigkeit das nämliche erfahren. Da Sie
bei dem Werke felbft polemifch zu fein nicht vermeiden können, fo
gibt Ihnen die Kategorienprobe einen entfchiedenen Vorteil, und
wie fehr fie Ihnen zur Überficht des hiftorifchen Teiles dient, be=
greife ich fehr gut.

Auf das Schema felbft bin ich jetzt mehr als jemals begierig,
und wenn Sie kommen, fo wollen wir uns mit rechter Luft und
Ernft darüber verbreiten; ich finde es, unabhängig von der Sache
felbft, die mich fo fehr interessiert zu approfondieren, fehr intereffant,
Ihnen die Stelle eines guten Lefers zu vertreten und zu verfuchen,
wie fich die doppelte Rückficht auf den Gegenstand und auf das
fubjektive Bedürfnis des Lefers in einer und derfelben Wendung
vereinigen läßt.

Da ich fo oft in meiner Arbeit gehemmt werde und deswegen
das Ende noch nicht abfehen kann, fo ängftigen mich die Nach=
fragen nach dem Wallenstein, die nun anfangen, von außen an
mich zu gefchehen. Schröder will ihn felbft fpielen und fcheint
nicht ungeneigt, felbft in Weimar darin auftreten zu wollen. Auch
Unger aus Berlin fchreibt mir geftern, daß mir das Berliner
Theater jedes beliebige Honorar bezahlen wolle, wenn ich das Stück
ihm noch vor dem Abdruck fenden wolle. Wäre ich nur erft fertig.
Die Arbeit geht jetzt wieder ein wenig, obgleich mir der Kopf noch
nicht recht frei ift.

Leben Sie recht wohl. Meine Frau geht morgen hinüber, um
die Zauberflöte zu hören, wird Sie aber, da fie in der Nacht wieder
geht, fchwerlich fprechen können. Kommen Sie nur endlich ein=
mal, wir fehnen uns nach den hübfchen Abenden. Meyern recht
viele Grüße.   S.

An Karl Gustav Brinkmann.

Jena, den 20. Februar 1798.

Ihrer gütigen Erlaubnis gemäß sende ich Ihnen den Brief an unsern Freund und wünsche Ihnen noch einmal, daß Sie glücklich bei ihm anlangen und daß Sie alle miteinander sich Ihres freundschaftlichen Kreises in Paris recht erfreuen, auch zuweilen unsrer gedenken mögen.　　　　　　　　　　　　　S.

An Wolfgang von Goethe.

Jena, den 23. Februar 1798.

Bei der Art, wie Sie jetzt Ihre Arbeiten treiben, haben Sie immer den schönen doppelten Gewinn, erstlich die Einsicht in den Gegenstand und dann zweitens die Einsicht in die Operation des Geistes, gleichsam eine Philosophie des Geschäfts, und das letzte ist fast der größere Gewinn, weil eine Kenntnis der Geisteswerkzenge und eine deutliche Erkenntnis der Methode den Menschen schon gewissermaßen zum Herrn über alle Gegenstände macht. Ich freue mich sehr darauf, wenn Sie hieher kommen, gerade über dieses Allgemeine in Behandlung der Empirie recht viel zu lernen und nachzudenken. Vielleicht entschließen Sie sich, dieses Allgemeine an der Spitze Ihres Werks recht ausführlich abzuhandeln und dadurch dem Werke, sogar unabhängig von seinem besondern Inhalt, einen absoluten Wert für alle diejenigen, welche über Naturgegenstände nachdenken, zu verschaffen. Baco sollte Sie billig dazu veranlassen.

Was Ihre Anfrage wegen des Silbenmaßes betrifft, so kommt freilich das meiste auf den Gegenstand an, wozu Sie es brauchen wollen. Im allgemeinen gefällt mir dieses Metrum auch nicht, es leiert gar zu einförmig fort, und die feierliche Stimmung scheint mir unzertrennlich davon zu sein. Eine solche Stimmung ist es wahrscheinlich nicht, was Sie bezwecken. Ich würde also die

Stanzen immer vorziehen, weil die Schwierigkeiten gewiß gleich
sind und die Stanzen ungleich mehr Anmut haben.

Ich erfahre über Paris (durch Humboldt), daß Schlegels Jena
verlassen und nach Dresden ziehen wollen. Haben Sie vielleicht
anch davon gehört?

Nach dem, was meine Frau mir sagte, hat Brinkmann in
Weimar gar großes Glück gemacht und besonders am verwitweten
Hofe. Er ist ein sehr unterhaltender Mensch in Gesellschaft und
schlau genug, das Geistreiche und das Triviale an beiden Euben
zusammenzuknüpfen.

Humboldt schreibt mir auch das Urteil, welches Voß über Ihren
Hermann gefällt hat: er hat es von Vieweg, der jetzt in Paris ist.
„Er habe gefürchtet, sagt Voß, der Hermann würde seine Luise
in Vergessenheit bringen. Das sei nun zwar nicht der Fall, aber
er enthalte doch einzelne Stellen, für die er seine ganze Luise hingeben
würde. Daß Sie im Hexameter die Vergleichung mit ihm nicht
aushalten könnten, sei Ihnen nicht zu verdenken, da dies einmal
seine Sache sei, aber doch finde er, daß Ihre neuesten Hexameter
viel vollkommener seien." — Man sieht, daß er anch keine entfernte Ahndung von dem innern Geist des Gedichts und folglich
auch keine von dem Geist der Poesie überhaupt haben muß, kurz,
keine allgemeine und freie Fähigkeit, sondern lediglich seinen Kunst=
trieb, wie der Vogel zu seinem Nest und der Biber zu seinen
Häusern.

Leben Sie recht wohl. Meine Frau will auch noch etwas bei=
legen.

S.

Humboldts Brief kann ich nicht sogleich finden, ich will ihn ein
andermal schicken.

An Wolfgang von Goethe.

Jena, den 27. Februar 1798.

Dieser Februar ist also hingegangen, ohne Sie zu mir zu bringen, und ich habe, erwartend und hoffend, bald den Winter überstanden. Desto heitrer seh' ich ins Frühjahr hinein, dem ich wirklich mit neuerwachtem Verlangen mich entgegensehne. Es beschäftigt mich jetzt zuweilen auf eine angenehme Weise, in meinem Gartenhause und Garten Anstalten zur Verbesserung meines dortigen Aufenthalts zu treffen. Eine von diesen ist besonders wohltätig und wird ebenso angenehm sein: ein Bad nämlich, das ich reinlich und nieblich in einer von den Gartenhütten mauren lasse. Die Hütte wird zugleich um einen Stock erhöht und soll eine freundliche Aussicht in das Tal der Leurra erhalten. Auf der entgegengesetzten Lambrechtischen Seite ist schon im vorigen Jahr an die Stelle der Hütte eine ganz massiv gebaute Küche getreten. Sie werden also, wenn Sie uns im Garten besuchen, allerlei nützliche Veränderungen darin finden. Möchten wir nur erst wieder dort beisammen sein!

Ich lege doch jetzt ganz unvermerkt eine Strecke nach der andern in meinem Pensum zurück und finde mich so recht in dem tiefsten Wirbel der Handlung. Besonders bin ich froh, eine Situation hinter mir zu haben, wo die Aufgabe war, das ganz gemeine moralische Urteil über das Wallensteinische Verbrechen auszusprechen und eine solche an sich triviale und unpoetische Materie poetisch und geistreich zu behandeln, ohne die Natur des Moralischen zu vertilgen. Ich bin zufrieden mit der Ausführung und hoffe unserm lieben moralischen Publikum nicht weniger zu gefallen, ob ich gleich keine Predigt daraus gemacht habe. Bei dieser Gelegenheit habe ich aber recht gefühlt, wie leer das eigentlich Moralische ist und wieviel daher das Subjekt leisten mußte, um das Objekt in der poetischen Höhe zu erhalten.

In Ihrem letzten Briefe frappierte mich der Gedanke, daß die Natur, obgleich von keinem einzelnen gefaßt, von der Summe aller Individuen gefaßt werden könnte. Man kann wirklich, deucht mir, jedes Individuum als einen eigenen S i n n betrachten, der die Natur im ganzen eben so eigentümlich auffaßt als ein einzelnes Sinnenorgan des Menschen und ebensowenig durch einen andern sich ersetzen läßt, als das Ohr durch das Auge u. s. f. Wenn nur jebe individuelle Vorstellungs= und Empfindungsweise auch einer reinen und vollkommenen Mitteilung fähig wäre, denn die Sprache hat eine der Individualität ganz entgegengesetzte Tendenz, und solche Naturen, die sich zur allgemeinen Mitteilung ausbilden, büßen gewöhnlich so viel von ihrer Individualität ein und verlieren also sehr oft von jener sinnlichen Qualität zum Auffassen der Er= scheinungen. Überhaupt ist mir das Verhältnis der allgemeinen Begriffe und der auf diesen erbauten Sprache zu den Sachen und Fällen und Intuitionen ein Abgrund, in den ich nicht ohne Schwindeln schauen kann. Das wirkliche Leben zeigt in jeber Minute die Möglichkeit einer solchen Mitteilung des Besondern und Besondersten durch ein allgemeines Medium, und der Ver= stand, als solcher, muß sich beinah die Unmöglichkeit beweisen.

Leben Sie recht wohl. Ich lege Humboldts letzten Brief bei, den ich mir zur Beantwortung bald zurückerbitte. Meine Frau grüßt Sie aufs beste. Meyern viele Grüße.

S.

An Wolfgang von Goethe.

Jena, den 2. März 1798.

Ich habe es in diesen schönen Tagen einmal wieder mit der frischen Luft versucht und mich recht wohl dabei befunden. Es ist wirklich schade, daß Sie gerade jetzt nicht hier sein können, gewiß würde sich die Muse jetzt bald bei Ihnen einstellen.

Was Sie über die Franzosen und ihren emigrierten, aber immer gleich würdigen Repräsentanten Mounier schreiben, ist sehr wahr, und so kläglich es auch an sich ist, so freut es einen, weil es so notwendig zu dem ganzen Begriff dieser Existenz gehört, und man sollte immer nur rein die Naturen auffassen, so würde man auch gleich die Systeme rein demonstriert sehen. Es ist wirklich der Bemerkung wert, daß die Schlaffheit über ästhetische Dinge immer sich mit der moralischen Schlaffheit verbunden zeigt, und daß das reine strenge Streben nach dem hohen Schönen bei der höchsten Liberalität gegen alles, was Natur ist, den Rigorism im Moralischen bei sich führen wird. So deutlich scheiden sich die Reiche der Vernunft und des Verstandes, und diese Scheidung behauptet sich nach allen Wegen und Richtungen, die der Mensch nur nehmen kann.

Mounier ist mir ein würdiger Pendant zu Garven, der sich auch einmal auf ähnliche Art gegen Kant prostituierte.

Gestern habe ich nun im Ernst das französische Bürgerdiplom erhalten, wovon schon vor fünf Jahren in den Zeitungen geredet wurde. Es ist damals ausgefertigt und von Roland unterschrieben worden. Weil aber der Name falsch geschrieben und nicht einmal eine Stadt oder Provinz auf der Adresse stand, so hat es freilich den Weg nicht zu mir finden können. Ich weiß nicht, wie es jetzt noch in Bewegung kam, aber kurz, es wurde mir geschickt und zwar durch — Campe in Braunschweig, der mir bei dieser Gelegenheit die schönsten Sachen sagt.

Ich halte dafür, es wird nicht ganz übel sein, wenn ich es dem Herzog notifiziere, und um diese Gefälligkeit ersuche ich Sie, wenn es Sie nicht beschwert. Ich lege deswegen die Akta bei. Daß ich als ein deutscher Publizist ϰατ εξοχην darin erscheine, wird Sie hoffentlich auch belustigen.

Leben Sie recht wohl. Ich habe einen Posttag und noch allerlei abzufertigen. Meine Frau grüßt schön.

                                            S.

An Joachim Heinrich Campe.

An Joachim Heinrich Campe.

Jena, den 2. März 1798.

Empfangen Sie meinen aufrichtigen Dank für Ihr verbind=
liches Schreiben, das mich, nebst seinem übrigen Inhalt, sehr an=
genehm überrascht hat. Die Ehre, die mir durch das erteilte
französische Bürgerrecht widerfährt, kann ich durch nichts als
meine Gesinnung verdienen, welche den Wahlspruch der Frauken
von Herzen adoptiert; und wenn unsere Mitbürger über dem Rhein
diesem Wahlspruch immer gemäß haudeln, so weiß ich keinen
schönern Titel, als einer der ihrigen zu sein.

Der lange Zeitraum, der zwischen Ausfertigung meines Bürger=
diploms und dem gegenwärtigen Momente verstrichen ist, setzt
mich in einige Verlegenheit, gegen wen ich eigentlich meinen Dank
darüber bezeugen soll, da keiner von denen, die das Gesetz und die
Ausfertigung unterschrieben haben, mehr zu finden ist.

Vielleicht können Sie mir aus dieser Verlegenheit helfen, wenn
Sie sich gütigst der Mühe unterziehen wollen, mir den Kanal zu
nennen, durch den dieser Einschluß an Sie gelangt ist. Sie
werden mich dadurch um so mehr verbinden, da ich neugierig bin,
zu wissen, wie es mit diesem Paket gegangen ist.

Erhalten Sie mir noch ferner Ihre gütigen Gesinnungen, deren
Wert ich zu schätzen weiß und die ich mit der aufrichtigsten Hoch=
achtung und Verehrung Ihrer mannigfachen Verdienste erwidere.

Schiller.

Das fränkische Bürgerdiplom, ausgefertigt vom 10. Oktober
1792, ist mir am 1. März 1798 durch Herrn Rat Campe in
Braunschweig zugekommen.

Jena, den 2. März 1798.

F. Schiller.

An Friedrich Cotta.

Jena, den 5. März 1798.

Sie haben mir erlaubt, wenn ich zu meinem hiesigen Bauwesen
Vorschuß nötig hätte, mich an Sie wenden zu dürfen. Von dieser
Erlaubnis mache ich jetzt Gebrauch und ersuche Sie, mir auf den
Anfang April 500 Reichstaler* gütigst zuzusenden oder anzuweisen.
Ich habe in dieser Hoffnung meine Bestellungen schon gemacht
und rechne auf Ihre Gefälligkeit.

Damit aber unsere Geldrechnung in diesem Jahre rein möge
abgeschlossen werden, so werde ich, sobald der Wallenstein und der
neue Musenalmanach fertig sind, sogleich an die Redaktion des
Fiesko, der Räuber und Kabale und Liebe mich machen. Der
Wallenstein selbst wird, wie ich jetzt bestimmen kann, zwanzig
Bogen, nicht ganz, betragen.

Wenn Sie zur Messe reisen, so werde ich Ihnen doch noch anraten, einen Versuch zu einer gütlichen Abfindung mit Göschen zu
machen, denn es wäre mir doch gar lieb, wenn der Karlos noch in
die Sammlung käme. Seine Empfindlichkeit hat sich jetzt verloren, und da er auf einen Brief, den ich ihm schrieb, den Gedanken aufgegeben, eine Prachtedition von dem Karlos zu machen,
so ist er vielleicht zu bewegen, daß der Karlos in drei oder vier
Jahren wenigstens in unserer Sammlung, gegen eine Gratifikation
an ihn, mit darf abgedruckt werden.

Bei Goethe vergesse ich Ihrer gewiß nicht. Er hat jetzt ein
großes und bedeutendes Werk über Italien vor, von dem ich aber
selbst noch keinen recht deutlichen Begriff habe, weil ich noch nicht
mündlich mit ihm darüber habe sprechen können. Sobald er hier-
herkommt, welches in einigen Wochen geschieht, und ich aus seiner
Beschreibung eine Idee bekomme, ob das Werk für den Buch-
handel eine glückliche und nicht gar zu kostbare Spekulation ist, so

---

* Geuierte Sies die ganze Summe sogleich zu schicken, so kann ich mich auch,
ehe Sie selbst kommen, noch mit 300 Reichstalern behelfen.

gebe ich Ihnen Nachricht von der Sache, es sei denn, welches ich nicht glaube, daß er seinen Verleger schon dazu hat.

Leben Sie recht wohl. Ich freue mich, Sie bald wieder zu sehen und Ihnen meine bis dahin ziemlich vollendete Arbeit zu zeigen. Ihr aufrichtiger

Schiller.

An Wolfgang von Goethe.

Jena, den 6. März 1798.

Aus Ihren, mir neu eröffneten, Vorsätzen muß ich schließen, daß Sie noch eine gute Weile lang auf dem wissenschaftlichen Felde bleiben werden, welches mir für die poetische Ausübung leid tut, so sehr ich auch den Nutzen und die Notwendigkeit davon einsehe. Ihre vielen und reichen Erfahrungen und Reflexionen über Natur und Kunst und über das dritte Idealische, was beide zuletzt zusammenknüpft, müssen ausgesprochen, geordnet und festgehalten werden, es sind sonst nur Lasten, die Ihnen im Wege liegen. Aber die Unternehmung wird weitläuftig werden, und aus Arbeit wird sich Arbeit erzeugen. Bis jetzt hab ich noch keinen klaren Begriff von den Grenzen, die Sie dem Werk setzen werden, unbeschadet seines Anspruchs auf eine gewisse umfassende Vollständigkeit, ein Anspruch, der schon in Ihrer Natur liegt, wenn auch der Gegenstand ihn nicht machte. Ich erwarte daher Ihr Schema darüber mit großer Begierde. Dieses wird mir denn auch den Ort schon zeigen, wo ich mit meinen Ideen auf eine mit dem Ganzen übereinstimmende Weise eintreten kann. Mit Vergnügen werde ich den Anteil daran nehmen, den Sie mir bestimmen, und da es einmal ein gesellschaftliches Werk ist, so kann es recht gut sein, daß auch der dritte Mann spricht. Selbst der Rigorism, der darin herrschen wird, gewinnt mehr Eingang, wenn eine vielfältigere Ansicht und Einkleidung dabei ist. Immer aber wird das Werk in einer bestimmten Opposition mit dem Zeitalter bleiben; und da an eine gütliche Auskunft nicht zu denken ist, so wäre die Frage, ob man den Krieg nicht lieber dezidiert erklären und durch die Schärfe des Gesetzes sowohl als der Justiz das Werk desto pikanter machen sollte. Doch darüber mündlich ein mehreres, wenn ich erst mehr von dem Plane weiß.

Ich selbst hoffe, nach meiner jetzigen, ziemlich langen poetischen Praxis, die mir viele Erfahrungen mehr verschafft hat, mit gutem Erfolg zum Raisonnement zurückzukehren.

Meine Frau spricht Sie heute, wie sie hofft, warum ich sie sehr beneide, denn ich kann wohl sagen, daß mich recht herzlich verlangt, Sie wieder von Angesicht zu sehen.

Das Reskript, das mich zum Professor ordinarius macht, ist endlich von Coburg angekommen, und so sehe ich mich in kurzer Zeit mit mehreren Würden bekleidet, von denen ich nur wünschte, daß sie mich wärmer hielten.

Leben Sie recht wohl, grüßen Sie Meyern und schreiben Sie mir bald, daß ich Sie erwarten darf.　　　　　　　　　S.

An Wolfgang von Goethe.

Jena, den 9. März 1798.

Meine Frau hat sich sehr gefreut, Sie neulich in Ihrem Hause zu sehen, und kann es noch nicht satt werden, Meyers schöne Werke zu preisen. Sie hat meine Begierde darnach aufs neue rege gemacht, und wenn Sie binnen acht Tagen nicht sollten herkommen können, so werde ich noch einen Flug nach Weimar vornehmen.

Es ist auch mein ernstlicher Wille, wie Sie mir raten, künftig das Theater in Weimar besser zu benutzen. Nur an den Anstalten zur Wohnung lag es in diesem Winter, daß ich es nicht ausgeführt habe. Für die Zukunft werde ich mich aber gewiß darauf einrichten. Wenn es auch bloß um die Musik wäre, müßte mans schon tun, denn die Sinne werden ja sonst gar nicht auf eine ästhetische Weise berührt. Aber auch das Theater selbst wird gut

auf mich wirken. In diesen letzten Monaten habe ich freilich alles
anbre meinem Geschäfte nachsetzen müssen, um darin einen ent=
scheidenden Schritt zurückzulegen. Das habe ich erreicht. Jetzt
ist mein Stück im Gange, und das Schwerste ist hinter mir.
Drei Viertel der ganzen Arbeit sind absolviert.

Haben Sie noch keine Neugierde gehabt, die neue englische
Tragödie von Walpole The mysterious Mother zu Gesicht zu
bekommen? Sie wird als eine vollkommene Tragödie im Ge=
schmack und Sinn des Ödipus Rex gerühmt, mit dem sie dem
Inhalt nach, davon ich einen Auszug gelesen, in einer gewissen
Verwandtschaft steht. Vielleicht daß von dieser materiellen Ähn=
lichkeit auch das ganze Urteil herrührt. Wäre dem so, so sollte
man den englischen Kunstrichtern diese Leichtsinnigkeit nicht so hin=
gehen lassen; und in jedem Falle scheint mirs nicht übel, ein solches
vorübergehendes Interesse des Publikums zu ergreifen und, da
einmal der Fall da ist, über das Gesetz und die Foderungen ein
Wort zu sagen. Ich werbe trachten, das Stück zu bekommen, ob
es vielleicht zu einem Raisonnement über die Gattung Anlaß
geben kann.

Der Herzog, wie mir mein Schwager sagt, wünscht, daß ich
mein Bürgerdiplom der Bibliothek schenken möchte, wozu ich sehr
gerne bereit bin. Ich will es bloß abschreiben lassen und mir im
Namen der Bibliothek attestieren lassen, daß das Original bei ihr
niedergelegt ist, wenn etwa einmal eins meiner Kinder sich in
Frankreich niederlassen und dieses Bürgerrecht reklamieren wollte.

Leben Sie recht wohl. Vielleicht bringt mir der morgende
Botentag die erwünschte Nachricht von Ihrem baldigen Kommen.
Meine Frau grüßt Sie bestens.

                                                        S.

An Wolfgang von Goethe.

Jena, den 13. März 1798.

Nachdem ich einmal ein vierzehn Tage erträglich wohl gewesen und mir etwas Anstrengung zugemutet, setzt sichs mir wieder in den Kopf und macht mich unlustig und unfähig zu allem. Freilich ist das Wetter auch wieder sehr rauh geworden. Dennoch hoffe ich, meine Reise zu Ihnen, wiewohl nur auf Einen Tag, noch diese Woche ausführen zu können. Meine Absicht wird erreicht sein, wenn ich Sie und Meyers Arbeiten sehe und eine bestimmte Ge= wißheit Ihrer Hieherkunft mit zurückbringe.

Zu der Akquisition wünsche ich von Herzen Glück. Ich fühle bei meinem kleinen Besitztum, wie viel Freude es gewährt, für sich und die Seinigen jetzt ein Stück Erbe in Anspruch zu nehmen.

Ich habe einen braven Menschen für Mouniers Institut auf= gefunden, dem ich dadurch zu einer einstweilen Existenz verhelfe, während daß Mouniern mit ihm gedient sein wird.

Man sagt hier, daß die Franzosen bei Murten eine Schlappe bekommen. Es sollte mich herzlich freuen, denn auch ein kleines Glück, und gerade an diesem Ort, würde am Anfang besonders sehr gute Folgen für die Schweizer haben.

Ich habe diese Tage ein altes deutsches Ritterstück, das Sie wahrscheinlich längst vergessen haben, Just von Stromberg, wieder durchgelesen. Es läßt sich freilich sehr viel dagegen sagen, aber die Bemerkung habe ich dabei gemacht, daß der Dichter eine er= staunliche Macht über das Gemüt ausüben kann, wenn er nur recht viel Sachen und Bestimmungen in seinen Gegenstand legt. So ist dieser Just von Stromberg zwar überladen von historischen Zügen und oft gesuchten Anspielungen, und diese Gelehrsamkeit macht das Stück schwerfällig und oft kalt; aber der Eindruck ist höchst bestimmt und nachhaltig, und der Poet erzwingt wirklich die Stimmung, die er geben will. Auch ist nicht zu leugnen, daß solche Kompositionen, sobald man ihnen die poetische Wirkung

erläßt, eine andre allerdings sehr schätzbare leisten, denn keine noch
so gut geschriebene Geschichte könnte so lebhaft und sinnlich in jene
Zeit hineinführen, als dieses Stück es tut.

Leben Sie wohl. Mein Kopf ist ganz wüste.

Meine Frau grüßt herzlich.

S.

An Wolfgang von Goethe.

Jena, den 14. März 1798.

Da heute noch eine Post geht, so sende die französischen Sachen
gleich mit.

Der Discours über Hermann und Dorothea gefällt mir doch
gar nicht übel, und wenn ich wüßte, daß er von einem recht leib=
haften Franzosen herrührte, so könnte mich diese Empfänglichkeit
für das Deutsche des Stoffes und das Homerische der Form er=
freuen und rühren.

Mounier erscheint in seinem Briefe, so wie ich ihn erwartete,
als der ruhig beschränkte und menschliche Repräsentant des ge=
meinen Verstandes, mit dem man, da er wirklich ohne Arges ist
und das gar nicht ahndet, worauf es ankommt, gar nicht hadern
mag. Die Instanz am Ende, daß es ein Unglück wäre, wenn ein
Dorfrichter die Moral eines Kant bekennte und darnach handelte,
ist auch wirklich alles, was ich, umgekehrterweise, dem Mounier
zur Abfertigung sagen würde.

Leben Sie recht wohl. Ich freue mich zu hören, daß Sie mit
der Ansicht Ihres Kaufs so zufrieden sind, und daß Sie die Hände
nun frei haben, um wieder etwas für sich selbst vorzunehmen.

Mein Kommen kann ich darum nicht wohl bestimmt annoncieren,
weil alles von dem Schlaf der vorhergehenden Nacht abhängt.
Leben Sie recht wohl.

S.

An Wolfgang von Goethe.

Jena, den 16. März 1798.

Nur ein paar Worte zum Gruße. Ich habe Posttag und der Kopf ist mir sehr eingenommen.

Bei meinem besten Willen habe ich die Reise nach Weimar noch nicht wagen können, da mir nicht wohl und auch das Wetter zu rauh war. Kann ich es vor Ihrer Ankunft nicht ausführen, so werde ich es auf jeden Fall auch bei Ihrer Anwesenheit in Jena noch tun und kann es so einrichten, daß ich vor Abend wieder hier bin, denn es liegt mir selbst zu viel daran, Meyers Arbeiten selbst gesehen zu haben, solange Sie noch hier sind.

Ich hoffe, Sie bringen viel Geschriebenes, Schemata und Aus= arbeitungen mit, denn ich kann Ihnen nicht sagen, wie sehr mich nach einer lebendigen Kommunikation auch über solche Gegenstände besonders, die mit meinem Geschäft nichts gemein haben, verlangt. Auch wünschte ich von Meyers Arbeiten bald etwas zu lesen.

Leben Sie recht wohl. Vielleicht erfahre ich morgen, wann Sie kommen.

Meine Frau grüßt Sie bestens.

S.

An Gottfried Körner.

Jena, den 16. März 1798.

Ich glaubte von Posttag zu Posttag, dir etwas von Wallen= stein schicken zu können, aber obgleich ein tüchtiger Vorrat bei= sammen ist, so sind noch einige Lücken, welche auszufüllen ich bis jetzt noch keine rechte Stimmung habe finden können; und ließ ich sie, so würden sie dich doch stören, obgleich sie keinen wesentlichen Teil der Handlung betreffen. Aller Unterbrechungen ungeachtet, welche mir öftere Kränklichkeit in diesem Winter gemacht hat und neuerdings seit acht Tagen wieder machte, bin ich doch ziemlich vorwärtsgerückt und hoffe am Ende des Junius fertig sein zu können.

Es macht mir wirklich eine Epoche, dir den Wallenstein vorzulegen. Deine und meine Forderungen an ein Kunstwerk sind seit diesen eilf Jahren, da ich das letzte Drama gemacht, gestiegen, und Gott gebe, daß meine Kräfte zugleich gestiegen sein mögen.

Deine Kritik des Almanachs ist mir immer ein rechter Schmaus und hält mich auf der guten Bahn. Mache ja fort. Ich werde die Blätter Goethe, den ich nächste Woche endlich erwarte, zusammen vorlegen und mich mit ihm über die Einstimmigkeit deines Urteils mit dem unsrigen freun.

Ich habe vor etwa vierzehn Tagen endlich das Bürgerdiplom von Paris erhalten, das schon vor fünf Jahren von Roland ausgefertigt worden und bis jetzt in Straßburg gelegen hat. Es ist ganz aus dem Reich der Toten an mich gelangt, denn das Loi haben Danton und Claviere unterschrieben und den Brief an mich Roland. Die Besorgung ging durch Custine, auf seinem deutschen Feldzuge; und diese alle sind nicht mehr.

Zu dieser Ehrenbezeigung ist kürzlich noch eine andere gekommen, die mir ebensowenig hilft. Unsere Höfe haben mir aus eigener Bewegung die Würde eines Professor ordinarius honorarius zugeteilt. Ich gewinne zwar nichts dabei, nicht einmal einen Anspruch auf eine künftig einmal vakante Besoldung — indessen hat es mich doch gefreut, daß man mir, ohne den geringsten Vorteil von mir zu haben oder zu hoffen, da ich schon viele Jahre lang nicht mehr lese, diese Aufmerksamkeit bewiesen hat.

Die Horen hören auf; es ist mir völlig unmöglich, mich dafür zu interessieren, und Cotta hat auch bei dem starken Honorar eher Schaden als Gewinn. Doch war er bereit sie fortzusetzen.

Hier meine Bordürenschuld nebst Horen. Wir umarmen euch alle herzlich.   S.

An die Universität Jena.

Jena, den 19. März 1798.

Magnifice Academiae Prorector.

Hochwürdige, Hochwohl= und Wohlgeborene

Insonders Hochzuehrende Herrn.

Der ehrenvolle Beweis, den ich durch die mir gnädigst kon=
ferierte Würde eines Professor ordinarius honorarius von den
gütigen Gesinnungen unserer Durchlauchtigsten Nutritoren gegen
mich kürzlich erhalten und die schmeichelhaften Äußerungen, wo=
mit dieses angenehme Geschenk von seiten Eurer Magnifizenz,
Hochwürden, Hochwohl= und Wohlgeboren begleitet war, haben
mich um so mehr gerührt, da meine Gesundheitsumstände mir
leiber nun schon lange nicht mehr verstattet haben, durch eine
nützliche Tätigkeit in meinem akademischen Beruf mir einen An=
spruch auf eine solche Gunst zu erwerben.

Ich gestehe, daß ich in diesem Augenblick den Verlust meiner
Gesundheit doppelt beklage, da ich dadurch verhindert bin, den
hohen Wert, den ich auf das erhaltene Geschenk lege, durch eine
verdoppelte Anstrengung meiner Kräfte zu beweisen. Nehmen
aber Eure Magnifizenz, Hochwürden, Hochwohl= und Wohl=
geboren meine aufrichtige Dankbezeugung dafür an und die Ver=
sicherung, daß ich die Ehre, in einer nähern Verbindung mit
Ihnen zu stehen, in ihrem ganzen Umfange fühle, und daß es so
lange, bis meine gestärktere Gesundheit mir wieder vergönnen wird,
meinem akademischen Berufe abzuwarten, mein eifrigstes Be=
streben sein wird, durch die einzige mir übrig bleibende schrift=
stellerische Tätigkeit mich als ein nicht unwürdiges Mitglied dieser

ruhmvollen, im Auslande sowohl als im Vaterlande mit Recht geehrten Akademie zu beweisen.

Der ich mit schuldiger Devotion und Ehrfurcht verharre

Euer Magnifizenz

Hochwürden, Hochwohl= und Wohlgeboren

Meiner insonders hochzuverehrenden Herrn

gehorsamster Diener

Friderich Schiller.

An Wolfgang von Goethe.

Jena, den 21. März 1798.

Da ich Sie vor Abend nicht sehe, so werde ich bis dahin in meinem vierten Akt suchen vorwärts zu kommen. Ich habe heute die Phädra des Euripides, freilich nur nach einer sehr geistleeren Übersetzung von Steinbrüchel gelesen, aber es ist mir doch unbegreiflich, wie leicht und obenhin dieser schöne Stoff behandelt worden ist.

Leben Sie recht wohl.

Sch.

An Friedrich Cotta.

Jena, den 28. März 1798.

Vor drei Tagen schon habe ich die 500 Reichstaler erhalten, die Sie mir gütigst übermachten und danke Ihnen verbindlich für diese große Gefälligkeit. Die Quittung lege ich hier bei.

Goethe und Meyer wollen ein gemeinschaftliches Werk über ihre Kunsterfahrungen in einer Suite von kleinen Bändchen herausgeben, und diesen Verlagsartikel kann ich Ihnen anbieten. Die Schrift wird in kleinen Abhandlungen zum Beispiel über den Laokoon, über die Niobe usw. usw. geschrieben sein. Auch ich werde Anteil daran nehmen und mehrere Aufsätze dazu geben. Von

Zeichnungen wird es nicht viel enthalten. Goethe ist aber ent=
schlossen, den Cellini, den er nun ganz übersetzt und mit bedeutenden historischen Erläuterungen begleitet hat, an die Suite
dieses Werks anzuhängen. Es frägt sich nun, ob Sie Lust dazu
haben, und welche Bedingungen Sie machen können, denn wohl-
feil gibt es Goethe nicht. Auf die nächste Ostern 1799 gedenkt er
vier kleine Oktavbändchen, jeden etwa zu siebzehn Bogen, fertig zu
bringen, wobei aber noch nichts vom Cellini ist. Beraten Sie sich
nun mit sich selbst, ob die Unternehmung Ihnen zusagt, und geben
Sie mir bald eine ostensible Nachricht von Ihrem Entschluß.

Den Rest des Manustripts für die Horen bringt die nächste
Post. Mein Abschreiber ist nicht fertig geworden.

Leben Sie recht wohl, ich freue mich, daß wir uns bald wieder
sehen werden. Ihr

S.

An Wolfgang von Goethe.

Jena, den 6. April 1798.

Heute früh oder vielmehr heute mittag, als ich aufstand und
mich nach Ihnen erkundigte, fand ich unsre unglückselige Charlotte,
die ich länger als ein Jahr nicht gesehen und nicht viel verbessert
fand. Sie ist womöglich noch materieller geworden, und ihr ge-
spanntes freudloses unerquickliches Dasein hat mir keine gute
Stimmung gegeben.

Ihr Aufenthalt hier kommt mir jetzt noch kürzer vor, als er war.
Er ging gar schnell vorüber, und für eine so lange Abwesenheit
war es wirklich zu wenig.

Unterdessen will ich suchen, mich wieder recht in die Arbeit zu
werfen, daß ich nur erst das Gedankenbild aus mir herausstelle,
weil ich es dann heller anschauen kann. Ich freue mich, denken zu
dürfen, daß Sie mit meinem Werke im ganzen zufrieden sind, und
vorzüglich darüber, daß Sie keinen Widerspruch weder mit dem

Gegenstande noch mit der Kunstgattung, zu der er gehört, darin
rügten; denn über die theatralischen Foderungen denke ich schon
noch weg zu kommen, wenn die tragisch-dramatischen nur befriedigt sind.

Leben Sie wohl für heute. Meine Frau grüßt Sie bestens,
und wir vermissen Sie leider sehr.

S.

An Wolfgang von Goethe.

Jena, den 10. April 1798.

An dem Amor, der hier zurückfolgt, erkennt man gleich die
kräftige und solide Kunst unsers Meisters, wenn er sich nur nicht
an der Spitze des kleinen Werkleins, vor dem er zu stehen kommen
soll, etwas zu streng und zu ernsthaft ausnimmt. Es wird recht
gut sein, wenn Sie aus Ihrer Sammlung etwas für den Almanach wählen und Meyer es zeichnet. Ich brauche nicht zu
sagen, daß eine poetische Idee von der Art wie diese mit dem
Amor die zweckmäßigste sein wird, und weil der Almanach seines
kleinen Formats und spielenden Gebrauchs wegen auch nur kleine
Dimensionen erlaubt, so schien mir ein solcher Gegenstand, wo
weniger auf der Ausführung als auf dem Gedanken beruht, der
passendste zu sein. Doch das ist Ihre Sache, Sie werden schon
das Beste erwählen.

Ich lege Ihnen hier einen Brief nebst Gedichten von einem
gewissen Jacobi bei, der sich an mich um Nachrichten von Ihnen
gewendet hat. Die Gedichte habe ich kaum flüchtig angesehen
und weder Gutes noch Schlimmes daran bemerkt. Indessen wäre
mirs nicht unlieb, wenn ich eins davon in das letzte Horenstück
brauchen könnte, da mir gerade noch soviel daran fehlt. Haben
Sie die Güte, mir diese Gedichte, im Fall eins davon zu brauchen
wäre, morgen durch die Botenfrau wieder zu schicken, da ich es an
dem nämlichen Abend noch fortbringen kann.

Wenn Sie beim Geheimen Rat Voigt ein gutes Wort für unsern Niethammer sprechen wollten, so würden Sie etwas Gutes befördern. Ich habe Ursache zu glauben, daß er wenig Eifer für ihn hat, ja wirklich zu wenig, und hingegen seinen unbedeutenden Rival begünstiget. Fände sich Gelegenheit, Schellings Sache, die bei Voigten zu liegen scheint, noch einmal in Bewegung zu bringen, so wäre es auch sehr gut für uns jenaische Philosophen, und selbst Ihnen würde es nicht unangenehm sein, das hiesige Personale mit einem so guten Subjekt vermehrt zu haben.

Obgleich das schöne Wetter hier noch fortdauert, so hat doch die schnelle Kälte mir wieder einen heftigen Katarrh mitgebracht und mein altes Übel erneut. Die Arbeit rückt langsam fort, und ich stehe gerade an einem Punkt, wo die Stimmung alles tun muß.

Hier sagt man, daß Iffland am 24. dieses Monats nach Weimar kommen würde, um acht Tage dort zu spielen. Da Sie bei Ihrem Hiersein noch gar nichts davon zu wissen schienen, so kann ich es kaum glauben. Wäre es aber, so zweifelte ich sehr, daß er noch den alten Empfang finden würde, und unser würdiger gestiefelter Kater würde in einiges Gedränge kommen.

Leben Sie recht wohl. Ich höre von meinem Schwager, der heute hier war, daß Thouret nun nächstens kommen wird. So ist es auch in dieser Rücksicht gut für Sie gewesen, daß Sie gerade jetzt in Weimar sind und nicht mitten in der Arbeit unterbrochen werden.

Meine Frau grüßt Sie aufs beste. Leben Sie recht wohl.

S.

An Friedrich Cotta.

Jena, den 13. April 1798.

Ich lege in aller Eile, um Sie noch anzutreffen, das Inhalts=verzeichnis der Horen und noch zwei für das zwölfte Stück be=stimmte Gedichte bei. Da ich nicht ganz genau weiß, wieviel das übersendete Manuskript zusammen ausgibt, so werden Sie es ja schon einrichten, daß das letzte Stück volle sieben Bogen erhält. Die heut überschickten Gedichte können enger und weiter gedruckt werden, se nachdem das Bedürfnis ist.

Nach meiner Ausrechnung haben Sie für die noch restierenden acht Stücke, denn meines Wissens ist die letzte Rechnung mit dem April 1797 inklusive abgeschlossen worden, 181 Louisdor zu bezahlen. Da es mir lieber ist, wenn Sie mir erst auf den Herbst meine Gegenrechnung machen, so sind Sie so gütig, diese Summe ganz mitzubringen.

Es freut mich zu hören, daß Huber bei Ihnen ist, denn in der Schweiz möchte er sich jetzt doch nicht gefallen. Auch für die Weltkunde wird seine Mitwirkung gut sein.

Leben Sie recht wohl. Ich freue mich, Sie bald zu sehn. In Eile. Ihr   S.

An Wolfgang von Goethe.

Jena, den 24. April 1798.

Endlich bin ich wieder imstande, Ihnen selbst von meinem Befinden Nachricht zu geben. Vierzehn Tage war ich zu allem unfähig, weil sich der Rheumatism in den Kopf gesetzt hatte, und noch darf ich vor den nächsten acht Tagen nicht hoffen, ein Geschäft vorzunehmen. Es ist recht schade, daß ich bei dieser Unfähigkeit zum Arbeiten nicht wenigstens von den theatralischen Unterhaltungen in Weimar profitieren kann; aber wenn mich auch nicht mein noch fortdaurender Husten ins Haus spräche, so fehlte es mir doch gänzlich an Stimmung für irgend einen Geistesgenuß, und ich muß mich hüten, mich an ästhetische Dinge auch nur zu erinnern.

Ich wünsche Ihnen desto mehr Vergnügen an Ifflands theatralischem Besuch. Über die Wahl der Stücke haben wir uns hier gewundert, besonders aber hat mich die Wahl des Pygmalion

befremdet. Denn wenn darunter wirklich das Monodram gemeint
ist, welches, deucht mir, Benda komponiert hat, so werden Sie,
mit Meyern, einen merkwürdigen Beleg zu den unglücklichen
Wirkungen eines verfehlten Gegenstandes erleben. Es ist mir ab=
solut unbegreiflich, wie ein Schauspieler, auch bloß von einer ganz
gemeinen Praxis, den Begriff seiner Kunst so sehr aus den Augen
setzen kann, um in einer so frostigen, handlungsleeren und unnatür=
lichen Fratze sich vor dem Publikum abzuquälen. Dazu kommt
noch, daß Iffland in seinem Leben nie eine Schwärmerei oder
irgend eine exaltierte Stimmung weder zu fühlen noch darzustellen
vermocht hat und als Liebhaber immer abscheulich war.

Doch Sie werden ja sehen, und vielleicht ist auch an den Pyg=
malion nicht gedacht worden.

Zu den Fortschritten im Faust wünsche ich Glück. Diese
theatralische Zerstreuungen sollen Sie, denk ich, eher darin fördern
als stören. Leben Sie recht wohl. Meine Frau grüßt schönstens.

S.

An Gottfried Körner.

Jena, den 27. April 1798.

Es hat diesen Winter und Frühling ein rechter Unglücksstern
über mir gewaltet, denn seit dem Oktober bin ich schon das vierte=
mal durch Krankheiten unterbrochen worden. Jetzt war ich wieder
ganzer vierzehn Tage an einem Katarrhfieber krank und mußte
sogar etliche Tage das Bette hüten, es hat mich sehr angegriffen,
besonders ist mir der Kopf ganz verwüstet. Vorher war Goethe
vierzehn Tage hier, wo ich auch wenig arbeitete, so daß ich jetzt an=
haltend fünf Wochen für meine Arbeit so gut als ganz verloren
habe, und wenigstens ebensoviel Zeit während des Winters. Das
Schlimmste ist, daß ich, außer der Zeit, auch noch die Lust an
meiner Arbeit verloren und sie vielleicht in vielen Wochen nicht
wiederfinde.

Deine Kritik des Almanachs hat Goethen viel Vergnügen ge=
macht, er hat sich lange damit beschäftigt. In dem aber, was du
über den Ibykus und Polykrates sagst und was ich auch für gar
nicht ungegründet halte, ist er nicht deiner Meinung und hat sich
beider Gedichte nachdrücklich gegen dich und gegen mich selbst an=
genommen. Er hält deinen Begriff, aus dem du sie beurteilst und
tadelst, für zu eng und will diese Gedichte als eine neue, die
Poesie erweiternde Gattung angesehen wissen. Die Darstellung
von Ideen, so wie sie hier behandelt wird, hält er für kein Dehors
der Poesie und will dergleichen Gedichte mit denjenigen, welche
abstrakte Gedanken symbolisieren, nicht verwechselt wissen usw.
Dem sei wie ihm wolle, wenn auch die Gattung zulässig ist, so ist
sie wenigstens nicht der höchsten poetischen Wirkung fähig, und es
scheint, daß sie deswegen etwas außerhalb der Poesie zu Hilfe
nehmen müsse, um jenes Fehlende zu ergänzen.

Wir sind noch in der Stadt, meine Krankheit und das noch
rauhe Wetter haben mir noch nicht erlaubt, in den Garten zu ziehen.
Dort hoffe ich nach und nach wieder Stimmung zur Arbeit zu
finden. Iffland spielt gegenwärtig wieder acht Tage in Weimar.
Schröder hat Lust, auf das Spätjahr auch dahin zu kommen und
den Wallenstein zu spielen. Ich fürchte aber, daß dieser, wenigstens
die Ausarbeitung für das Theater, nicht so früh fertig werden
kann, um noch vor dem Herbst einstudiert zu werden.

Huber ist jetzt in Tübingen und ein Gehilfe Posselts bei der
neuen Weltkunde. Wie hat er sich doch seine ganze Lebensbe=
stimmung verdorben. Er ist zu einer immensen Schriftstellerei
genötigt, um zu existieren.

Lebe recht wohl. Wir umarmen euch herzlich und die Kinder.
Meine kleine Familie befindet sich recht wohl, wie auch meine Frau.

Dein

Sch.

An Wolfgang v. Goethe.

Jena, den 27. April 1798.

Ich sende Ihnen hier Cottas Antwort auf meine Anfrage
wegen der zu verlegenden kleinen Abhandlungen p. Es ist ihm, wie
Sie sehen, zuviel daran gelegen, etwas von Ihnen zum Verlag zu
bekommen, als daß er seine Desideria und Wünsche bei diesem
Werke ganz offen hätte heraus sagen sollen. Soviel aber zeigt sich,
daß er bei dem überwiegenden kunstwissenschaftlichen Inhalt ein zu
eingeschränktes Publikum fürchtet und deswegen einen mehr all=
gemeinen Inhalt wünscht. Ich kann ihm darin als Buchhändler
gar nicht unrecht geben; da aber auf der andern Seite von dem
Plane des Werks nichts erlassen werden kann, so wäre mein Vor=
schlag, ihm die Erspektanz auf ihr nächstes poetisches Werk, etwa
den Faust, zu geben, oder es ihm lieber gleich zu verakkordieren.
Wenn ich bei dieser Gelegenheit einen Vorschlag zu tun hätte, so
würde ich für den Bogen der theoretischen Abhandlungen, ohn=
gefähr gedruckt wie Meisters Lehrjahre, vier Louisdor und für den
Bogen vom Faust acht Louisdor zu fodern raten. Wenn Sie aber
denken, daß Unger oder Vieweg besser bezahlen, so kann Cotta es
auch, und ich erwarte nur, daß Sie ein Gebot tun, so will ich es
Cotta, der jetzt in Leipzig ist, sogleich melden.

Wie ich höre, so spielt Iffland heute Pygmalion. Daß er
seinen Kalkul auf das Publikum wohl zu machen verstehe, habe
ich nie gezweifelt. Er wird auch in dieser Rolle bedeutend und
verständig sein, aber ich kann darum meine Meinung nicht ändern,
und der Erfolg wird mich nicht widerlegen.

Mit meiner Gesundheit geht es jetzt von Tag zu Tag besser,
doch habe ich noch keine Stimmung zu meiner Arbeit finden
können. Dafür lese ich in diesen Tagen den Homer mit einem
ganz neuen Vergnügen, wozu die Winke, die Sie mir darüber
gegeben, nicht wenig beitragen. Man schwimmt ordentlich in
einem poetischen Meere, aus dieser Stimmung fällt man auch in

keinem einzigen Punkte, und alles ist ideal bei der sinnlichsten Wahrheit. Übrigens muß einem, wenn man sich in einige Gesänge hineingelesen hat, der Gedanke an eine rhapsodische Aneinander=reihung und an einen verschiedenen Ursprung notwendig barbarisch vorkommen, denn die herrliche Kontinuität und Reziprozität des Ganzen und seiner Teile ist eine seiner wirksamsten Schönheiten.

Die unterstrichene Stelle in Humboldts Briefe, den ich Ihnen zurücksende, ist ihm vermutlich selbst noch nicht so recht klar ge=wesen, und dann scheint das Ganze mehr eine Anschauung als einen deutlichen Begriff auszusprechen. Er will, deucht mir, über=haupt nur sagen, daß das Gemeinsame, folglich Nationelle, in den Franzosen sowohl in ihren gewöhnlichen Erscheinungen als in ihren Vorzügen und Verirrungen eine Wirksamkeit des Verstandes und seiner Abhärentien, nämlich des Witzes, der Beobachtung usw. sei, ohne verhältnismäßige Mitwirkung des Ideenvermögens, und daß sie mehr physisch als moralisch rührbar seien. Das ist keine Frage, daß sie bessere Realisten als Idealisten sind, und ich nehme daraus ein siegendes Argument, daß der Realismus keinen Poeten machen kann.

Leben Sie recht wohl für heute, und möchten Sie in dem Gewühl von Menschen, das Sie jetzt öfters umgibt, sich recht angenehm unterhalten.

Sch.

An Friedrich Cotta [nach Leipzig.]

Jena, den 30. April 1798.

Ich wünsche und hoffe, daß Sie in Leipzig nun glücklich angekommen sein werden. Wegen des Goethischen Werks wollen wir uns mündlich besprechen und beraten, denn es hat damit keine Eile. Vielleicht, daß er auch gerade hier ist, wenn Sie kommen.

Da Göschen auf mein Bitten und Anraten seine ehemalige Idee, eine Prachtausgabe von Carlos zu veranstalten, aufgegeben hat, so liegt ihm vielleicht nicht mehr soviel daran, den Carlos zu verlegen, und er ist vielleicht geneigt, ja es kann sein Vorteil sein, dafür etwas ganz neues entweder Poetisches oder Historisches von mir, von mäßigem Umfang, was sich zu einer prächtigen Ausgabe qualifiziert, zu verlegen. Ich würde mir ein Vergnügen daraus machen, ihm diesen Beweis meines guten Willens zu geben, und könnte gleich nach der Herbstmesse, wenn der Wallenstein und der Almanach fertig sind, an die Arbeit gehen. Fragen Sie ihn des=halb, und wenn es nötig ist, kommunizieren Sie ihm meinen Brief, denn ich wünschte, daß er überzeugt würde, es sei uns nicht darum zu tun, ihn zu vervorteilen. Besteht er aber auf dem Carlos, so versteht es sich von selbst, daß man ihm sein Recht daran nicht streitig machen kann. Will er aber in diesen Tausch willigen, so mag er selbst bestimmen, was er von mir zu haben wünscht. Ich habe schon längst die Idee gehabt, einen Theater=kalender herauszugeben, auch Goethe würde daran Anteil nehmen. Diesen sollte er gleich haben, wenn wir über die Bedingungen einig würben, wie ich nicht zweifle.

Sehen Sie, wie [Sie] diese Sache freundschaftlich abmachen können, und bringen Sie mir dann die angenehme Nachricht mit hierher, daß Sie selbst mit Göschen sich auf einem freundschaft=lichen Fuße befinden.

Wenn es Sie nicht belästigt, so möchte ich Sie bitten, mir einige Sachen in Leipzig zu besorgen oder besorgen zu lassen. Ich wünschte einen Toilettentisch für meine Frau mit einem Spiegel und Zubehör, übrigens nichts weniger als kostbar, so daß er etwa auf 1 Karolin zu stehen käme. Ohne Zweifel findet sich einer dergleichen in Leipzig. Alsdann ersuche ich Sie, oder vielmehr meine Frau bittet Sie höflichst, ein viertel Zentner Mehliszucker und ein achtel Zentner Kaffee dort für uns einzukaufen, weil man gegen hier am Preis beträchtlich gewinnt. Sollte Sie aber diese

Fracht inkommodieren in Ihrem Wagen selbst mitzubringen, so sind Sie so gütig, solche durch einen Fuhrmann absenden zu lassen.

Alles Übrige mündlich. Ich hoffe, in Ihrem nächsten Briefe den Tag Ihrer Ankunft zu erfahren, und bitte es so einzurichten, daß Sie nicht so schnell wieder wegzueilen brauchen. Ihr aufrichtig ergebener

Schiller.

An Wolfgang von Goethe.

Jena, den 1. Mai 1798.

Da wir jetzt in den Wonnemond getreten sind, so hoffe ich auch wieder auf die Gunst der Musen und hoffe, daß ich in meinem Garten finden werde, was ich schon lang entbehre. Mit Ende dieser Woche denke ich hinauszuziehen, wenn das Wetter gut bleibt.

- Allerdings beklage ich sehr, daß ich diesmal von Ifflands Vorstellungen gar nichts habe profitieren können; aber da ich diesen Winter und Frühling so viele Zeit verlor und auf einen bestimmten Termin fertig werden will, so muß ich mich in mich selbst zurückziehen und alles, was mich sehr nach außen beschäftigt, als eine gefährliche Zerstreuung fliehen. Damit tröste ich mich über diesen verlorenen Genuß, dem ich nicht würde haben widerstehen können, wenn ich gesund gewesen wäre.

Daß Iffland in seinem Pygmalion einen so großen Triumph über meine Erwartung und Vorhersagung davongetragen, ist mir noch nicht begreiflich, und es wird mir schwer, selbst Ihnen etwas aufs Wort zu glauben, was mir den Glauben an meine bestimmtesten Begriffen und Überzeugungen rauben würde. Indessen ist hier nichts mehr zu sagen, da Sie meinen Beweisen a priori ein Faktum entgegensetzen können, wogegen ich, da ich selbst es nicht mit bezeugen kann, auch nichts einwenden darf. Übrigens habe ich es lediglich mit Ihrem Urteil zu tun, denn die übrige öffentliche

Meinung kann hier nichts beweisen, da hier nur von objektiven Foderungen die Rede ist, und die übrige Welt schon zufrieden ist, wenn sie nur interessiert wird.

Ich wünschte zu erfahren, ob es noch wahrscheinlich ist, daß Schröder diesen Herbst kommt, damit ich mit mir zu Rate gehen kann, ob der Wallenstein noch bis dahin für das Theater fertig zu machen ist. Daher bitte ich Sie, mich wissen zu lassen, ob Sie unterdessen einen Schritt getan haben. Denn wenn das nicht geschehen ist, so zweifle ich auch, ob er diesen Herbst kommt.

Cotta wird vermutlich in zehn Tagen hieher kommen. Vielleicht schickt es sich, daß Sie dann schon hier sind; es wäre doch gut, wenn Sie ihn wenigstens hörten und sich Vorschläge machen ließen. Er hat den besten Willen, und an Kräften fehlt es ihm keineswegs, etwas Bedeutendes zu unternehmen.

Es ist mir dieser Tage in der Odyssee eine Stelle aufgefallen, welche auf ein Gedicht, das verloren gegangen, schließen läßt, und dessen Thema der Ilias vorhergeht. Sie steht im achten Buch der Odyssee vom zweiundsiebzigsten Verse an. Vielleicht wissen Sie mehreres davon.

Möchten Sie nur erst wieder in Ihrer homerischen Welt leben. Ich zweifle nicht im geringsten, daß Ihnen diesen Sommer und Herbst noch einige Gesänge gelingen werden.

Leben Sie recht wohl. Meine Frau wird auf den Donnerstag nach Weimar kommen, um noch zum Schluß etwas von den Ifflandischen Gaben zu genießen. Sie grüßt Sie aufs beste.

S.

An Wolfgang von Goethe.

Jena, den 4. Mai 1798.

Meine Frau hat mir von Ihrer freundschaftlichen Aufnahme, von der bunten lebhaften Gesellschaft bei Ihnen und von Ifflands lustigem Apotheker sehr viel zu erzählen und zu rühmen gewußt. In solchen närrischen Originalen ist es eigentlich, wo mich Iffland immer entzückt hat, denn das Naturell tut hier so viel, alles scheint augenblicklicher Einfall und Genialität, daher ist es unbegreiflich, und man wird zugleich erfreut und außer sich gesetzt. Hingegen in edeln, ernsten und empfindungsvollen Rollen bewundre ich mehr seine Geschicklichkeit, seinen Verstand, seinen Kalkul und Besonnenheit. Hier ist er mir immer bedeutend, planvoll und beschäftigt und spannt die Aufmerksamkeit und das Nachdenken, aber ich kann nicht sagen, daß er mich in solchen Rollen eigentlich entzückt oder hingerissen hätte, wie von weit weniger vollkommenen Schauspielern geschehen ist. Daher würde er mir für die Tragödie kaum eine poetische Stimmung geben können.

Ich weiß kaum, wie ich es mit Schrödern halten soll, und bin beinahe entschlossen, die ganze Idee von der Repräsentation des Wallensteins fallen zu lassen. So zeitig mit der ganzen völligen Ausführung fertig zu werden, daß er den Wallenstein im September oder Anfang Oktober spielen kann, ist nicht möglich, denn Schröder muß nach seiner eigenen Erklärung gegen Böttiger mehrere Monate zum Einlernen einer solchen Rolle haben und würde also das Stück in der Mitte des Julius spätestens haben müssen. Bis dahin könnte ich zwar zur Not eine Skizze des Ganzen, die für das Theater hinreichte, fertig bringen, aber diese eilfertige und auf einen äußern Zweck gerichtete Art zu arbeiten würde mir die reine Stimmung für eine ruhige Ausführung verderben. Dazu kommt, daß selbst bei Schröders Anwesenheit einige Hauptrollen im Stück gar zu sehr verunglücken würden, dem ich mich lieber nicht aussetzen will. Wie Sie selbst schreiben, so sind die guten Schauspieler nur, und im glücklichsten Fall, passive Kanäle oder Referenten des Texts, und das wäre mir doch um meine zwei Piccolominis und meine Gräfin Terzky besonders leid. Ich denke daher, meinen Gang frei und ohne bestimmte Theaterrücksichten fortzusetzen und mir womöglich die Stimmung zu bewahren. Ist der Wallenstein einmal fertig und gedruckt, so interessiert er mich nicht mehr, und alsdann kann ich auf so etwas noch eher denken.

Daß wir Sie nun bald wieder hier haben werden, freut mich sehr. Es wäre wohl nicht übel, wenn wir bei Ihrem nächsten Hiersein den Homer zusammen läsen. Die schöne Stimmung nicht zu rechnen, die Ihnen das zu Ihrer Arbeit gäbe, würde es uns auch die schönste Gelegenheit zu einem Ideenwechsel dar= bieten, wo das Wichtigste in der Poesie notwendig zur Sprache kommen müßte. So setzten wirs alsdann künftig mit den Tragikern und andern fort.

Ich bin noch in der Stadt und werde bei dem gegenwärtig zweifelhaften Wetter erst abwarten, ehe ich ausziehe. Wenn Ihr Barometer mir etwas Bestimmtes prognostizieren kann, so will ich mich darnach richten.

Meine Frau grüßt Sie aufs beste. Leben Sie recht wohl.

S.

An Wolfgang von Goethe.

Jena, den 8. Mai 1798.

Ich habe es bei dem gestrigen unsichern Wetter gewagt, meinen Auszug in den Garten zu halten, und es ist mir nach Wunsch ge= lungen. Nun sitze ich endlich wieder hier in meinem ländlichen Eigentum, die Besucher haben sich aber zufällig so gehäuft, daß ich in diesen zwei Tagen mehr Geräusch erfahren habe als den ganzen Winter. Einen darunter, einen Joseph von Retzer aus Wien, haben Sie vielleicht auch gesehen, denn er ist nach Weimar gereist. Ein klägliches Subjekt, das aber durch die Erinnerung an ein bereits vergessenes Zeitalter einigermaßen merkwürdig wird. Einen Herrn Professor Morgenstern aus Halle, der neulich hier war, haben Sie bei sich gehabt, wie mir meine Frau sagt. Dies ist eine Woltmann ähnliche Natur, auch so kokett und elegant in seinen Begriffen, und der die philosophisch kritische Kurrentmünze ganz gut inne hat. Ein gewisser Eschen, ein Schüler von Voß, den dieser voriges Jahr an mich empfohlen, ist seinem alten Ab= gott und Lehrer ganz untreu geworden und findet jetzt sehr viel an ihm zu tadeln. Das Schlegelische Haus hat diesen jungen Herrn in die Mache genommen und ihn Voßen entführt. Ich fürchte, daß er sich bei seiner Glaubensveränderung schlecht ver= bessert hat. Voß hat im Sinn, seiner Luise neue Idyllen an= zureihen, er scheint diesen Stoff auch für einen Faden ohne Ende zu halten, dazu möchte aber auch eine Imagination gehören, die kein Ende nimmt.

Ich gratuliere Ihnen zu dem fortgerückten Faust. Sobald Sie bei diesem Stoff nur erst bestimmt wissen, was noch daran zu tun ist, so ist er so gut als gemacht, den mir schien immer das Unbegrenzbare das Schwürigste dabei zu sein. Ihre neuliche Be= merkung, daß die Ausführung einiger tragischer Szenen in Prosa so gewaltsam angreifend ausgefallen, bestätigt eine ältere Erfahrung, die Sie bei der Mariane im Meister gemacht haben, wo gleichfalls der pure Realism in einer pathetischen Situation so heftig wirkt und einen nicht poetischen Ernst hervorbringt; denn nach meinen Begriffen gehört es zum Wesen der Poesie, daß in ihr Ernst und Spiel immer verbunden seien.

Leben Sie recht wohl. Ich freue mich nicht wenig auf Ihr Hiersein, wo, hoffe ich, vieles zur Sprache kommen und sich weiter entwickeln soll.

Meine Frau grüßt Sie bestens.

Sch.

An Wolfgang von Goethe.

Jena, den 11. Mai 1798.

Das Wetter hält sich noch immer gut, und so erwacht auch nach und nach wieder die Neigung und die Stimmung zur Arbeit bei mir. Übrigens aber ist die Heiterkeit des Frühjahrs der düstern Schwere eines fünften Aktes an einem Trauerspiel nicht eben förderlich, ob sie gleich im ganzen den poetischen Geist weckt, der zu allem gut ist.

Daß Sie sich durch die Oper nur nicht hindern lassen, an die Hauptsache recht ernstlich zu denken. Die Hauptsache ist zwar freilich immer das Geld, aber nur für den Realisten von der strikten Observanz. Ihnen aber muß ich den Spruch zu Herzen führen: Trachtet nach dem, was droben ist, so wird euch das Übrige alles zufallen.

Wenn Sie zu der Fortsetzung der Zauberflöte keinen recht geschickten und beliebten Komponisten haben, so setzen sie sich, fürcht ich, in Gefahr, ein undankbares Publikum zu finden, denn bei der Repräsentation selbst rettet kein Text die Oper, wenn die Musik nicht gelungen ist, vielmehr läßt man den Poeten die verfehlte Wirkung mit entgelten.

Ich bin neugierig, womit Sie die Abhandlungen für das Publikum zu würzen gedenken.

Ob es nicht anginge, daß Sie die kleinen Aufsätze über Kunst, die Sie vor acht Jahren in den Merkur eingerückt, dieser Sammlung einverleibten? Sie vermehren die Mannigfaltigkeit, machen die Masse etwas größer, und ich weiß, daß sie schon damals, als sie im Merkur erschienen, ein lebhaftes Interesse erregt haben.

Wir haben in dieser Woche auch verschiedene Divertissements, die ich zwar nur von Hörensagen kenne. Gestern gab ein junger Fränzl aus Mannheim ein Konzert auf der Violine, und heute

abend wird Herr Bianchi, deſſen Exiſtenz Ihnen wohl bekannt
iſt, ein Intermezzo geben. Krüger, der ehemals in Weimar
engagiert war, iſt mit ihm aſſoziiert; ſie machen erſchreckliche
Wind, ſcheinen aber doch viel Geld einzunehmen. Wie ich höre,
ſo hat der Herzog die Truppe, die jetzt in Eiſenach iſt, nach
Weimar eingeladen, ſobald die Theatergeſellſchaft von da weg
ſein wird. Ich wäre doch wirklich begierig auf die Ballette, die
ſehr gerühmt werden.

Wenn Sie auf den Sonntag oder Montag hier ſein können,
ſo, denke ich, ſollen Sie Cotta noch treffen. Ich habe ihn zwar
auf morgen erwartet, aber da er nicht geſchrieben, ſo wird er wohl
ſpäter hier ſein.

Zur Geiſterinſel wünſche ich viel Glück. Hier ſagte mir Herr
Bianchi, daß die Hauptſtärke nicht im Geſang, ſondern im Akkom=
pagnement liege, welches freilich nicht zu loben wäre.

Leben Sie recht wohl. Meine Frau erwartet Sie, ſo wie ich,
mit Verlangen.

Sch.

An Wolfgang von Goethe.

Jena, den 15. Mai 1798.

Am Himmelfahrtstag iſt Cotta hier, wenn Sie bis dahin auch
hier ſein könnten, wär es recht hübſch. Schreiben Sie mir, wenn
Sie nicht ſelbſt kommen, was Sie ihm in Rückſicht auf Ihre
Schrift geſagt wünſchen. Am beſten wäre es, Sie ſetzten einen
Preis, und er ſähe dann, ob er der Manu wäre, ihn zu geben.

Die ungariſche Schriftprobe deucht mir viel zu ſcharf. Auf
dieſem Wege könnte man das Publikum bald blind machen.

In den letztern Stücken des Niethammerſchen Journals werden
Sie einen Aufſatz von Forberg über die Deduktion der Kategorien
gefunden haben, den ich Ihnen doch zu leſen empfehle. Er iſt
ſehr gut gedacht und geſchrieben.

Da Sie hoffentlich nächstens hier sind, so behalte ich bis dahin eine ganz neue und unerwartete Novität zurück, die Sie sehr nahe angeht und die Ihnen viel Freude machen wird, wie ich hoffe. Vielleicht erraten Sie sie aber.

Das, was Ihnen im Homer mißfällt, werden Sie wohl nicht absichtlich nachahmen, aber es wird, wenn es sich in Ihre Arbeit einmischt, für die Vollständigkeit der Versetzung in das Homerische Wesen und für die Echtheit Ihrer Stimmung beweisend sein. Es ist mir beim Lesen des Sophokles mehrmals eine Art der Spielerei bei den ernsthaftesten Dialogen aufgefallen, die man einem Neueren nicht hingehen ließe. Aber den Alten kleidet sie doch, wenigstens verderbt sie die Stimmung keineswegs und hilft noch einigermaßen, dem Gemüt bei pathetischen Szenen eine gewisse Aisance und Freiheit mitzuteilen. Eine Unart scheint sie mir aber doch zu sein und also nichts weniger als Nachahmung zu verdienen.

Ich freue mich auf Meyers Niobe und bin begierig, sie mit Ihrer Abhandlung über Laokoon zu vergleichen. Diesen sende ich Ihnen, da Sie ihn neulich verlangten, hier zurück.

Schlegel, hör ich, hat Hoffnung, hier eine Professur zu erhalten? Sein Athenaeum erhielt ich eben, habs aber noch nicht ansehen können.

Freilich hat mir der Edle von Retzer seine Verse auch zurückgelassen, die den ganzen Mann vollends fertig machen.

Paulus unterbricht mich eben. Leben Sie recht wohl.

S.

An Friedrich Cotta.

Fünftes Stück

		Ld.	Rtlr.
30	Waldbruder	6	
24	Phaeton	6	
37	Agnes	9	
	Volksrat	—	

Sechstes Stück.

17	Cellini	5	
31	Shakespeare	8	
20	Amanda	5.	
7	Wanderer	1.	3.
32	Vieilleville	8	

Siebentes Stück.

37	Kunstschöne	8	
23	Amanda	6	
28	Vieilleville	6	
4	an Sie Zuversicht	1	

Achtes Stück.

26	Geisterinsel	6	
35	Vieilleville	8	
3	Eulalia	—	4.
44	Abdallah	10	

Neuntes Stück.

78	Geisterinsel	20.	
4	Gallier in Rom	1.	
16	Vieilleville	5.	

120. 2.

Zehntes Stück.

		Ld.	Rtlr.
	Transport	120.	2.
26 Laokoon	5.		
15 Hertha	3.	4.	
15 Amanda	3.	4.	
26 Paris	5		
10 Danaiden	2		
3 Stanzen	—	2.	

3 Lied für unsre Zeiten . . ⎫
3 Lieblingsörtchen . . . ⎪
1 Eichbäume . . . . ⎪
2 Schatten . . . . . ⎪
1 Kosmopoliten . . . . ⎬ 4.
2 Totenköpfe . . . . . ⎪
1 Hoffnung . . . . . ⎪
1 Nene . . . . . . ⎪
2 Begegnung . . . . ⎭

Eilftes Stück.

17 Vieilleville	4.
28 Julia Rosalva	5.
63 Arramanden	12.
	165. 3.

Ferner auf Abrechnung des zwölften Heftes 21 Karolins richtig erhalten Schiller.

richtig empfangen Schiller.

Jena, den 17. Mai 1798.

An Wolfgang von Goethe.

Jena, den 18. Mai 1798.

Da es wohl seine Richtigkeit hat, daß keine Ilias nach der Ilias mehr möglich ist, auch wenn es wieder einen Homer und wieder ein Griechenland gäbe, so glaube ich Ihnen nichts Besseres wünschen zu können, als daß Sie Ihre Achilleis, so wie sie jetzt in Ihrer Imagination existiert, bloß mit sich selbst vergleichen und beim Homer bloß Stimmung suchen, ohne Ihr Geschäft mit seinem eigentlich zu vergleichen. Sie werden sich ganz gewiß Ihren Stoff so bilden, wie er sich zu Ihrer Form qualifiziert, und umgekehrt werden Sie die Form zu dem Stoffe nicht verfehlen. Für beides bürgt Ihnen Ihre Natur und Ihre Einsicht und Er= fahrung. Die tragische und sentimentale Beschaffenheit des Stoffs werden Sie unfehlbar durch Ihren subjektiven Dichtercharakter balanzieren, und sicher ist es mehr eine Tugend als ein Fehler des Stoffs, daß er den Foderungen unseres Zeitalters entgegen= kommt, denn es ist ebenso unmöglich als undankbar für den Dichter, wenn er seinen vaterländischen Boden ganz verlassen und sich seiner Zeit wirklich entgegensetzen soll. Ihr schöner Beruf ist, ein Zeitgenosse und Bürger beider Dichterwelten zu sein, und gerade um dieses höhern Vorzugs willen werden Sie keiner aus= schließend angehören.

Übrigens werden wir bald Gelegenheit haben, noch recht viel über diese Materie miteinander zu sprechen, denn die Novität, von der ich Ihnen schrieb und worüber ich Sie nicht in eine zu große Erwartung setzen will, ist ein Werk über Ihren Hermann, von Humboldt mir in Manuskript zugeschickt. Ich nenne es ein Werk, da es ein dickes Buch geben wird und in die Materie mit größter Ausführlichkeit und Gründlichkeit eingeht. Wir wollen es, wenn es Ihnen recht ist, miteinander lesen; es wird alles zur Sprache bringen, was sich durch Raisonnement über die Gattung und die Arten der Poesie ausmachen oder ahnden läßt. Die schöne

Gerechtigkeit, die Ihnen darin durch einen denkenden Geist und durch ein gefühlvolles Herz erzeigt wird, muß Sie freuen, sowie dieses laute und gründliche Zeugnis auch das unbestimmte Urteil unsrer deutschen Welt leiten helfen und den Sieg Ihrer Muse über jeden Widerstand, auch auf dem Wege des Raisonnement, entscheiden und beschleunigen wird.

Über das, was ich mit Cotta gesprochen, mündlich. Was mich aber besonders von ihm zu hören freute, ist die Nachricht, die er mir von der ungeheuren Ausbreitung Hermanns und Dorotheas gab. Sie haben sehr recht gehabt, zu erwarten, daß dieser Stoff für das deutsche Publikum besonders glücklich war, denn er entzückte den deutschen Leser auf seinem eigenen Grund und Boden, in dem Kreise seiner Fähigkeit und seines Interesse, und er entzückte ihn doch wirklich, welches zeigt, daß nicht der Stoff, sondern die dichterische Belebung gewirkt hat. Cotta meint, Vieweg hätte eine wohlfeile schlechte Ausgabe gleich veranstalten sollen, denn er sei sicher, daß bloß in Schwaben einige Tausende würden abgegangen sein.

Doch über alles ausführlicher, wenn Sie kommen. Ich hoffe, dies wird übermorgen geschehen. Leben Sie recht wohl. Meine Frau grüßt aufs beste.

Schiller.

An Gottfried Körner.

Jena, den 25. Mai 1798.

Goethe ist seit acht Tagen wieder hier und wird noch wohl einen Monat bleiben. Ein Manuskript von Humboldt über Hermann und Dorothea, welches eine ausführliche Analysis nicht nur dieses Gedichts, sondern der ganzen Gattung, zu der es gehört, samt allen Annexis enthält, beschäftigte uns indessen sehr, weil es die wichtigsten Fragen über poetische Dinge zur Sprache bringt. Die Abhandlung oder vielmehr das Werk, denn es wird, gedruckt,

ein dickes Buch werden, ist sehr gründlich gedacht, der Geist des
Gedichts fein und scharf zergliedert und die Grundsätze der Beurteilung tief geschöpft. Nichtsdestoweniger fürchte ich, es wird
lange den Eindruck nicht machen, den es verdient, denn außerdem,
daß es mit den bekannten Fehlern des Humboldtischen Stils behaftet ist, ist es für einen allgemeinen Gebrauch noch viel zu schul-
mäßig steif geschrieben. Bei einem poetischen Geisteswerke muß
auch die Kritik und das Raisonnement auf gewisse Weise zur
Einbildungskraft sprechen, denn sonst entsteht, wie hier der Fall
ist, ein nicht zu vermittelnder Sprung von dem Begriff und dem
Gesetz zu dem einzelnen Fall und zur Anwendung auf den Dichter.
Humboldten fehlt es an einer gewissen notwendigen Kühnheit des
Ausdrucks für seine Ideen und, in Rücksicht auf die ganze Trak-
tation, an der Kunst der Massen, die auch im lehrenden Vortrag
so notwendig sind als in irgend einer Kunstdarstellung. Weil es
ihm daran fehlt, so faßt der Verstand seine Resultate nicht leicht
und noch weniger drücken sie sich der Imagination ein, man muß
sie zerstreut zusammensuchen, ein Satz verdrängt den andern, man
wird auf vielerlei zugleich geheftet, und nichts fesselt die Aufmerksamkeit vollkommen. Sonst aber ist für uns, die an seine
Sprache gewöhnt sind, das Werk äußerst gedacht und gehaltreich,
und es ist keine Frage, daß es in seiner Art an Gründlichkeit,
Breite und Tiefe, an Scharfsinn der Unterscheidung und an Fülle
der Verbindung unter den kritischen Produkten seinesgleichen sucht.
Ich werde dirs senden, sobald wir damit fertig sind.

Herrn Gries empfehle ich dir seines musikalischen Talents
wegen. Auch im Gespräch über Poetika wirst du ihn nicht ganz
leer finden, obgleich vieles, was er fühlt und sagt, nur Schlegelischer
Nachhall ist.

Vossens Behandlung der Griechen und Römer ist mir, seine
alte Odyssee ausgenommen, immer ungenießbarer. Es scheint mir
eine bloße rhythmische Kunstfertigkeit zu sein, die, um den Geist
des jedesmaligen Stoffs wenig bekümmert, bloß ihren eignen und

7*

eigensinnig kleinlichen Regeln Genüge zu tun sucht. Ovid ist in solchen Händen uoch übler dran als Homer, und auch Virgil hat sich nicht zum besten dabei befunden.

Du scheinst vorauszusetzen, daß ich schneller im Arbeiten bin, als wirklich der Fall ist, ja als überhaupt möglich ist. Ich habe im höchsten Grad von Glück zu sagen und es darf keine einzige Unterbrechung durch Krankheit dazwischen kommen, wenn ich medio Oktober mit dem Wallenstein und mit meinem Beitrag zum Almanach fertig bin.

Lebe wohl. Ich werde unterbrochen.

Das letzte Horenstück erwarte ich alle Posttage, wenn es kommt, schicke ich das Geld für die Schuhe mit. Herzliche Grüße von uns an euch alle.

Dein
S.

An Friedrich Cotta.

Jena, den 29. Mai 1798.

Ich hoffe und wünsche, werter Freund, daß dieser Brief Sie in dem Kreis der Ihrigen glücklich angelangt finden wird. Noch erinnere ich mich des Tages, den Sie uns hier geschenkt, mit Freuden, und der neue Beweis Ihrer Freundschaft und Liebe für mich und meine Familie, den Sie mir noch auf Ihrer Reise selbst gegeben, hat mich innig gerührt. Ich zweifle keinen Augenblick, daß unser Verhältnis, das anfangs bloß durch ein gemeinschaft= liches äußres Interesse veranlaßt wurde und bei näherer Bekannt= schaft eine so schöne und edle Wendung nahm, unzerstörbar be= stehen wird. Wir kennen einander nun beide gegenseitig, jeder weiß, daß es der eine herzlich und schwäbisch=bieder mit dem andern meint, und unser Vertrauen ist auf eine wechselseitige Hochschätzung gegründet: die höchste Sicherheit, deren ein menschliches Ver= hältnis bedarf.

Nun zu einer bringenden Geschäftsache. Goethe schickt Ihnen hier das Schema von dem Werk, das er herausgeben will. Sie ersehen daraus, wie ernstlich und bedeutend die Sache wird, und daß es eine wichtige, auf keinen Fall riskante Unternehmung für Sie werden muß. Eine Art von Zeitschrift, die Goethe herausgibt, muß einschlagen und muß Ihrem Verlag einen neuen Glanz verschaffen.

Die Früchte meiner Finanznegotiation mit ihm sind diese, daß er für jedes Stück à elf Bogen 60 Karolin sich ausbedingt. Der Kontrakt kann von Ihnen auf eine beliebige Anzahl von Stücken gestellt werden, worauf man ihn wieder erneuern oder, wenn das Werk sehr gut geht, zu seinem Vorteile steigern kann. Die Summe wünschte er nach Ablieferung des jedesmaligen Manuskripts zu einem ganzen Stück bezahlt zu bekommen, es ist ihm aber ganz eins, ob in Gold oder Laubtalern. Die Lettern, woraus der Haupttext der Horen gedruckt ist, gefielen ihm am besten, vierundzwanzig Zeilen wünschte er die Seiten stark, aber das Format so groß wie das der Horen. Alles übrige werden Sie in seinem eigenen Schema finden. Das Werk wird wahrscheinlich den Titel:

Der Künstler

erhalten und schon dadurch einen weiten Kreis um sich ziehen.

Jetzt bitte ich Sie aber, sich schnell zu resolvieren und mir baldmöglichst Nachricht zu geben (in einem ostensibeln Briefe), ob Sie die Vorschläge eingehen wollen. Goethe ist lebhaft für die Sache interessiert und wünscht bald zu wissen, wie er daran ist.

Das letzte Horenstück habe ich noch nicht erhalten. Wäre es noch nicht auf die Post gegeben, so bitte ich es baldigst zu tun.

Meine Frau begrüßt Sie und Madame Cotta freundschaftlichst, wie auch ich. Ihr treuer Freund

Schiller.

An Wolfgang von Goethe.

[Jena, den 31. Mai 1798.]

Es waltet diesmal ein recht böser Geist über unsern Kommuni=
kationen und Ihrer poetischen Muße. Wie sehr wünsche ich, daß
Sie balb frei und ruhig zurückkehren möchten. August soll uns
als Pfand Ihres baldigen Wiederkommens recht wert sein.

Leben Sie wohl und reisen glücklich. Meine Frau empfiehlt
sich aufs beste.

Lassen Sie mir doch, wenns angeht, Humboldts Werk bei
Trabitius zurück.

Sch.

An Charlotte Schiller.

[5. Juni 1798.]

Liebe Lolo

Eure gute Ankunft bei der chère mère freut mich herzlich.
Das Wetter blieb auch hier den ganzen Nachmittag schön und
beruhigte mich wegen deiner Reise.

Goethe kam Montag abend hier an und läßt dich grüßen.
Ernstchen ist wohl auf und unterhält mich an einem fort mit
seinen vier Wörtern. Ich habe mich bis jetzt auch wohl befunden.
Die Leute machen ihre Sachen recht, so daß du wegen deines
längern Ausbleibens ganz beruhigt sein kannst.

Von der Kalb ist der Cottaische Kalender mit einem Billett,
das ich beischließe, eingelaufen.

Grüße chère mère herzlich von mir, ich freue mich, daß wir sie
bald hier sehen werden. Karlchen einen Kuß, lebe recht wohl und
sei vergnügt.

Sch.

An Gottfried Körner.

Jena, den 15. Juni 1798.

Nur ein paar Zeilen für heute. Der Kopf ist mir diesen Monat so warm von dem, was ich noch zu tun und zu leisten habe, daß ich gar zu keiner ordentlichen Folge in meinen Geschäften komme. Goethe ist auch schon lange hier, und wir sehen uns alle Abende.

Zum Almanach geschehen allmählich Vorbereitungen; Goethe hat schon sehr schöne Sachen dazu parat, die ich dir gelegentlich schicken will. Was mir dazu wird eingegeben werden, das wissen die Götter.

Man sollte sich hüten, auf ein so kompliziertes, weitläufiges und undankbares Geschäft sich einzulassen, wie mein Wallenstein ist, wo der Dichter alle seine poetischen Mittel verschwenden muß, um einen widerstrebenden Stoff zu beleben. Diese Arbeit raubt mir die ganze Gemächlichkeit meiner Existenz, sie heftet mich anstrengend auf einen Punkt, läßt mich an kein ruhiges Empfangen von anderen Eindrücken kommen; weil zugleich auch die Idee eines bestimmten Fertigwerdens drängt — und grabe jetzt scheint sich die Arbeit noch zu erweitern: denn je weiter man in der Ausführung kommt, desto klarer werden die Forderungen, die der Gegenstand macht und Lücken werden sichtbar, die man vorher nicht ahnen konnte. Ich bin nun erst recht froh, daß ich dir von den ersten Akten noch nichts gezeigt, denn du sollst das Ganze gleich in der Gestalt sehen, worin es bleiben kann und muß.

S.

An Wolfgang von Goethe.

Jena, den 25. Junius 1798.

Ich kann mich noch nicht recht an Ihre längere Entfernung gewöhnen und wünsche nur, daß diese nicht länger dauern möchte, als Sie jetzt meinen.

Die Briefe an Humboldt werden nun wohl eine Verzögerung erleiden, wenigstens auf den Fall, daß wir sie zusammen absenden wollten. Ich will deswegen mit der Mittwochspost schreiben und ihm vorläufig ein Lebenszeichen und ein Trostwort senden. In ein Detail kann ich mich diesmal nicht einlassen, besonders da ich das Manuskript nicht habe, welches in Ihrer Verwahrung ist.

Die verlangten Gedichte folgen hier.

Auch das Drama folgt zurück, ich habe es gleich gelesen und bin in der Tat geneigt, günstiger davon zu denken, als Sie zu denken scheinen. Es erinnert an eine gute Schule, ob es gleich nur ein dilettantisches Produkt ist und kein Kunsturteil zuläßt. Es zeugt von einer sittlich gebildeten Seele, einem schönen und gemäßigten Sinn und von einer Vertrautheit mit guten Mustern. Wenn es nicht von weiblicher Hand ist, so erinnert es doch an eine gewisse Weiblichkeit der Empfindung, auch insofern ein Mann diese haben kann. Wenn es von vielen Longeurs und Ab= schweifungen, auch von einigen, zum Teil schon angestrichenen, gesuchten Redensarten befreit sein wird und wenn besonders der letzte Monolog, der einen unnatürlichen Sprung enthält, verbessert sein wird, so läßt es sich gewiß mit Interesse lesen.

Wenn ich den Autor wissen darf, so wünsche ich, Sie neunten mir ihn.

Auch die Horen folgen hier. Sehen Sie doch die zwei Idyllen darin ein wenig an. Die erste haben Sie schon im Manuskript gelesen und einige Verbesserungen darin angegeben. Diese Ver= besserungen hat man darin vorgenommen, und Ihr Rat ist, so weit es sich tun ließ, befolgt worden.

Leben Sie recht wohl. Ich habe heute den Wallenstein aus der Hand gelegt und werde nun sehen, ob der lyrische Geist mich anwandelt.

Meine Frau grüßt Sie aufs beste.

Sch.

An Wilhelm von Humboldt.

Jena, den 27. Juni 1798.

Ihre Schrift, mein teurer Freund, war mir in der Tat eine ganz überraschende Erscheinung und mußte es noch mehr sein, wenn ich mich erinnerte, wo und unter welchen heterogenen Umgebungen Sie dieses große, ja ungeheure Geschäft zustande gebracht haben.

Der Gedanke an Goethens Gedicht die Gesetze der epischen, ja der ganzen Poesie überhaupt zu entwickeln, ist sehr glücklich, und ebensogut gewählt war dieses Produkt, um Goethens individuelle Dichternatur daran zu zeigen. Denn, wie Sie selbst sagen, in keinem Gedichte erscheint die poetische Gattung und die epische Art so rein und so vollständig als hier, und in keinem hat sich Goethens Eigentümlichkeit so vollkommen abgedruckt.

Man erweist Ihnen bloß Gerechtigkeit, wenn man sagt, daß noch kein dichterisches Werk zugleich so liberal und so gründlich, so vielseitig und so bestimmt, so kritisch und so ästhetisch zugleich beurteilt worden ist. Und das konnte auch gerade nur durch eine Natur geschehen wie die Ihrige, die zugleich so scharf scheidet und so vielseitig verbindet. Ihre Idiosynkrasie im Empfinden könnte Ihnen vielleicht in einzelnen Fällen den Kreis verengen und dem Gegenstand Abbruch tun; in Ihrem Raisonnement kann Ihnen das nie begegnen. Auch ist das Verdienst dieser Arbeit im strengsten Sinne das Ihrige. Goethe kann Ihnen als Poet den Stoff zwar zubereitet haben, aber ich habe Ihnen, als Kunstrichter und Theoretiker, nicht viel in die Hand gearbeitet, ja ich muß gestehen, daß ich in dem einzigen bedeutenden Fehler, den ich daran zu tadeln habe, meinen Einfluß erkenne. Davon nachher.

Ihre Formel für die Kunst überhaupt und für die Poesie insbesondere, Ihre Deduktion der Dichtungsarten, die Merkmale, die Sie als die charakterischen aufstellen, sind treffend und entscheidend. Der Gesichtspunkt, den Sie genommen haben, um dem geheimnisvollen Gegenstande, denn das ist doch jedes dichterische

Wirken, mit Begriffen beizukommen, ist der freiste und höchste, und für den Philosophen, der dieses Feld beherrschen will, ist er ohne Zweifel der geschickteste. Aber eben wegen dieser philosophischen Höhe ist er vielleicht dem ausübenden Künstler nicht bequem und auch nicht so fruchtbar, denn von da herab führt eigentlich kein Weg zu dem Gegenstande. Ich betrachte auch deswegen Ihre Arbeit mehr als eine Eroberung für die Philosophie als für die Kunst und will damit keinen Tadel verbunden haben. Es ist ja überhaupt noch die Frage, ob die Kunstphilosophie dem Künstler etwas zu sagen hat. Der Künstler braucht mehr empirische und spezielle Formeln, die eben deswegen für den Philosophen zu eng und zu unrein sind; dagegen dasjenige, was für diesen den gehörigen Gehalt hat und sich zum allgemeinen Gesetze qualifiziert, für den Künstler bei der Ausübung immer hohl und leer erscheinen wird.

Ihre Schrift ist mir auch schon darum als ein beweisender Versuch merkwürdig, was der spekulative Geist dem Künstler und Poeten gegenüber eigentlich leisten kann. Denn was hier von Ihnen nicht geleistet worden, das kann auf diesem Wege überhaupt nicht geleistet noch gefodert werden. Sie haben den philosophisch kritischen Verstand, insofern es diesem mehr um allgemeine Gesetze als um regulativische Vorschriften, mehr um die Metaphysik als um die Physik der Kunst zu tun ist, auf das vollständigste, würdigste und liberalste repräsentiert und nach meinem Gefühl das Geschäft geendigt.

Sie müssen sich nicht wundern, lieber Freund, wenn ich mir die Wissenschaft und die Kunst jetzt in einer größern Entfernung und Entgegensetzung denke, als ich vor einigen Jahren vielleicht geneigt gewesen bin. Meine ganze Tätigkeit hat sich gerade jetzt der Ausübung zugewendet, ich erfahre täglich, wie wenig der Poet durch allgemeine reine Begriffe bei der Ausübung gefördert wird, und wäre in dieser Stimmung zuweilen unphilosophisch genug, alles, was ich selbst und andere von der Elementarästhetik wissen, für

einen einzigen empirischen Vorteil, für einen Kunstgriff des Hand=
werks hinzugeben. In Rücksicht auf das Hervorbringen werden
Sie mir zwar selbst die Unzulänglichkeit der Theorie einräumen,
aber ich dehne meinen Unglauben auch auf das Beurteilen aus
und möchte behaupten, daß es kein Gefäß gibt, die Werke der
Einbildungskraft zu fassen, als eben diese Einbildungskraft selbst,
und daß auch Ihnen die Abstraktion und die Sprache Ihr eigenes
Anschauen und Empfinden nur unvollkommen hat ausmessen und
ausdrücken können.

Es ist hier nur von demjenigen Teil Ihres Werks die Rede,
der die Begriffe sucht und aufstellt, nach denen geurteilt wird, und
auch bei diesem habe ich es keineswegs mit Ihrer Ausführung, nur
mit Ihrer Unternehmung zu tun. Denn es ist zum Erstaunen,
wie genau, wie vielseitig, wie erschöpfend Sie alles behandelt
haben, so daß ich überzeugt bin, was auch künftighin über den
Prozeß des Künstlers und Poeten, über die Natur der Poesie und
ihre Gattungen noch mag gesagt werden, es wird Ihren Be=
hauptungen nicht widersprechen, sondern diese nur erläutern, und
es wird sich in Ihrem Werke gewiß der Ort nachweisen lassen, in
den es gehört und der es implizite schon enthält. In allen wesent=
lichen Punkten ist zwischen dem, was Sie sagen, und dem, was
Goethe und ich diesen Winter über Epopöe und Tragödie festzu=
stellen gesucht haben, eine merkwürdige Übereinstimmung dem
Wesen nach, obgleich Ihre Formate metaphysischer gefaßt sind
und die unsrigen mehr für den Hausgebrauch taugen. Vielleicht
ist Ihre Analysis zu scharf und die aufgestellte Charakteristik zu
streng und zu unbeweglich. Die Einbildungskraft hat wirklich
schon bewiesen, daß sie ohne Gefahr über diese Grenzen gehen
kann, und Ihnen selbst wird es schwer, den reinen Begriff, zum
Beispiel der Epopöe, zwischen den vorhandenen Epopöen wirklich fest
zu halten. Es würde Ihnen unfehlbar auch mit andern Arten so er=
gehen und namentlich mit der Tragödie Shakespeares und der alten.

Goethe und ich haben uns epische und dramatische Poesie auf

eine einfachere Art unterschieden, als Ihr Weg Ihnen erlaubte,
und diesen Unterschied überhaupt nicht so groß gefunden. So
können wir die Tragödie sich nicht so sehr in das Lyrische verlieren
lassen, sie ist absolut plastisch wie das Epos: Goethe meint sogar,
daß sie sich zur Epopöe wie die Skulptur zur Malerei verhalte.
An das Lyrische grenzt sie allerdings, da sie das Gemüt in sich
selbst hineinführt; sowie die Epopöe an die Künste des Auges
grenzt, da sie den Menschen in die Klarheit der Gestalten heraus=
führt. Uns scheint, daß Epopöe und Tragödie durch nichts als
durch die vergangene und die gegenwärtige Zeit sich unterscheiden.
Jeue erlaubt Freiheit, Klarheit, Gleichgültigkeit, diese bringt Er=
wartung, Ungeduld, pathologisches Interesse hervor.

Auch meint Goethe, und mit Grunde deucht mir, daß man die
Natur des Epos vollständig aus dem Begriff und den Circum=
stantien des Rhapsoden und seines Publikums deduzieren könne,
und daß sogar die Roheit und die gemeine ungebildete Natur des
ihn umgebenden Auditoriums auf die epische Form einen ent=
scheidenden Einfluß habe, wenigstens auf die homerische gehabt
habe, die der Kanon für alle Epopöe ist.

Was die Tragödie betrifft, so behalte ich mir diese für künftige
Briefe vor.

Ihren Absatz über die Poesie als redende Kunst habe ich nicht
ganz deutlich eingesehen, auch darüber ein andermal.

Was den Stil betrifft, so ist mit Ausnahme einiger weniger
Absätze, die uns leiber nicht sogleich klar werden konnten, alles
faßlich vorgetragen. Ein weniger diffuser und ausführlicher Vor=
trag wäre freilich im Ganzen zu wünschen gewesen, bei einer
größern Gedrängtheit und Kühnheit möchte das Ganze an Kraft
und Bestimmtheit gewonnen haben. Aber diese Sorgfalt, alles
zu begrenzen und zu limitieren, zu keinem Mißverstand zu ver=
leiten, nichts zu wagen usw. usw., liegt einmal in Ihrer Natur,
und wir haben über diesen Punkt oft und viel gesprochen. Sie
haben eine gewisse Schulsprache zwar vermeiden wollen, aber doch

nicht ganz vermeiden können. Das Werk erhält dadurch einen etwas unbestimmten Charakter, indem es für den gewöhnlichen Leser zu technisch und auch zu streng, für den Kunstgenossen aber oft unnötigerweise ausführlich und popularisiert ist. Sie dürfen kaum darauf rechnen, daß jemand, der nicht schon sehr an diese Art zu philosophieren gewöhnt ist, Ihnen folgen werde: unsre neuen Kunstmetaphysiker hingegen werden Sie studieren und benutzen, aber es wohl bleiben lassen, die Quelle zu bekennen, aus der sie ihren Reichtum holten. In der Tat haben Sie vielen vorgearbeitet und ein entscheidendes Beispiel gegeben.

Was man an der ganzen Behandlung überhaupt tadeln möchte, ist, daß Sie einen zu spekulativen Weg gegangen sind, um ein individuelles Dichterwerk zu zergliedern. Der dogmatische Teil Ihrer Schrift (der die Gesetze für den Poeten konstituiert) steht in dem schönsten Zusammenhang mit sich selbst, mit der Sache und mit den reinsten und allgemeinsten Grundsätzen anderer über diesen Gegenstand und ist, philosophisch genommen, vollkommen befriedigend; nicht weniger richtig und untadelhaft ist der kritische (der jene Gesetze auf das Werk anwendet und es eigentlich beurteilt), aber es scheint, daß ein mittlerer Teil fehlt, ein solcher nämlich, der jene allgemeinen Grundsätze, die Metaphysik der Dichtkunst, auf besondere reduziert und die Anwendung des Allgemeinsten auf das Individuellste vermittelt. Der Mangel dieses praktischen Teils fühlt sich jedesmal, so oft nicht bloß der allgemeine Charakter des Dichters oder seines Werks, sondern ein einzelner Zug aus diesem unter den Begriff subsumiert wird. Der Leser fühlt dann einen Hiatus, den er kaum durch seine eigene Imagination auszufüllen [imstande] ist, daher es zuweilen scheint, als paßten die Beispiele zu den Begriffen nicht, welches doch nie der Fall ist.

Ich sagte oben, daß ich in diesem Fehler meinen Einfluß zu erkennen glaube. Wirklich hat uns beide unser gemeinschaftliches Streben nach Elementarbegriffen in ästhetischen Dingen dahin geführt, daß wir die Metaphysik der Kunst zu unmittelbar auf die Gegenstände anwenden und sie als ein praktisches Werkzeug, wozu sie doch nicht gut geschickt ist, handhaben. Mir ist dies vis à vis von Bürger und Matthisson, besonders aber in den Horen= aufsätzen, öfters begegnet. Unsere solidesten Ideen haben dadurch an Mitteilbarkeit und Ausbreitung verloren.

Doch genug für heute, lieber Freund. Ohnehin kann ich mich jetzt nicht ins Besondere einlassen, da Goethe Ihre Schrift in Händen hat. Er wollte Ihnen mit mir schreiben, hat aber in Weimar zu tun bekommen. Ihre Schrift hat ihn, wie Sie leicht denken können, sehr angenehm gerührt.

Entschuldigen Sie, daß ich Ihnen erst heut etwas und noch dazu so wenig Bedeutendes darüber sage. Sie wissen meine Art, und daß es mir unmöglich ist, zweierlei Geschäfte zugleich mit ganzer Besonnenheit zu treiben, und so ist jetzt das Philo= sophieren bei mir lange suspendiert gewesen, da mich mein Trauer= spiel ganz in der Knechtschaft hält. Leider muß ich dieses nun liegen lassen, um für den Almanach zu sorgen, den Goethe glück= licherweise schon reichlich ausgesteuert hat. Schwerlich werde ich vor Eube August zum Wallenstein zurückkehren können. Da ich noch einige Monate ganz dazu brauche, so kann er erst auf Neujahr gedruckt erscheinen, vielleicht erst auf Ostern, wenn ich eine Aus= arbeitung für das Theater mache.

Herzlich umarme ich Sie, liebster Freund, und der Li meine schönsten Grüße. Brinkmann empfehlen Sie mich und bitten Sie ihn, auch meines Almanachs zu gedenken. Mit meiner Ge= sundheit ist es diesen Sommer recht gut gegangen.

Bestimmen Sie mir in Ihrem nächsten Brief, wie bald Vieweg Ihre Schrift haben muß. Ich wüßte nichts im einzelnen zu ändern, wenige Stellen ausgenommen, die ich in meinem nächsten Briefe bemerken will, da ich das Manuskript jetzt nicht habe. Könnten Sie die Terminologie noch etwas umschreiben, so würde das freilich gut sein.

Leben Sie nochmals recht wohl. S.

An Wolfgang von Goethe.

Jena, den 28. Juni 1798.

Die Nachricht, daß der Elpenor von Ihnen sei, hat mich wirklich überrascht, ich weiß nicht, wie es kam, daß Sie mir gar nicht dabei einfielen. Aber eben, weil ich unter bekannten und wahlfähigen Namen keinen dazu wußte, so war ich sehr neugierig auf den Verfasser, denn es gehört zu denen Werken, wo man, über den Gegenstand hinweg, unmittelbar zu dem Gemüt des Hervorbringenden geführt und getrieben wird. Übrigens ist es für die Geschichte Ihres Geistes und seiner Perioden ein schätzbares Dokument, das Sie ja in Ehren halten müssen.

Ich freue mich auf den magnetischen Kursus gar sehr; in dem Fischerschen Wörterbuch habe ich grade über diesen Gegenstand wenig Trost gefunden, da dieser erste Band nicht so weit reicht. Wir wollen dann auch, wenn es Sie nicht zerstreut, über Elektrizität, Galvanismus und chemische Dinge uns unterhalten und womöglich Versuche anstellen. Ich will vorläufig dasjenige darüber lesen, was Sie mir raten und was sich bekommen läßt.

An Humboldt geht heute mein Brief ab, die Abschrift lege ich bei, soweit sie sein Werk betrifft. Da ich es nicht vor Augen hatte und mir diese Gedankenrichtung überhaupt jetzt etwas fremd und widerstrebend ist, so habe ich nur in generalibus bleiben können. Sie werden in Ihrem Briefe für das Weitere schon sorgen.

Wenn mir Schlegel noch etwas Bedeutendes für den Almanach bestimmen will, so habe ich gar nichts gegen die Einrückung dieser Gelegenheitsverse. Sollen sie aber sein einziger Beitrag sein, den er nicht einmal ausdrücklich dafür schickt, so könnte es das Ansehen haben, als wenn wir nach allem griffen, was von ihm zu haben ist, und in dieser Not sind wir nicht. Ich habe so wenig honette Behandlung von dieser Familie erfahren, daß ich mich wirklich in acht nehmen muß, ihnen keine Gelegenheit zu geben, sich bedeutend zu machen. Denn das wenigste, was ich riskierte, wäre dieses, daß Frau Schlegel jedermann versicherte, ihr Mann arbeite nicht mit an dem Almanach, aber um ihn doch zu habeu, hätte ich die zwei gedruckte Gedichte aufgegriffen.

Übrigens ist das an Iffland gerichtete gar nicht übel gesagt, obgleich ich lachen mußte, daß Schlegel sich nun schon zum zweitenmal an dem Pygmalion vergreifen mußte, von dem er gar nicht loskommen kann.

Meyers Vorschlag wegen der Propyläen als Titel läßt sich schon hören. Meine Gründe dagegen wissen Sie, und wenn dadurch für die Sache was kann gewonnen werden, so kommen sie in keine Betrachtung.

Leben Sie recht wohl.

S.

An Friedrich Cotta.

Jena, den 3. Juli 1798.

Goethe und Meyer habeu es übernommen, für Decke und Titelkupfer zum Almanach zu sorgen, die Zeichnung ist sehr hübsch, für Kupferstich und Abdruck werden sie anch Sorge tragen. Wenn Sie nur die Güte habeu wollen, zu bestimmen, was Sie Meyern für das fertige und gestochene Blatt, den Abdruck mit gerechnet, bezahlen können und wollen, so wird er es immer übernehmen, und Sie sind der Mühe ganz los. Er bezahlt alsdann den Stecher und Kupferdrucker. Für die Zeichnungen, die er zum Kupfer und zur Decke des vorigen Almanachs geliefert, werden Sie ihm dann gelegentlich anch noch eine kleine Vergütung geben. Sie bezahlen ihm bloß soviel, als man gewöhnlich an gute Künstler für dergleichen Kleinigkeiten zahlt.

Von dem letzten Horenstücke habeu Sie noch 6 Louisdor bei mir gut, denn es beträgt nur 19 Louisdor, und Sie habeu mir 25 dafür avanciert. Ich hatte nämlich vermutet, daß es viel größer ausfallen würde. Haben Sie daher die Güte, diese 6 Louisdor nebst Ihrer Auslage für Zucker und Kaffee in Leipzig, die ich bei Ihrem Hiersein schändlich vergaß, zu notieren. Auch bin ich ungewiß, ob ich Ihnen für das schöne Geschenk, das Sie meiner Frau gemacht, bei Ihrer neulichen Anwesenheit gedankt habe. Wenn das nicht geschehen, so verzeihen Sie mir diese unartige Vergeßlichkeit, aber der Kopf war mir so voll von Büchern und Verlagen.

Zum Almanach ist schon großer Vorrat da, Goethe und Matthisson haben diesmal besonders viel geliefert. Das Papier ist angekommen, wie mir Göpferdt sagen ließ.

Nächstens werden Sie den Kontrakt mit Goethe wegen seiner Schrift und auch Manuskript zum ersten Stücke erhalten. Sie können sich auf diesen Verlagsartikel etwas einbilden, und ich stehe auch für den Gewinn, denn Goethe hat schon sehr interessante Materien darin für ein sehr großes Publikum.

Leben Sie recht wohl und grüßen Ihre liebe Frau. Ganz der Ihrige.

Schiller.

An Luise Brachmann.

Jena, den 5. Juli 1798.

Sie finden in beiliegendem zwölften Stücke der Horen einige Ihrer Gedichte abgedruckt, und ich ergreife diese Gelegenheit, Ihnen für diese schönen Beiträge, sowie für Ihre gütige Zuschrift Dank zu sagen. Unter dem Heer von Gedichten, welche dem Herausgeber eines Almanachs von allen Enden unseres versereichen prosaischen Deutschlands zufließen, ist die Erscheinung einer schönen und wahren poetischen Empfindung, so wie sie in mehrern Ihrer Gedichte lebt, eine desto angenehmere Überraschung, und dieses Vergnügen haben mir vorzüglich Ihre Gaben der Götter gewährt.

Besonders aber erregten sie mir den Wunsch Ihrer persönlichen Bekanntschaft, und wenn Sie mir dazu einige Hoffnung geben können, so werden Sie mir viele Freude machen.

Zugleich bitte ich Sie, auch meinen neuen Almanach, für den jetzt gesammelt wird, mit einigen Beiträgen zu beschenken; es versteht sich von selbst, daß ich Ihr Geheimnis ehren werde.

Mit vorzüglicher Hochachtung

Ihr gehorsamster
Schiller.

An Wolfgang von Goethe.

Jena, den 11. Juli 1798.

Ich begleite die Magnetica, welche Geist abholt, mit einigen Zeilen, um Ihnen unsre herzlichste Grüße und Wünsche zu sagen. Diese Störungen sind freilich sehr fatal, aber insofern sie die poetischen Geburten bei Ihnen retardieren, so können sie vielleicht eine desto raschere und reifere Entbindung veranlassen und den Spätsommer von 1796 wiederholen, der mir immer unvergeßlich bleiben wird.

Ich werde unterdessen die lyrische Stimmung in mir zu nähren und zu benutzen suchen und hoffe, wenn Sie kommen, den Anfang endlich mit einem eignen Beitrag gemacht zu haben.

Gries schickte mir soeben ein mächtig großes Gedicht aus Dresden, das mir halb so groß noch einmal so lieb wäre.

Heute wird wahrscheinlich mein Gartenhäuschen gerichtet, welches mir den Nachmittag wohl nehmen wird, denn so etwas ist für mich eine neue Erfahrung, der ich nicht widerstehen kann.

Leben Sie recht wohl, bleiben Sie so kurze Zeit weg als möglich. Meine Frau grüßt aufs schönste.

S.

An Wolfgang von Goethe.

Jena, den 13. Juli 1798.

Seit gestern und heute bin ich durch meine Krämpfe, die sich wieder geregt und mir den Schlaf geraubt haben, ganz in Untätigkeit gesetzt worden und kann Ihnen diesmal auch nur einen Gruß sagen. Dafür sende ich das Gedicht von Gries, ob Sie diesem Produkt vielleicht etwas abgewinnen können. Sonst hat sich noch ein leidlicher Mensch gemeldet, von dem ich allenfalls etwas aufnehmen kann.

Ich sehne mich sehr nach Ihrer Zurückkunft. Es ist mir und meiner Frau ganz ungewohnt, daß wir so lange nichts von Ihnen hörten. Leben Sie recht wohl. Nächstens mehr.

S.

An Wolfgang von Goethe.

Jena, den 16. Juli 1798.

Humboldts Adresse folgt hier. Es ist ein eigener Zufall, daß auch Sie dieses kritische Geschäft in einer gewissen Zerstreuung abtun müssen, nachdem ich mit dem besten Willen gleichfalls nicht die ganze Aufmerksamkeit darauf wenden kounte.

Ich bin leider mit meinen Krämpfen noch immer geplagt, und die Unordnung im Schlafen verderbt mir jede Stimmung zur Arbeit. Da ich in diesen Tagen ohnehin mehrere Zerstreuungen habe, so ist der Zeitverlust weniger groß.

Ich bin begierig, über Ihre mit den großen eisernen Massen und dem Magnet neu gemachten Entdeckungen. Wenn Ihnen das nächste Vierteljahr notwendig so zerstückelt werden soll, so wird das Poetische freilich zu kurz kommen, dafür aber können Sie in diesen physischen Dingen desto weiter kommen, welches auch nicht schlimm ist.

Unter Ihren fünf Fächern, in die Sie die dualistischen Erscheinungen ordnen, vermisse ich die chemischen, oder lassen sich diese nicht unter jenes Prinzip bringen? — Diese Methode wird, bei der gehörigen Wachsamkeit und Unterscheidung, am besten kund tun, ob alle Glieder derselben einander koordiniert oder eins dem andern subordiniert ist.

Zu der Verbesserung im Theater gratuliere ich. Wollte Gott, wir könnten dieser äußern Reform auch mit einer innern im dramatischen Wesen selbst entgegenkommen. Mein Schwager, der gestern hier war, rühmte die Anlage auch sehr; er meinte aber, daß man über die Festigkeit nicht ganz sicher wäre.

Mein Häuschen ist gerichtet, aber jetzt sieht man erst, wie viel noch geschehen muß, eh man darin wohnen kann. Es gewährt eine recht hübsche Aussicht, besonders nach dem Mühltal.

Der Mangold kömmt schön hervor.

Leben Sie recht wohl. Meine Frau wie auch meine Schwiegermutter empfehlen sich Ihnen.

S.

Citoyen Humholdt, Rue de Verneuil, Faubourg St. Germain vis à vis la rue St. Marie Nro. 824.

An Friedrich Cotta.

Jena, den 17. Juli 1798.

Meine Schwägerin trägt mir auf, Ihnen zu sagen, daß Sie auf einige Bogen zum Almanach sicher von ihr rechnen können und mit Anfang Augusts das Manuskript erhalten werden. Ich habe den Anfang schon gelesen, es wird eine interessante Erzählung, die aber erst im nächsten Jahrgang geendigt werden kann.

Den Musenalmanach fängt Göpferdt noch diese Woche an zu drucken.

Goethe wird Ihnen nun nächstens die erste Lieferung seines Werks senden.

Meinen Wallenstein will ich in Ihrem Namen im Kalender und auch in der Literatur=Zeitung anzeigen. Haben Sie nur die Güte und senden mir schriftlich zu, was Sie dem Publikum darüber zu sagen haben, sowie auch den Preis. Ich will dann den ganzen Artikel, wie er zu inserieren ist, aufsetzen und vor dem Abdruck Ihnen zuschicken. Es liegt daran, daß die Ankündigung ein rechtes Geschick hat, ohne Anspruch zu machen. Meine Idee wäre, man verspräche dem Publikum das Werk bald nach Neu=jahr, und wenn man wirklich etwa eintausend Exemplare schon im Anfang des März versendet, so wird es gerade verbreitet und bekannt genug, daß die Bestellungen für die Ostermesse desto reich=licher gemacht werden.

Leben Sie recht wohl. Ihr aufrichtiger Freund

Schiller.

An Wilhelm Reinwald.

Jena, den 19. Juli 1798.

Verzeih, lieber Bruder, daß du die verlangten Memoires so spät erhältst. Das erstemal hatte ich sie vergessen, und als du mich neulich daran erinnertest, war ich schon in Garten gezogen und von meinen Büchern in der Stadt getrennt.

Es freute uns recht, von deinem und meiner lieben Schwester Wohlbefinden zu hören und von dem Gedeihen eures Berges. Ich weiß es von mir selbst, wieviel diese kleinen Anlagen und Einrichtungen zur Erheiterung des Gemüts beitragen. Freilich habe ich in diesem und im vorigen Jahr meinen Garten nur halb genießen können, weil soviel gebaut werden mußte, um unsre Familie, die doch sieben Köpfe stark ist und also viel Raum braucht, bequem unterzubringen. Jetzt haben wir aber alle recht gut Platz und würden des Raums wegen auch des Winters hier wohnen können, weil es auch ganz nah an der Stadt ist, wenn man dem Wind und Schneegestöber in einem freistehenden dünn gebauten Hause nicht zu sehr ausgesetzt wäre. Wir können uns in drei Stockwerke verteilen, die Kinder und das Gesinde bewohnen den untern Stock, meine Frau den mittlern, und ich bewohne die Mansarden, wo ich ein großes Zimmer und zwei kleine Piecen habe. Die Küche ist vom Hause abgesondert. Auch habe ich diesen Sommer einen Pavillon am Ende des Gartens bauen lassen, von zwei Stockwerken, woraus man eine recht hübsche Aussicht hat. Meine Frau soll euch gelegentlich einen Riß, sowie auch einen Prospekt des Gartens schicken.

Von Leonberg haben wir recht gute Nachrichten. Das gute Befinden meiner Mutter und ihre Zufriedenheit mit ihrer Lage in einer so äußerst drückenden Zeit ist mir sehr beruhigend.

Ich umarme dich, lieber Bruder, herzlich, tausend Grüße der lieben Schwester. — Meine Frau grüßt euch gleichfalls aufs beste.

Dein

treuer Bruder

Schiller.

Meine Frau trägt mir auf, der Fine zu sagen, daß ihr ein Brief von ihr durch Herrn von Uttenhove vor vierzehn Tagen erst zugekommen sei, und daß sie ihn ehestens beantworten werde.

An Wolfgang von Goethe.

Jena, den 20. Juli 1798.

Mit dem bessern Wetter finde ich mich auch wieder besser und tätiger, und nach und nach scheint es auch zu einer lyrischen Stimmung bei mir kommen zu wollen. Ich habe bemerkt, daß diese unter allen am wenigsten dem Willen gehorcht, weil sie gleichsam körperlos ist und wegen Ermangelung eines materiellen Anhalts nur im Gemüte sich gründet. In den vorigen Wochen habe ich eher Abneigung als Luft dazu empfunden und bin aus Unmut auf einige Tage zum Wallenstein zurückgekehrt, der aber jetzt wieder weggelegt wird.

Würden Sie es schicklich finden, einen Hymnus in Distichen zu verfertigen? oder ein in Distichen verfertigtes Gedicht, worin ein gewisser hymnischer Schwung ist, einen Hymnus zu nennen?

In Ihrem theatralischen Bauwesen werden Sie sich durch die Bedenklichkeitskrämer nicht irre machen lassen. Ich berührte jenes Dubium auch bloß deswegen, weil mir gesagt wurde, daß Thouret selbst sich so geäußert habe.

Mein Bau geht nicht so lebhaft fort; es ist sehr schwer, jetzt in der Ernte, die hier schon zum Teil angefangen, Arbeiter zu bekommen, welche mir zu Verfertigung eines Strohdachs und zum Ausstaken der Wände nötig sind. Heute habe ich endlich den Trost, das Häuschen unter Dach bringen zu sehen. Diese Arbeiten ziehen mich ofters, als nötig ist, vom Geschäft ab.

Der Almanach ist nun in die Druckerei gegeben, und Sie werden bei Ihrer Ankunft schon von Ihrer Euphrosyne bewillkommt werden, welche den Reihen würdig beginnt. Ich will hoffen, daß uns Guttenberg nicht über die Gebühr aufhalten wird, denn der Almanach wird in der ersten Woche Septembers im Druck fertig, zu welcher Zeit ich also auch Decke und Titelkupfer brauchte.

Ich habe in diesen Tagen Erzählungen von der Madame Stael gelesen, welche diese gespannte, räsonierende und dabei völlig unpoetische Natur oder vielmehr diese verstandesreiche Unnatur sehr charakteristisch darstellen. Man wird bei dieser Lektüre recht fühlbar verstimmt, und es begegnete mir dabei dasselbe, was Sie beim Lesen solcher Schriften zu erleiden pflegen, nämlich, daß man ganz die Stimmung der Schriftstellerin annimmt und sich herzlich schlecht dabei befindet. Es fehlt dieser Person an jeder schönen Weiblichkeit, dagegen sind die Fehler des Buchs vollkommen weibliche Fehler. Sie tritt aus ihrem Geschlecht, ohne sich darüber zu erheben. Indessen bin ich auch in dieser kleinen Schrift auf einzelne recht hübsche Reflexionen gestoßen, woran es ihr nie fehlt, und die ihren durchbringenden Blick über das Leben verraten.

Leben Sie recht wohl. Ich werden eben durch die Ankunft von zwei preußischen Uniformen unterbrochen, die zwei Brüder meines Schwagers, die ihren Urlaub in Weimar zubringen werden.

Meine Frau und Schwiegermutter empfehlen sich bestens.

Sch.

An Wolfgang von Goethe.

Jena, den 23. Juli 1798.

Ihr erster anaglyphischer Versuch läßt viel Gutes von dieser Unternehmung erwarten. Ich hatte anfangs nur den kleinen Anstand, ob das Ganze nicht einen zu sehr zusammengestückelten Anblick geben wird, so wie die gedruckten Musiknoten. Vielleicht aber habe ich Ihre Idee nicht ganz gefaßt, und es kann alles wie aus Einem Stück gemacht erscheinen.

Ich habe, weil der Druck des Almanachs jetzt angefangen ist, Ihr Poeten=Gedicht taufen müssen und finde gerade keinen passendern Titel als: Sängerwürde, der die Ironie versteckt und doch die Satire für den Kundigen ausdrückt. Wünschen Sie oder wissen Sie gleich einen bessern, so bitte, es mir morgen zu melden, weil ich das Gedicht bald in die Druckerei geben möchte.

In Ihrem Streit mit Meyern scheint mir dieser ganz recht zu haben. Ob sich gleich das schöne Naive in keine Formel fassen und folglich auch in keiner solchen überliefern läßt, so ist es doch seinem Wesen nach dem Menschen natürlich; da die entgegengesetzte sentimentale Stimmung ihm nicht natürlich, sondern eine Unart ist. Indem also die Schule diese Unart abhält oder korrigiert und über den natürlichen Zustand wacht, welches sich recht wohl denken läßt, so muß sie den naiven Geist nähren und fortpflanzen können.

Die Natur wird das Naive in jedem Individuum der Art, wenngleich nicht dem Gehalt nach, hervorbringen und nähren, sobald nur alles weggeräumt wird, was sie stört; ist aber Sentimentalität schon da, so wird die Schule wohl nicht viel tun können. Ich kann nicht anders glauben, als daß der naive Geist, welchen alle Kunstwerke aus einer gewissen Periode des Altertums gemeinschaftlich zeigen, die Wirkung und folglich auch der Beweis für die Wirksamkeit der Überlieferung durch Lehre und Muster ist.

Nun wäre aber die Frage, was sich in einer Zeit, wie die unsrige, von einer Schule für die Kunst erwarten ließe. Jene alten Schulen waren Erziehungsschulen für Zöglinge, die neuern müßten Korrektionshäuser für Züchtlinge sein und sich dabei, wegen Armut des produktiven Genies, mehr kritisch als schöpferisch bildend beweisen. Indessen ist keine Frage, daß schon viel gewonnen würde, wenn sich irgendwo ein fester Punkt fände oder machte, um welchen sich das Übereinstimmende versammelte; wenn in diesem Vereinigungspunkte festgesetzt würde, was für kanonisch gelten kann und was verwerflich ist, und wenn gewisse Wahrheiten, die regulativ für die Künstler sind, in runden und gediegenen Formeln ausgesprochen und überliefert würden. So entstünden gewisse symbolische Bücher für Poesie und Kunst, zu denen man sich bekennen müßte, und ich sehe nicht ein, warum der Sektengeist, der sich für das Schlechte sogleich zu regen pflegt, nicht auch für das Gute geweckt werden könnte. Wenigstens scheint mirs, es ließe sich ebensoviel zum Vorteil einer ästhetischen Konfession und Gemeinheit anführen als zum Nachteil einer philosophischen.

Ich habe heute Ritters Schrift über den Galvanism in die Hand bekommen, aber obgleich viel Gutes darin ist, so hat mich die schwerfällige Art des Vortrags doch nicht befriedigt und auf eine Unterhaltung mit Ihnen über diese Materie nur desto begieriger gemacht.

Was sagen Sie zu dem neuen Schlegelischen Athenäum und besonders zu den Fragmenten? Mir macht diese naseweise, entscheidende, schneidende und einseitige Manier physisch wehe.

Leben Sie recht wohl und kommen bald herüber. Meine Frau und Schwiegermutter empfehlen sich Ihnen bestens.

Sch.

An Wolfgang von Goethe.

Jena, den 27. Juli 1798.

Mein Brief an Humboldt ist ungewöhnlich schnell gelaufen, und so auch seine Antwort, die ich Ihnen hier beilege. Er ist, wie Sie finden werden, ganz wohl damit zufrieden gewesen. Freilich kommt mir die Durchsicht seines Werks, die er jetzt noch von mir erwartet, etwas ungelegen, und das Korrigieren in fremden Arbeiten ist eine ebenso undankbare als schwierige Arbeit. Neugierig bin ich, was die eigentlich kritische Welt, besonders die Schlegelsche, zu diesem Humboldtischen Buche sagen wird.

Einen gewissen Ernst und ein tieferes Eindringen in die Sachen kann ich den beiden Schlegeln, und dem jüngeren insbesondere, nicht absprechen. Aber diese Tugend ist mit sovielen egoistischen und widerwärtigen Ingredienzien vermischt, daß sie sehr viel von ihrem Wert und Nutzen verliert. Auch gestehe ich, daß ich in den ästhetischen Urteilen dieser beiden eine solche Dürre, Trockenheit und sachlose Wortstrenge finde, daß ich oft zweifelhaft bin, ob sie wirklich auch zuweilen einen Gegenstand darunter denken. Die eignen poetischen Arbeiten des Ältern bestätigen mir meinen Verdacht, denn es ist mir absolut unbegreiflich, wie dasselbe Individuum, das Ihren Genius wirklich faßt und Ihren Hermann zum Beispiel wirklich fühlt, die ganz antipodische Natur seiner eignen Werke, diese dürre und herzlose Kälte auch nur ertragen, ich will nicht sagen, schön finden kann. Wenn das Publikum eine glückliche Stimmung für das Gute und Rechte in der Poesie bekommen kann, so wird die Art, wie diese beiden es treiben, jene Epoche eher verzögern als beschleunigen, denn diese Manier erregt weder Neigung und Vertrauen, noch Respekt, wenn sie auch bei den Schwätzern und Schreiern Furcht erregt, und die Blößen, welche die Herren sich in ihrer einseitigen und übertreibenden Art geben, wirft auf die gute Sache selbst einen fast lächerlichen Schein.

Kant hat zwei Sendschreiben an Nicolai über die Buchmacherei drucken lassen, worin er ihm einige derbe Dinge sagt und ihn sehr verächtlich abfertigt. Vielleicht kann ich das Schriftchen heute noch bekommen und beilegen.

Leben Sie wohl für heute. Ich habe große Familiengesellschaft von Weimar und Rudolstadt im Hause. Meine Frau grüßt schönstens.

S.

N. S.

Den Humboldtischen Brief und das Schriftchen von Kant sind Sie wohl so gütig, der Botenfrau wieder mitzugeben.

An Friedrich von Matthisson.

Jena, den 28. Juli 1798.

Empfangen Sie, hochgeschätzter Freund, meinen aufrichtigsten Dank für Ihren reichen und schönen Beitrag zu meinem diesjährigen Almanach. Ich kann Ihnen nicht genug sagen, wie angenehm in jeder Rücksicht er mich überraschte! Denn so schätzbar mir schon an sich alles ist, was von Ihnen kommt, so mußte mir Ihre diesjährige reichliche Beisteuer zu meiner Sammlung doppelt willkommen sein, weil — —. Den fertigen Almanach sollen Sie zuerst vor jedem Auswärtigen erhalten. Vielleicht ist es Ihnen nicht unangenehm, einzelne fertige Bogen früher zu bekommen, und mit Vergnügen werde ich Ihnen solche von Zeit zu Zeit

zusenden, sobald der Druck angefangen ist, da ich auf Ihre Be=
hutsamkeit in der Mitteilung sicher bauen kann.

Leben Sie wohl, hochgeschätzter Freund, und huldigen Sie
durch zahlreiche Opfer ferner den Pierinnen, was bei der glücklichen
und sorgenfreien Muße, die, als ein wahres Göttergeschenk, Ihr
Teil wurde, ganz eigentlich zu Ihren Lebenspflichten gehört. Mit
immer gleichen, freundschaftlichen Gesinnungen

Ihr Schiller.

An Wolfgang von Goethe.

Jena, den 31. Juli 1798.

Der Aufsatz über die Plastische Kunst der Hetrurier ist durch
seine strenge und nüchterne Wahrheit zwar ein wenig mager, aber
das darf der Arbeit selbst nicht zum Vorwurfe gereichen. Derjenige
wird immer trocken erscheinen, der ein beliebtes Vorurteil in seiner
Blöße darstellt und die Einbildungskraft in strenge Sachgrenzen
zurückweist. Mich freute dieser Aufsatz, weil ich einen klaren und
genugtuenden Begriff von dem Gegenstand bekam, über welchem
mir immer ein Dunkel gelegen hatte. Einige schwerfällige Perioden,
z. B. gleich der erste, würden wohl noch verbessert werden können.

Es ist ein sehr guter Gedanke vom alten Meister gewesen, die
Dürftigkeit des Stoffs bei dem zweiten Briefe auf eine so an=
mutige Art, wie er getan hat, zu verstecken, wodurch dieser, an
Sachen viel ärmere, zweite Brief noch sogar unterhaltender als der
erste wird, bei dem man viel mehr lernt. Beide sind, jeder auf
seine Weise, sehr zweckmäßige Beiträge zu der Sammlung.

Vor der Feierlichkeit, die in Ihrer Einleitung herrschen wird,
ist mir nicht bange, denn was Sie feierlich nennen und was es
auch ist, möchte dem deutschen Publikum im ganzen es noch nicht
sein und bloß als ernstlich und gründlich erscheinen. Diese Ein=
leitung erwarte ich mit großer Begierde.

Zum Almanach sind wieder einige nicht unbrauchbare Beiträge

gekommen, aber die gehörige Zahl ist noch immer nicht beisammen, wenn ich auch gleich meinen möglichen Anteil auf etliche und zwanzig Blätter rechne. Zwar erhielt ich gestern auf einmal und von einem einzelnen freiherrlichen Autor so viel Gedichte zugeschickt, um mehr als den halben Almanach damit zu füllen, aber, den Unwert abgerechnet, unter der tollen Bedingung, daß die ganze Suite abgedruckt werden sollte, wobei gegen fünfzig Seiten Gelegenheitsgedichte befindlich waren.

Ich selbst bin dieser Tage in einer ganz guten Stimmung zur Arbeit gewesen. Etwas ist auch fertig geworden und ein anderes auf dem Wege, es zu werden.

Ein Korrekturbogen des Almanachs ist noch nicht gekommen.

Bei Scherern, den ich gestern sprach, ist mir eine Bemerkung wieder eingefallen, die Sie mir voriges Jahr über ihn machten. Es ist eine ganz gemütlose Natur und so glatt, daß man sie nirgends fassen kann. Bei solchen Naturellen ist es recht fühlbar, daß das Gemüt eigentlich die Menschheit in dem Menschen macht, denn man [kann] sich, solchen Leuten gegenüber, nur an Sachen erinnern und das Menschliche in einem selbst ganz und gar nirgends hintun. Schelling ist doch kein solcher Mensch, denk ich.

Leben Sie recht wohl und machen, daß Sie Ihre Geschäfte in Weimar bald los sind. Ich empfehle Ihnen, was Sie mir oft vergebens raten, es zu wollen und frisch zu tun.

Meine Frau grüßt Sie. Seit einigen Tagen befinden wir uns wieder allein.

S.

An Gottfried Körner.

Jena, den 15. August 1798.

Mein Briefchen durch Graf Moltke wirst du nun erhalten haben. Ich wünsche Glück zu eurer Wiederankunft in Dresden; solche Expeditionen sind freilich nicht sehr ergötzlich, besonders für

Leute unserer Art, und du mußt dich mit den möglichen guten Früchten trösten, wenn ihr nur nicht wieder getäuscht werdet.

Ich habe übrigens während deiner Abwesenheit nicht viel tätiger gelebt, was das Produzieren betrifft. Es fehlt mir dieses Jahr an aller Lust zum Lyrischen, ja ich habe sogar eine Abneigung dagegen, weil mich das Bedürfnis des Almanachs wider meiner Neigung aus dem besten Arbeiten am Wallenstein wegrief. Ich hab es auch verschworen, daß der Almanach außer dieser nur noch eine einzige Fortsetzung erleben und dann aufhören soll. Ich kann die Zeit, die mir die Redaktion und der eigne Anteil wegnimmt, zu einer höhern Tätigkeit verwenden; die Kälte des Publikums gegen lyrische Poesie und die gleichgültige Aufnahme meines Almanachs, die er nicht verdient hat, machen mir eben nicht viel Lust zur Fortsetzung; deswegen werde ich, wenn der Wallenstein mir gelungen ist, beim Drama bleiben und in den übrigen Stunden theoretische und kritische Arbeiten treiben.

Mit meiner Gesundheit bin ich diesen Sommer recht leidlich gefahren, auch die übrige Familie hat sich sehr wohlauf befunden. Hätten wir einander nur dieses Jahr sehen können, aber es war keine Möglichkeit vorauszuwissen, daß ich, trotz meines Hierbleibens, nicht viel weiter in meiner Arbeit kommen würde, als wenn ich diese Zeit meinem Vergnügen gewidmet hätte. Es ist mir der Gedanke gekommen, ob wir uns nicht etwa Anfang Oktobers, wenn ich den Almanach vom Halse habe, an einem dritten Ort, vielleicht in Wurzen, sehen könnten, um uns doch wieder zu sehen, etwa auf drei Tage.

Man ließ die Kinder zu Hause, ihr brächtet vielleicht Geßlern, ich Goethen mit. Auch machte mirs eine wahre Lust, euch den Wallenstein zu lesen, soweit er fertig ist, und so jenen immer unvergeßlichen Abend anno 1787, wo ich die letzten Akte des Carlos euch vorlas, zu wiederholen. Denn ich muß gestehen, daß ihr, Humboldts, Goethe und meine Frau die einzigen Menschen sind, an die ich mich gern erinnere, wenn ich dichte, und die mich dafür belohnen können, denn das Publikum, so wie es ist, nimmt einem alle Freude.

Ich habe Goethen dieser Tage die zwei letzten Akte des Wallensteins gelesen, soweit sie jetzt fertig sind, und den seltenen Genuß gehabt, ihn sehr lebhaft zu bewegen, und das ist bei ihm nur durch die Güte der Form möglich, da er für das Pathetische des Stoffes nicht leicht empfänglich ist.

Hier lege ich ein Gedicht bei, das fertig ist, in etwa acht Tagen schicke ich ein anderes.

Herzlich umarmen wir euch.

Dein
S.

An Friedrich Cotta.

Jena, den 15. August 1798.

Hier, mein lieber Freund, den Anfang des Manuskripts meiner Schwägerin zu Ihrem Kalender. In spätestens fünf Tagen folgt der Rest.

Die ersten Lieferungen von Goethens Schrift werden Sie nun auch haben.

Am Almanach druckt Göpferdt. Ein einziger Bogen war bis jetzt nur in der Korrektur. Seien Sie doch so gütig, in Ihrem nächsten Brief einen Probebogen von dem Papier, welches Sie zum Wallenstein bestimmen, beizulegen.

Gleich nach der Messe soll Göpferdt daran anfangen zu drucken; wenn Sie aber das Ganze bei sich wollen drucken lassen, so habe ich auch nichts dagegen, obgleich es der Korrektur wegen mir hier lieber ist. Der Titel könnte bei Ihnen gedruckt werden.

Herzliche Grüße. Ihr

Sch.

An Wilhelm Reinwald.

Jena, den 16. August 1798.

Meinen letzten Brief, lieber Bruder, haſt du hoffentlich nebſt den Memoires richtig erhalten. Herr M. Müller aus Bremen, ein alter Bekannter von dir, wird dir und deiner Frau Grüße von mir überbracht habeu. Sei ſo gut, den Einſchluß an ihn zu be= ſorgen, den er mich an dich zu adreſſieren bat, und empfiehl mich ſeinem Andenken.

Wir wünſchen und hoffen, daß ihr euch recht wohl befinden mögt und daß wir bald wieder Nachricht von euch bekommen.

Bei uns iſt alles wohl. Herzlich umarme ich dich und die liebe Schweſter.

Dein treuer Bruder

Schiller.

An Wolfgang von Goethe.

Jena, den 21. Auguſt 1798.

Das Wetter allein hat mich am Freitag und Sonnabend von dem verſprochnen Beſuch abgehalten, indem ich doch auch gewünſcht hätte, Ihre Beſitzungen zu durchwandern, welches bei dem Regen= wetter nicht wohl anging. Ich kann mich gar nicht daran ge= wöhnen, faſt eine Woche nichts von Ihnen zu ſehen und zu hören; unterdeſſen habe ich einige Dutzend Reime gemacht und bin eben an der Ballade, wobei ich mir die Unterhaltung verſchaffe, mit einer gewiſſen plaſtiſchen Beſonnenheit zu verfahren, welche der Anblick der Kupferſtiche in mir erweckt hat.

Daß ich Ihnen die zwei letzten Akte vom Wallenſtein vorlas und mich von Ihrem Beifall überzeugen konnte, iſt eine wahre Wohltat für mich geweſen und wird mir den Mut geben und er= halten, den ich zur Vollendung des Stücks noch ſo nötig brauche. Auf der andern Seite hingegen könnte es mich beinah traurig machen, daß ich nun nichts mehr vor mir habe, worauf ich mich bei dieser Arbeit so recht freuen kann; denn Ihnen das fertige Werk vorzulesen und Ihrer Zufriedenheit gewiß zu sein, war im Grund meine beste Freude, denn bei dem Publikum wird einem das wenige Vergnügen durch so viele Mißtöne verkümmert.

Humboldten habe ich vorigen Freitag geantwortet und ihm von dem Schicksal seiner Schrift Nachrichten gegeben, die ihn hoffentlich ganz zufrieden stellen wird.

Eben unterbricht mich unser Prorektor Paulus. Ich schreibe morgen abend ein mehrers.

Leben Sie recht wohl. Meine Frau grüßt aufs beste.

S.

An Wolfgang von Goethe.

Jena, den 24. August 1798.

Da unser Herzog nun wieder da ist, so scheint der Termin Ihrer Hieherkunft sich wieder zu verrücken; ich werde mich binnen der Zwischenzeit meiner Pflichten und Sorgen für den Almanach zu entledigen suchen, um, wenn Sie kommen und die Mitteilungen wieder anfangen, den letzten schwersten Schritt zum Wallenstein tun zu können. Da Sie einmal Lust haben, in die Ökonomie des Stücks hineinzugehen, so will ich gelegentlich das Schema davon in Ordnung bringen, das in meinen Papieren zerstreut liegt, indem es Ihnen, eh das Ganze selbst ausgeführt ist, die Übersicht erleichtern kann.

Ich bin verlangend, Ihre neuen Ideen über das Epische und Tragische zu hören. Mitten in einer tragischen Arbeit fühlt man besonders lebhaft, wie erstaunlich weit die beiden Gattungen auseinandergehen. Ich fand dies auf eine mir selbst überraschende Weise bei der Arbeit an meinem fünften Akte, die mich von allem ruhig Menschlichen völlig isolierte, weil hier ein Augenblick fixiert werden mußte, der notwendig vorübergehend sein muß. Dieser so

9

starke Absatz, den meine Gemütsstimmung hier gegen alle übrigen
freieren menschlichen Zustände machte, erweckte mir beinahe eine
Furcht, mich auf einem zu pathologischen Wege zu befinden, weil
ich das meinem Individuum zuschrieb, was die Natur des Geschäfts mit sich brachte. Aber so ist es mir ein Beweis mehr, daß
die Tragödie nur einzelne außerordentliche Augenblicke der Menschheit, das Epos dagegen, wobei jene Stimmung nicht wohl vorkommen kann, das Beharrliche, ruhig fortbestehende Ganze derselben behandelt und deswegen auch den Menschen in jeder Ge-
mütsfassung anspricht.

Ich lasse meine Personen viel sprechen, sich mit einer gewissen
Breite herauslassen; Sie habeu mir darüber nichts gesagt und
scheinen es nicht zu tadeln. Ja, Ihr eigener Usus, sowohl im
Drama als im Epischen, spricht mir dafür. Es ist zuverlässig,
man könnte mit weniger Worten auskommen, um die tragische
Handlung auf= und abzuwickeln, auch möchte es der Natur han-
delnder Charaktere gemäßer scheinen. Aber das Beispiel der
Alten, welche es auch so gehalten haben, und in demjenigen, was
Aristoteles die Gesinnungen und Meinungen nennt, gar nicht
wortkarg gewesen sind, scheint auf ein höheres poetisches Gesetz
hinzudeuten, welches eben hierin eine Abweichung von der Wirklichkeit fobert. Sobald man sich erinnert, daß alle poetische
Personen symbolische Wesen sind, daß sie als poetische Gestalten
immer das Allgemeine der Menschheit darzustellen und auszusprechen haben, und sobald man ferner daran denkt, daß der
Dichter, sowie der Künstler überhaupt, auf eine öffentliche und
ehrliche Art von der Wirklichkeit sich entfernen und daran erinnern soll, daß ers tut, so ist gegen diesen Gebrauch nichts zu
sagen. Außerdem würde, deucht mir, eine kürzere und lakonischere
Behandlungsweise nicht nur viel zu arm und trocken ausfallen,
sie würde auch viel zu sehr realistisch, hart und in heftigen
Situationen unausstehlich werden, dahingegen eine breitere und
vollere Behandlungsweise immer eine gewisse Ruhe und Gemüt=

lichkeit, auch in den gewaltsamsten Zuständen, die man schildert, hervorbringt.

Richter war dieser Tage hier, er ließ sich aber zu einer ungeschickten Stunde bei mir melden, daß ich ihn nicht annahm. Matthisson, dem ich vor einigen Wochen etwas Schönes über seine Beiträge und deren Anzahl sagte, hat mir wieder ein Gedicht geschickt; so wächst der Almanach nach und nach zu der gebührenden Größe an. Auch Gries hat einiges an kleinen Sachen gesendet, was sich brauchen läßt. Göpferdt ist noch nicht über den zweiten Bogen.

Leben Sie recht wohl; vielleicht komme ich nächste Woche auf einen Tag und sehe dann vielleicht auch das theatralische Bauwesen. Wenn Sie wieder kommen, finden Sie auch mein Häuschen in Ordnung, das wir morgen einweihen werden. Damit geht mir auch eine ruhigere Epoche an.

Meine Frau grüßt Sie bestens, sie hat sich gefreut, Sie neulich doch einen Augenblick zu sehen.　　　　　Sch.

An Friedrich Cotta.

Jena, den 26. August 1798.

Soeben schickt mir meine Schwägerin Beiliegendes. Ich habe nur eben noch Zeit, es durchzusehen, die nächste Post bringt noch einige Blätter.

Aushängebogen vom Almanach wird Ihnen Göpfert selbst senden, es ist eben der dritte Bogen in der Korrektur, wir werden aber noch zu rechter Zeit fertig werden, weil bei einem engern Druck nur elf Bogen, inklusive des Kalender, erfodert werden.

Das Papier für den Almanach möchte doch wohl für den Wallenstein teils nicht groß, teils auch, als Postpapier betrachtet, nicht schön genug sein, denn ob wir gleich keine Prachtedition veranstalten wollen, so erwartet das Publikum bei solchen Schriften doch eine mehr als gewöhnliche Eleganz.

Ich weiß nicht, welcher Unstern auf der Weltkunde haftet, die an mich geschickt wird. Ich habe seit fünf Wochen nur ein einziges Paket mit sieben Zeitungsblättern erhalten, ohne den bösen Willen irgend eines Postbedienten kann ich es gar nicht begreifen, daß mich allein dieses Unheil trifft und gerade nur bei dieser Zeitung, da ich sonst alles zur rechten Zeit erhalte. Wir wollen doch die Probe machen, ob eine andre Adresse dem Übel abhilft. Daher bitte ich Sie, künftig die Güte zu haben und diese Zeitungs-Missionen an Herrn Professor Niethammer direkt und ohne weitere Adresse gelangen zu lassen. Ich werde deshalb Abrede mit ihm nehmen.

Leben Sie recht wohl mit den Ihrigen. Meine Frau empfiehlt sich Ihnen beiden aufs beste. Der Ihrige

Schiller.

An Wolfgang von Goethe.

Jena, den 27. August 1798.

Zwei Bogen machen freilich einen starken Rechnungsfehler, der auch für die künftigen Missionen ein bedenkliches Omen gibt und mehr Vorrat an Manuskript nötig machen dürfte. Für den Anfang ist es übrigens recht gut, daß man dem Publikum mehr geben kann. Sollten Sie aber etwas andres substituieren können als Niobe, so wäre es wohl gut, denn außerdem, daß die plastischen Artikel am wenigsten zu der Menge sprechen und am meisten bei dem Leser voraussetzen, so fürchte ich, daß Sie in den folgenden Stücken das Verhältnis nicht wohl fort beobachten können. Ob nicht vielleicht Ihr Aufsatz über die Methode bei Naturwissenschaften dazu genommen werden könnte?

Das sind Betrachtungen, die ich nur in der Eile anstellen kann, denn ich muß den Boten abfertigen.

Das Wetter ist seit vorgestern hier ganz unerträglich, daß wir in unserer windigen Wohnung uns beinah in ein geheiztes Zimmer

einschließen müssen. Indessen geht die Arbeit ganz leidlich von=
statten, und ich werde Ihnen ehestens etwa produzieren können.

Leben Sie recht wohl mit Meyern. Könnten Sie uns nicht
die Memoires von Clery verschaffen?

Sch.

An Wolfgang von Goethe.

Jena, den 28. August 1798.

Es war mein Vorsatz, Ihnen heute meinen Glückwunsch zum
Geburtstag selbst zu überbringen, aber weil ich zu spät aufstand
und mich auch nicht wohl fühlte, so mußte das gute Vorhaben
für heute aufgegeben werden. Wir habeu aber mit herzlicher
Teilnehmung Ihrer gedacht und uns besonders der Erinnerung
an alles das Gute überlassen, was durch Sie bei uns gegründet
worden ist.

- Ich bin in diesen Tagen von einem Besuch überrascht worden,
dessen ich mich nicht versehen hätte. Fichte war bei mir und be=
zeigte sich äußerst verbindlich. Da er den Anfang gemacht hat, so
kann ich nun freilich nicht den Spröden spielen, und ich werde
suchen, dies Verhältnis, das schwerlich weber fruchtbar noch an=
mutig werden kann, da unsere Naturen nicht zusammenpassen,
wenigstens heiter und gefällig zu erhalten.

Was Ihnen mit den griechischen Sprichwörtern zu begegnen
pflegt, dies Vergnügen verschafft mir jetzt die Fabelsammlung
des Hyginus, den ich eben durchlese. Es ist eine eigene Lust,
durch diese Märchengestalten zu wandeln, welche der poetische
Geist belebt hat, man fühlt sich auf dem heimischen Boden und
von dem größten Gestaltenreichtum bewegt. Ich möchte deswegen
auch an der nachläßigen Ordnung des Buchs nichts geändert
haben, man muß es gerade rasch hintereinander durchlesen, wie
es kommt, um die ganze Anmut und Fülle der griechischen
Phantasie zu empfinden. Für den tragischen Dichter stecken noch

die herrlichsten Stoffe darin, doch ragt besonders die Medea
vor, aber in ihrer ganzen Geschichte und als Zyklus müßte man
sie brauchen. Die Fabel von Thyest und der Pelopia ist gleichfalls ein vorzüglicher Gegenstand. Im Argonautenzug finde ich
doch noch mehrere Motive, die weder in der Odyssee noch Ilias
vorkommen, und es dünkt mir doch, als ob hierin noch der Keim
eines epischen Gedichtes stäke.

Merkwürdig ist es, wie dieser ganze mythische Zyklus, den ich
jetzt übersehe, nur ein Gewebe von Galanterien und, wie sich
Hyginus immer bescheiden ausdrückt, von Compressibus ist und
alle großen und fruchtbaren Motive davon hergenommen sind
und darauf ruhen.

Es ist mir eingefallen, ob es nicht eine recht verdienstliche Beschäftigung wäre, die Idee, welche Hyginus im rohen und für ein
anderes Zeitalter ausgeführt hat, mit Geist und mit Beziehung
auf das, was die Einbildungskraft der jetzigen Generation fobert,
neu auszuführen und so ein griechisches Fabelbuch zu verfertigen,
was den poetischen Sinn wecken und dem Dichter sowohl als
dem Leser sehr viel Nutzen bringen könnte.

Ich lege hier zwei Aushängebogen des Almanachs bei. Der
dritte folgt nächstens.

Meine Frau grüßt Sie anfs beste. Leben Sie recht wohl.

S.

An Wolfgang von Goethe.

Jena, den 31. August 1798.

Wenn ich es irgend einrichten kann und mein Befinden es
erlaubt, so komme ich nächste Woche gewiß auf einige Tage hinüber. Freilich muß ich mit meinen Beiträgen zum Almanach im
reinen sein, dazu aber kann binnen vier Tagen Rat werden, denn
es sind zwei Balladen fertig, welche zusammen zwanzig Seiten
gedruckt betragen, und das Gedicht, woran ich eben jetzt bin, wird

anch zwischen zehu und zwölf Seiten bekommen, so daß ich also mit dem schon abgedruckten Gedicht doch ein Kontingent von sechs= undbreißig bis vierzig Seiten zusammenbringe, außer dem, was vielleicht noch der Zufall binnen den nächsten vierzehn Tagen be= schert. Ich kann dann mit weniger Sorge bei Ihnen sein und anch den Gedanken an den Wallenstein Raum geben.

Sie habeu recht, daß gewisse Stimmungen, die Sie erregt haben, bei diesen Herru Conz, Matthisson und anderen nach= hallen. Diese moralischen Gemüter treffen aber die Mitte selten, und wenn sie menschlich werden, so wird gleich etwas Plattes baraus.

Dieser Herr Conz hat in dem kleinen Gedicht, das Sie ge= druckt gefunden haben, eigentlich mein Geheimnis kopiert, obgleich er in der Rezension, die er in der Tübinger Zeitung von dem Almanach gemacht hat, von diesem Gedicht, sowie von allen übrigen außer dem Ibykus ganz still geschwiegen.

- Matthisson hat wieder ein Gedicht eingesendet. Es ist mir lieb, daß sein Name oft vorkommt, aber erquicken kann sich wohl niemand an seinen Sachen.

Zur nunmehrigen völligen Ausfertigung des ersten Stücks der Propyläen wünsche ich Glück. Ich bin recht verlangend, es im Druck zu lesen und mich dann mit Ruhe darüber zu machen. Auf einen Beitrag von mir für das vierte Stück dürfen Sie sicher rechnen, denn ich brauche zur Beendigung des Wallensteins allerhöchstens noch den Rest dieses Jahres. Die Ausarbeitung des Stücks fürs Theater als einer bloßen Verstandessache kann ich schon mit einem andern, besonders theoretischen Geschäft zu= gleich vornehmen.

Ich freue mich, den Theaterbau mit anzusehen, und glaube Ihnen, daß der Anblick der Bretter allerlei erwecken wird. Es ist mir neulich aufgefallen, was ich in einer Zeitschrift oder Zeitung las, daß das Hamburger Publikum sich über die Wiederholung der Ifflandischen Stücke beklage und sie satt sei. Wenn dies einen analogischen Schluß auf andere Städte erlaubt, so würde mein Wallenstein einen günstigen Moment treffen. Unwahrscheinlich ist es nicht, daß das Publikum sich selbst nicht mehr sehen mag, es fühlt sich in gar zu schlechter Gesellschaft.. Die Begierde nach jenen Stücken scheint mir auch mehr durch einen Überdruß an den Ritterschauspielen erzeugt oder wenigstens verstärkt worden zu sein, man wollte sich von Verzerrungen erholen. Aber das lange Angaffen eines Alltagsgesichts muß endlich freilich auch ermüden.

Die ersten Bogen von den Propyläen, sowie die Decken zum Almanach werde ich wohl selbst bei Ihnen in Augenschein nehmen.

Werde ich die paar Tage bei Meyern logieren können, ohne ihn zu genieren?

Leben Sie recht wohl; meine Frau grüßt Sie aufs beste.

Sch.

An Gottfried Körner.

Jena, den 31. August 1798.

Zur Verbesserung deiner Aussichten wünsche ich dir herzlich Glück, wiewohl es mich einige Überwindung kostet, von der Hoffnung, dich in Leipzig einmal etabliert zu sehen, Abschied zu nehmen. Ich hatte mir viel von dieser letztern Aussicht versprochen, wir wären uns so viel näher, die Kommunikation soviel leichter, dein eigener Zustand so viel freier gewesen. Das Schönste, ja das einzige, was der Existenz einen Wert gibt, die wechselseitige Belebung und Bildung, hätte dabei gewonnen; nicht du allein, ihr alle hättet nach meiner Vorstellung an echtem Lebensgehalt gewinnen müssen, wenn du in ein freieres Verhältnis dich hättest setzen können, was doch auf einer Universität immer der Fall ist, und wenn wir, Goethe mitgerechnet, einander näher hätten leben können. Denn jetzt wäre eigentlich der Zeitpunkt, wo unser gegenseitiges Verhältnis, das durch seine innere Wahrheit, Reinheit und ununterbrochene Dauer ein Teil unserer Existenz geworden ist, die schönsten Früchte für uns tragen sollte. Man schleppt sich mit sovielen tauben und hohlen Verhältnissen herum, ergreift in der Begierde nach Mitteilung und im Bedürfnis der Geselligkeit so oft ein Leeres, das man froh ist, wieder fallen zu lassen; es gibt so gar erschrecklich wenig wahre Verhältnisse überhaupt und so wenig gehaltreiche Menschen, daß man einander, wenn man sich glücklicherweise gefunden, besto näher rücken sollte.

Ich bin in dieser Rücksicht Goethen sehr viel schuldig, und ich weiß, daß ich auf ihn gleichfalls glücklich gewirkt habe. Es sind jetzt vier Jahr verflossen, daß wir einander näher gekommen sind, und in dieser Zeit hat unser Verhältnis sich immer in Bewegung und im Wachsen erhalten. Diese vier Jahre haben mir selbst eine festere Gestalt gegeben und mich rascher vorwärts gerückt, als es ohne das hätte geschehen können. Es ist eine Epoche meiner Natur, und sie würde noch reicher und bedeutender geworden sein, wenn auch wir in dieser Zeit uns näher gelebt hätten. Doch genug davon. Nur mußt du mir verzeihen, wenn ich ungern von deiner neuen politischen Ansiedelung in Dresden höre, zu einer Zeit, wo ich die philosophische und ästhetische Muße und Freiheit als das schönste Ziel des Lebens betrachten gelernt habe.

Gedichte hoffe ich dir mit dem nächsten Posttag senden zu können. Ich muß eilen, für den Wallenstein freie Hände zu bekommen, denn ich wünschte euch gar zu gern beim Worte zu fassen und in fünf oder sechs Wochen mit euch zusammen zu kommen.

Schreib mir doch, ob dir Moltke meinen Brief gebracht. Es ist zwar nichts daran gelegen, denn es ist nur ein kurzer Empfehlungsbrief, aber ich habe sonst meine Gründe.

Wir umarmen Euch herzlich. Meine Frau wünschte von Dorchen gar zu gern zu hören, wie sich Fichte mit seiner Frau im Karlsbad präsentiert habe.

Haſt du etwa Schelling kennen lernen, der jetzt nach Dresden gereiſt iſt. Seine Schrift über die Weltſeele kennſt du wohl ſchon. Es iſt ein trefflicher Kopf, auf den ich mich auch freue, denn er iſt Profeſſor hier geworden. Lebe wohl.

Dein

Sch.

An Wolfgang von Goethe.

Jena, den 2. September 1798.

Ein ſchwediſcher Kaufmann, Herr Lindahl, überbringt Ihnen dieſen Brief. Er iſt ein ſehr eifriger Freund der deutſchen Literatur, hat viele Kenntniſſe und ſcheint in Schweden mit den bedeutendſten Gelehrten viele Verbindungen zu habeu. Sie werden ihn alſo freundſchaftlich empfangen, wie ich wünſche, denn es iſt ein Mann, der es zu verdienen ſcheint, auch wünſchte ich, daß er Meyern kennen lernte.

Die Decke nimmt ſich ſehr zierlich aus; wir können die hundert=undſiebzig Exemplare auf Velinpapier vor der Hand mit bunten Decken auszieren laſſen. Es iſt darnach noch immer Zeit, auch noch andere aufzuhöhen. Auch iſt die gewählte graugelbe Farbe ſehr paſſend und beſonders für die bunten Exemplare. Zu den letztern kann ich vielleicht etwas beſſeres Papier von hier aus ſchicken, ſonſt iſt das, wovon Sie eine Probe geſchickt, ganz brauchbar. Den Preis von allem wird Cotta nicht zu hoch finden.

Ich ſende die Decken und das Papier morgen, weil ich dem Fremden keinen größeren Brief mitgeben will.

Das Wetter hat ſich wieder ſehr glücklich verändert und meinen Entſchluß, nach Weimar zu gehen, etwa auf den Donnerstag, ſehr ernſtlich beſtimmt.

Leben Sie recht wohl.

S.

An Wolfgang von Goethe.

Jena, den 4. September 1798.

Meinen Brief vom Sonntag wird Ihnen der Schwede über=
liefert habeu. Hier folgen die Proben zurück.

Auch sende ich einstweilen eine von den Balladen, die andere
kann ich vielleicht anch noch beilegen. Es sollte mir lieb sein, wenn
ich den christlich=mönchisch=ritterlichen Geist der Handlung richtig
getroffen und die disparaten Momente derselben in einem harmo=
nierenden Ganzen vereinigt hätte. Die Erzählung des Ritters ist
zwar etwas lang ausgefallen, doch das Detail war nötig, und
trennen ließ sie sich nicht wohl.

Habeu Sie die Güte, mich zu erinnern, wenn Sie etwas anders
wünschten, und mir das Manuskript mit dem Botenmädchen
zurückzusenden.

Die andere Geschichte hat mir der Hyginus zugeführt. Ich
bin neugierig, ob ich alle Hauptmotive, die in dem Stoffe lagen,
glücklich herausgefunden habe. Denken Sie nach, ob Ihnen noch
eines beifällt, es ist dies einer von den Fällen, wo man mit
einer großen Deutlichkeit verfahren und beinahe nach Prinzipien
erfinden kann.

Ich habe mir zwar jetzt einen starken Schnupfen zugezogen,
doch denke ich, wenn nichts dazwischen kommt, auf den Donnerstag
zu kommen.

Herzlich freue ich mich, Sie wieder zu sehen.

Leben Sie recht wohl. Meine Frau ladet Sie zum Mangold
ein, der jetzt recht schön steht.

S.

Meine Frau bittet Sie, ihr den versprochenen Stern bald zu
schicken.

An Wolfgang von Goethe.

Jena, den 5. September 1798.

Weil mein Schnupfen noch heftig ist, so will ich meine Wanderung lieber noch einen Tag oder zwei verschieben. Auch kann ich morgen noch eine Korrektur abtun und das Gedicht, das ich unter Händen habe, vielleicht schließen, obgleich der Schnupfen eine schlechte Stimmung gibt.

Können Sie noch etwas in den Almanach stiften, so tun Sie es ja, denn es wird hart halten, den nötigen Tribut zu liefern, obgleich der göttliche Matthisson heute abermals ein Gedicht nachgesendet hat; denn unsre Dichterinnen haben mich stecken lassen.

Die Stanzen, die Sie auf der Herzogin Geburtstag gemacht, wünschte ich zu haben. Das Blatt, das Sie mir gesendet, muß unter meinen Papieren in der Stabt liegen, hier kann ichs nicht finden, vielleicht finden Sie es in Weimar.

Ein klein Liedchen lege ich hier bei. Gefällt es Ihnen, so können wirs auch drucken lassen. Ich finde unter meinen Papieren allerlei angefangen, aber die Stimmung läßt sich nicht kommandieren, um es zu endigen.

Leben Sie recht wohl. Ich wünsche zu hören, daß Sie mit der gestrigen Sendung zufrieden sein mögen.

Sch.

An Friedrich Cotta.

Jena, den 5. September 1798.

Die letzten Bogen von dem Aufsatz meiner Schwägerin sind hoffentlich noch zu rechter Zeit angekommen.

Nun ist auch die Decke zum Almanach fertig und wird recht hübsch sich ausnehmen. Goethe meint, daß man diejenigen, welche zu den teuren Exemplaren kommen, mit Farben illuminieren soll, das Stück zu malen kostet 18 Pfenninge, es sieht sehr schön aus.

Von Posselts Weltkunde habe ich, seitdem ich Ihnen schrieb, immer noch nichts gesehen. Es mögen mir jetzt seit den letztern Monaten gegen vierzig Stücke fehlen. Ich wiederhole meine Bitte, diese Zeitungspakete an Herrn Professor Niethammer zu über= schicken.

Wenn Sie den Wallenstein in Ihren diesjährigen Kalendern und anderen Schriften anzeigen wollen, so bitte ich, es ganz ein= fach ohne irgend ein Kompliment für den Verfasser zu sagen. Setzen Sie die Zeit der Erscheinung in die ersten Monate des Jahrs 1799. Sie können die Anzeige allenfalls größer drucken lassen, wie es einige Verleger angefangen. Der Titel ist:

Wallenstein. Ein Trauerspiel.

Nebst einem dramatischen Prolog von Schiller.

Haben Sie doch die Güte, 24 Gulden an den Herrn Pfarrer Hurter in Schaffhausen in der neuen Schule zu überschicken und mir in Rechnung zu bringen.

Leben Sie recht wohl. Meine Frau empfiehlt sich Ihnen und Madame Cotta aufs beste; wie auch ich. Der Ihrige

Schiller.

An Wolfgang von Goethe.

Jena, den 7. April [fälschlich für September] 1798.

Ich lege mich mit dem festen Vorsatz nieder, morgen zu Ihnen hinüberzufahren. Für den Almanach habe ich mein Geschäft ge= schlossen; das letzte Gedicht bringe ich mit. Jetzt muß ich eilen, den kleinen Rest der guten Jahrszeit und meines Gartenaufenthalts für den Wallenstein zu benutzen, denn wenn ich meine Liebesszenen nicht schon fertig in die Stadt bringe, so möchte mir der Winter keine Stimmung dazu geben, da ich einmal nicht so glücklich bin, meine Begeisterung im Kaffee zu finden.

Das Buch von Lenz, sowie auch das bessere Papier zu den Decken bringe ich mit. Ich hoffe diesem Brief bald zu folgen. Leben Sie recht wohl.

S.

An Wolfgang von Goethe.

Jena, den 9. September 1798.

Es tut mir leid, daß ich am Samstag mein Kommen bestimmt und wieder nicht gehalten habe, aber ich bin sehr unschuldig, denn ich habe in den vier letzten Tagen zwei Nächte ganz schlaflos zugebracht, welches mich sehr angegriffen. Ein eigenes Unglück ist es doch, daß mir dieses gerade in diesen Tagen zum erstenmal wieder begegnen mußte, nachdem ich den ganzen Sommer davon frei gewesen bin. Jetzt habe ich den Mut verloren, etwas Festes über mein Kommen zu beschließen, doch wenn ich diese Nacht schlafen kann, und mich ein wenig erhole, komme ich morgen doch. Indessen sende ich den Lyonet, damit Sie in Ihren Geschäften durch mich nicht aufgehalten werden mögen. Leben Sie recht wohl.

S.

An Wolfgang von Goethe.

Jena, den 18. September 1798.

Ich habe mich gleich nach meiner Zurückkunft an den Prolog gemacht und ihn noch einmal aus der Rücksicht, daß er für sich allein stehen soll, betrachtet. Hiebei ergab sich nun, daß, um ihn zu diesem Zweck geschickter zu machen, zweierlei geschehen muß:

1. muß er als Charakter- und Sittengemälde noch etwas mehr Vollständigkeit und Reichtum erhalten, um auch wirklich eine gewisse Existenz zu versinnlichen, und dadurch wird auch das

2 te erreicht, daß über der Menge der Figuren und einzelner Schilderungen dem Zuschauer unmöglich gemacht wird, einen Faden zu verfolgen und sich einen Begriff von der Handlung zu bilden, die darin vorkommt.

Ich sehe mich also genötigt, noch einige Figuren hineinzusetzen und einigen, die schon da sind, etwas mehr Ausführung zu geben; doch werde ich unser weimarisches Personale immer vor Augen haben. Auf den Sonnabend sollen Sie den Prolog erhalten.

Cotta schreibt mir, daß ihm der Herzog ein neues Zeitungs= privilegium gegeben und daß er durch Verlegung des Zeitungs= kontors nach Stuttgart gegen 3500 Gulden erspare. Ob Posselt auch diese neue Zeitung herausgibt, schreibt er nicht, doch zweifle ich nicht daran. Er scheint einmal sein ganzes Heil in diese Zeitungsfabrikation zu setzen.

Ich lege hier wieder einen Bogen bei. Wenn es Ihnen recht ist, so will ich Ihr Gedicht an die Herzogin bloß: Stanzen überschreiben.

Noch einmal meinen besten Dank für alles, was Sie mir in Weimar Schönes und Gutes erwiesen. Sobald der Prolog weg ist, werde ich an nichts anders mehr denken, als das Stück fürs erste in dem Theatersinne zu vollenden, und werde von Ihren Ratschlägen und Bemerkungen allen Gebrauch machen, der mir möglich ist.

Meyern grüße schönstens. Zugleich bitte ich ihn, einen größern und zwei kleinere Schlüssel, die ich in meiner Kommode oder sonst irgendwo habe liegen lassen, zu suchen und mir durch die Boten= frau zu schicken.

Leben Sie recht wohl. Meine Frau empfiehlt sich aufs beste.

S.

An Wolfgang von Goethe.

Jena, den 21. September 1798.

Ich habe vorgestern keinen Brief von Ihnen erhalten und hoffe, daß es nichts zu bedeuten hat. Nachdem ich eine Woche bei Ihnen zugebracht, ist es mir ganz ungewohnt, so lange nichts von Ihnen zu hören.

Eine schlaflose Nacht, die ich heute gehabt und die mir den ganzen Tag verdorben, hat mich verhindert, den Prolog noch für heute zu expedieren; überdies hat der Abschreiber mich sitzen lassen. Ich denke, in der Gestalt, die er jetzt bekommt, soll er als ein lebhaftes Gemälde eines historischen Moments und einer gewissen soldatischen Existenz ganz gut auf sich selber stehen können. Nur weiß ich freilich nicht, ob alles, was ich dem Ganzen zu lieb darin aufnehmen mußte, auch auf dem Theater wird erscheinen dürfen. So ist zum Beispiel ein Kapuziner hineingekommen, der den Kroaten predigt, denn gerade dieser Charakterzug der Zeit und des Platzes hatte mir noch gefehlt. Es liegt aber auch nichts drau, wenn er von dem Theater wegbleibt.

Humboldt hat geschrieben und empfiehlt sich Ihnen. Ihren Brief nebst dem Gedicht hat er erhalten und wird Ihnen ehestens antworten. Mit unserm Arrangement mit seinem Werk ist er wohl zufrieden, aber er hat keine rechte Zuversicht zu seinem Werke, seine natürliche Furchtsamkeit kommt noch dazu, daß er der wirk= lichen Erscheinung mit einer gewissen Bangigkeit entgegensieht. Er hat auch Vieweg empfohlen, nur 500 Exemplare abziehen zu lassen, worin ihm dieser hoffentlich nicht willfahren wird; denn ich zweifle nicht sowohl daran, daß man die Schrift nicht kauft, als daß man sie liest. Kaufen wird man sie schon des Gedichtes wegen.

Er schreibt auch ein paar Worte von Retif, den er persönlich kennt, aber nichts von seinen Schriften. Er vergleicht sein Be= nehmen und Wesen mit unserm Richter, die Nationaldifferenz ab= gerechnet; mir scheinen sie sehr verschieden.

Um auf meinen Prolog zurückzukommen, so wäre mirs lieb, wenn ein andres passendes Stück und keine Oper damit könnte verbunden werden; denn ich muß ihn mit vieler Musik begleiten lassen, er beginnt mit einem Lied und endigt mit einem; auch in der Mitte ist ein klein Liedchen, er ist also selbst klangreich genug, und ein ruhiges moralisches Drama würde ihn also wahrscheinlich am besten herausheben, da sein ganzes Verdienst bloß Lebhaftigkeit sein kann.

Leben Sie recht wohl. Ich warte mit Verlangen auf Nachricht von Ihnen. Meyern viele Grüße, er möchte sich doch des Bechers erinnern.   S.

An Friedrich Cotta.

Jena, den 21. September 1798.

Ich freue mich, daß der Unfall, der die Weltkunde betraf, sich noch so glücklich gewendet hat und daß die Unternehmung im ganzen nicht so viel leidet. Nun ist zu wünschen, daß die Erbitterung der aristokratischen Partei nicht aufs neu gereizt werden möge, und hoffentlich werden Sie darüber wachen, wenn etwa Posselt in seiner Hitze sich eine Blöße geben möchte.

Der Almanach wird in wenig Tagen vollends gedruckt sein, alles übrige bis zur Spedition nach Leipzig werde ich besorgen und in Weimar besorgen lassen. Schreiben Sie nur sogleich nach Empfang dieses, wenn es noch nicht geschehen, den Speditionszettel ab, ich will, sobald Exemplare gebunden sind, solche gleich an Böhme in Leipzig spedieren lassen.

In der Anzeige des Wallensteins muß ich eine Veränderung machen, die von großer Bedeutung ist. Haben Sie die schon abdrucken lassen, die ich Ihnen vor einigen Wochen angab, so tut es indessen nichts, denn die neue widerruft die alte von selbst. Ich lege die neue bei, so wie ich sie auch im Almanach werde abdrucken lassen. Sie könnten Sie vielleicht in Ihren neuen Verlagsschriften

abgedruckt beilegen. Sie können auf dreiundzwanzig Bogen voll
rechuen und werden den Preis der gewöhnlichen Exemplare not=
wendig auf 2 Reichstaler setzen müssen, da der Leser für dies Geld
drei Stücke erhält.

Leben Sie recht wohl. Ich schreibe dies in Eile um den Brief
heut noch fortzubringen. Der Ihrige.

Sch.

Anzeige.

Zu künftiger Ostermesse erscheint in meinem Verlage
Wallenstein von Schiller, in drei zusammenhängenden
Schauspielen. 1) Wallensteins Lager 2) Piccolomini und
3) Wallenstein.

usw. usw. usw.

───────

Auch ist es jetzt der Mühe wert, es mit zwei oder drei Vig=
nettchen auszuzieren, wozu recht schöne Ideen da sind. Meyer
wird sie zeichnen und Guttenberg in Nürnberg kann sie stechen,
so kommen sie nicht sehr hoch und zieren das Ganze, rechtfertigen
auch den höhern Preis. Etwas schöneres und feineres Papier
hätte ich doch zum Wallenstein gewünscht, als die Proben aus=
sehen, es kann aber sein, daß es sich planiert besser ausnimmt.

Der Prolog wird in vierzehn Tagen zu Weimar gespielt werden,
er ist um vieles vermehrt und mit neuen Charakteren und Zügen
bereichert worden, so daß er ein eigenes kleines Stück: Wallen=
steins Lager genannt, ausmachen wird. Die zwei andern Stücken
sind durch eine notwendige Teilung des alten Wallensteins ent=
standen, und besteht jedes aus fünf Akten und ist jedes ein ganzes
ordentliches Schauspiel.

Fragen Sie doch den Herru Hauptmann Haselmeier, ob er die
drei Stücke fürs Stuttgarter Theater will, ihm will ich sie zu=
sammen für 25 Louisdor lassen, Berlin, Hamburg und Frankfurt
müssen mir das Doppelte dafür geben.

An Wolfgang von Goethe.

[Jena, zwischen 23. und 29. September 1798.]

Die zwei Brüder meines Schwagers sind auf ihrer Rückreise nach Schlesien hier und werden den Abend hier bleiben. Ich schreibe es Ihnen, wenn Sie vielleicht nicht gern in dieser Gesell= schaft sind. Sollten Sie nicht Lust haben, den Abend mit da zu sein, so sehe ich Sie vielleicht vorher?

Sch.

An Wolfgang von Goethe.

Jena, den 29. September 1798.

Ich beklage, daß wir Sie heute nicht sehen sollen. Bei dem trüben Himmel ist das Gespräch noch der einzige Trost. Ich will suchen, meinen Beitrag zum Prolog, den ich angefangen, zu be= endigen, daß ich ihn Ihnen morgen mittag vorlegen kann. Die Geschichte des Dreißigjährigen Kriegs sollen Sie binnen einer halben Stunde erhalten.

Leben Sie recht wohl. Unterhalten Sie sich bei dem Drama aus dem Siebenjährigen Krieg so gut Sie können.

Sch.

An Gottfried Körner.

Jena, den 30. September 1798.

Deine Antwort auf meinen Brief beweist mir, woran ich nie gezweifelt, daß du deinen Verhältnissen die beste Seite abzu= gewinnen weißt. Ich kann auf deine Gründe nichts weiter sagen, du kennst die äußeren Umstände besser als ich, ich kenne bloß dich selbst. Daß wir einander von Leipzig aus näher gewesen sein würden, ist keine Frage; denn außerdem, daß ich mir aus kleinen Tagereisen nichts mache, und wir uns also hätten alle sechs

10*

Wochen in Weißenfels sehen können, so hättest du, wenn du in Leipzig wohntest, keine Leipziger Reisen mehr nötig und hättest also mit deiner Familie deine Ferien ganz hier zubringen können. Da wir im Garten wohnen, so wäre meine Wohnung in der Stadt immer für dich parat gewesen usw. Ich erwähne dies nur, um zu zeigen, daß meine Erwartungen nicht so schimärisch waren.

Goethe hat mir keine Ruhe gelassen, bis ich ihm meinen Prolog zu Eröffnung der theatralischen Wintervorstellungen und eines renovierten Theatergebäudes überließ. In zehn Tagen wird er also in Weimar gespielt werden. Ich hab ihn, damit er unabhängig vom Stücke gespielt werden könne, beträchtlich und gewiß um die Hälfte vermehrt, mit sehr viel neuen Figuren besetzt; und wirklich ist er jetzt ein sehr lebhaftes Gemälde eines Wallensteinschen Kriegs= lagers. Die Vorstellungen in Weimar dienen mir zu einer be= quemen Theaterschule für das Stück und setzen mich in den Stand, ihn, ehe ich ihn drucken lasse oder an andere Theater überlasse, zu einem sinnlichen öffentlichen Eindruck desto fähiger zu machen. Ich wollte wohl, daß du auch der Vorstellung bei= wohnen könntest; aber freilich verdient die Kunst unserer Schau= spieler es nicht, daß man ihnen nachreist.

Das Stück selbst habe ich nun nach reifer Überlegung und vielen Konferenzen mit Goethe in zwei Stücke getrennt, wobei mich die schon vorhandene Anordnung sehr begünstigt hat. Ohne diese Operation wäre der Wallenstein ein Monstrum geworden an Breite und Ausdehnung und hätte, um für das Theater zu taugen, gar zu viel Bedeutendes verlieren müssen. Jetzt sind es mit dem Prolog drei bedeutende Stücke, davon jedes gewisser= maßen ein Ganzes, das letzte aber die eigentliche Tragödie ist. Jedes der zwei letztern hat fünf Akte, und dabei ist der glückliche Umstand, daß zwischen dem Akt die Szene nie verändert wird. Das zweite Stück führt den Namen von den Piccolominis, deren Verhältnis für und gegen Wallenstein es behandelt. Wallenstein erscheint in diesem Stücke nur einmal, im zweiten Akte, da die Piccolominis alle vier übrigen als Hauptfiguren besetzen. Das Stück enthält die Exposition der Handlung in ihrer ganzen Breite und endigt grade da, wo der Knoten geknüpft ist. Das dritte Stück heißt Wallenstein und ist eine eigentliche vollständige Tragödie: die Piccolomini können nur ein Schauspiel, der Prolog ein Lustspiel heißen.

In Rücksicht auf die Repräsentationen wird auch das noch gewonnen, daß das Theaterpersonal jetzt nicht mehr so groß zu sein braucht; denn in den Piccolomini kommen zwei bis drei Personen vor, die im Wallenstein nicht mehr erscheinen, und hier sind einige andere, die dort nicht vorkommen. Beide können nun von denselben Schauspielern besetzt werden, und was dieser kleinen Vorteile mehr sind, besonders das Memorieren der Rollen. Auch rechne ich es als einen bedeutenden Gewinn für das Stück, daß ich das Publikum, indem ich es durch dreierlei Repräsentationen führe, desto besser in meine Gewalt bekommen werde.

Ich sehe mich also jetzt um ein komplettes Fünfaktenstück reicher und kann auf einmal drei Schauspiele zu Markte bringen. Diese Veränderung hat mir allerdings neue Arbeit gemacht: denn um den zwei ersten Stücken mehr Selbständigkeit zu geben, habe ich einige neue Szenen und mehrere neue Motive nötig; aber die Arbeit erneuet mir auch die Lust, und sie ist unendlich angenehmer für mich, als die entgegengesetzte war, dem Stücke zu nehmen und es in einen engern Raum zu pressen.

Du mußt mir nicht übelnehmen, daß ich dir noch nichts vom Almanach geschickt habe. Da wir dieses Jahr nicht ganz so reich sind als im vorigen und doch nicht gern ärmer vor dir erscheinen wollten, so solltest du alles auf einmal erhalten. Übermorgen kann ich dir die fertigen Bogen alle vollständig zusenden, denn heute kommt der letzte in die Presse.

Goethe grüßt dich. Ich hab ihm deinen letzten Brief mitgeteilt, und er findet auch, daß du deine Lage so gut nimmst, als es

möglich ist, und daß sich gegen deine Gründe nichts einwenden
lasse.

Herzlich umarmen wir euch alle. Die Kinder, sowie wir selbst,
sind recht wohl, und überhaupt habeu wir uns diesen Sommer
ziemlich wohl befunden.

Dein

S.

An Wolfgang von Goethe.

Jena, den 2. Oktober 1798.

Ein Besuch von unsern Weimarischen Dichterinnen Amelie
Imhoff und meiner Schwägerin hinderte mich, der Botenfrau
das Gedicht mitzugeben, wozu nur noch ein paar Stunden nötig
sind. Sie sollen es mit der ersten Post erhalten. Ich bin mit
der Anlage wohl zufrieden und denke, es wird unsre Absicht er=
füllen. Schreiben Sie mir mit dem rückgehenden Botenmädchen,
ob Sie nichts dagegen haben, wenn ich diesen Prolog noch an den
Almanach anflicke. Ich erreiche dadurch mehrere Zwecke zugleich,
der Almanach gewinnt ein nicht unbedeutendes Gedicht mehr, die
Zahl meiner Beiträge wird dadurch vergrößert, und der Prolog
erhält mehr Verbreitung; denn Ihre Absicht, ihn dem Possel
einzuverleiben, wird dadurch keineswegs verhindert. Der Prolog
kommt auch darum nicht früher ins Publikum, als recht ist, weil
ich vor Ende der nächsten Woche kein Exemplar davon weggebe,
und auch alsdann nur diejenigen Exemplare, welche nach Leipzig
bestimmt sind, folglich auch erst drei Tage später ausgepackt werden.
Fänden Sie an dem Prolog etwas zu ändern, so senden Sie mir
einen Expressen, daß ich bei der Korrektur des Bogens noch davon
Gebrauch machen kann. Vielleicht schicke ich ihn morgen selbst
durch einen Expressen.

Um Decken und Titelkupfer zum Almanach bitte ich dringend.

Morgen mehr. Leben Sie recht wohl.　　　Sch.

An Wolfgang von Goethe.

Jena, den 4. Oktober 1798.

Hier sende ich den Prolog, möge er Ihnen Genüge leisten. Sagen Sie mir durch den rückgehenden Boten, wenn Sie noch etwas geändert wünschen. Mir deucht, daß es besser ist, das, was ich in Klammern eingeschlossen, wegzulassen beim wirklichen Vortrag. Es lassen sich manche Dinge nicht sagen, die sich ganz gut lesen lassen, und die Umstände, unter welchen ein Prolog deklamiert wird, die Feierlichkeit, die davon unzertrennlich ist, führen gewisse Einschränkungen mit sich, die in der Stube schwer zu berechnen sind. Da der Prolog ohnehin ziemlich groß ist, so denke ich, schließen wir ihn vor dem letzten Absatz.

Haben Sie die Güte, mir nur frischweg zuschicken zu lassen, was von Decken und Titelkupfern fertig ist. Unter den letztern finde ich keins von brauner Farbe abgedruckt; wenn es keine Umstände macht, so lassen Sie doch etwa ein 500 Abdrücke in dieser Farbe machen.

Ich bin sehr begierig zu vernehmen, wie sich Ihre Schauspieler zu dem Vorspiel anlassen.

Leben Sie recht wohl. Meine Frau grüßt schönstens.

Sch.

An Friedrich Cotta.

Jena, den 4. Oktober 1798.

Der Almanach ist morgen in der Presse fertig. Ein Prolog, der vor der Aufführung des Wallensteinischen Vorspiels von einem Schauspieler auf dem Theater in Weimar deklamiert werden soll, beschließt den Almanach und wird den drei Wallensteinischen Stücken zu einer interessanten Ankündigung bei dem Publikum dienen. Ich habe mir die Freiheit genommen, ohne Rücksprache mit Ihnen, welches in der kurzen Zeit ganz unmöglich war, den

Preis des Wallensteins, weil er um einige Bogen größer wird, (da die drei Stücke zusammen gewiß 23 bis 24 Bogen betragen) in der Ankündigung zu erhöhen und bei den Postpapierexemplaren auf 2 Reichstaler, bei denen auf Velin, broschiert, auf 2 Reichstaler 16 Groschen zu setzen, und hoffe, daß Sie es gut heißen werden.

Ich vergaß neulich, Ihnen wegen des Aufsatzes meiner Schwägerin zu schreiben. Sie wird Ihnen indes selbst gesagt haben, daß die Verzögerung nichts zu bedeuten hat. Was mich betrifft, so halte ich es eher für vorteilhaft, daß Sie die kleine Geschichte von ihr nicht als Fragment drucken lassen; sie wird, wenn sie geendigt ist, dem nächsten Damenkalender gewiß zur Empfehlung dienen.

Es wird sich dieser Tage ein junger Manu, namens Lacher aus Kempten, bei Ihnen melden und Ihnen eine Empfehlung von mir überbringen. Haben Sie die Güte, ihm über die Anfragen, die er bei Ihnen tun wird, Ihren freundschaftlichen Rat und Anweisung zu geben. Er ist zwar noch ungebildet und höchst exaltierter Natur, aber gewiß ein recht edler und fähiger Mensch. Er wird Ihnen auch sagen, daß der Graf Wallstein, ein Nachkomme unsers Helden, der Domherr in Augsburg oder Regensburg ist, sich zwei Exemplare vom Wallenstein, sobald der erscheint, bringend ausbittet. Lassen Sie sich seine Adresse geben.

Es wäre mir lieb, wenn ich vor Ende dieses Monats das Geld für den Almanach haben könnte. Es beträgt (Redaktion und Honorar zusammen) 87 Louisdor, doch können Sie es, wenn es Ihnen lieber ist, in zwei Terminen schicken.

Die Auslagen für die Buchbinder, die Decke und das Titelkupfer und das dazu nötige Papier werden besonders verrechnet werden, ich habe die Rechnungen noch nicht.

Der Damenkalender, für den Ihnen meine Frau besonders danken wird, enthält wieder recht viel Hübsches.

Leben Sie recht wohl. Ganz der Ihrige   Schiller.

An Wolfgang von Goethe.

Jena, den 5. Oktober 1798.

Daß Sie mit dem Prolog zufrieden sind und daß die drei Herren sich zum Vorspiel so glücklich anlassen, sind mir sehr will=kommene Nachrichten; den Abdruck des Prologs kann ich bis morgen abend nicht aufhalten, doch denke ich nicht, daß eine kleine Ungleichheit des gesprochenen und gedruckten Gedichts viel zu sagen haben wird, wenn nur das Exemplar, das Sie Posselten schicken, mit dem andern im Almanach gleichlautend ist.

An die Kapuzinerpredigt will ich mich also machen und habe gute Hoffnung von dem würdigen Abraham. Noch habe ich ihn nicht lesen können, weil Schelling den ganzen Nachmittag bei mir war. Auch muß ich Sie prävenieren, daß noch einige andere Ver=änderungen im Werke sind, welche ich nebst der Kapuzinerpredigt auf den Montag abend abzuschicken hoffe, denn da sie nicht durchs Ganze gehen, so können sie in einem halben Tag recht gut ein=gelernt werden.

Sie werden es zum Beispiel auch billigen, daß ich den Kon=stabler mit einer bestimmten dramatischen Figur vertausche. An seiner Statt habe ich einen Stelzfuß eingeführt, der mir ein gutes Gegenstück zum Rekruten macht. Dieser Invalide bringt ein Zeitungsblatt, und so erfährt man unmittelbar aus der Zeitung Regensburgs Einnahme und die neuesten passendsten Ereignisse. Es gibt Gelegenheit, dem Herzog Bernhard einige artige Kompli=mente zu machen u. s. f. Zu einem Subjekt für den Stelzfuß wird sich schon Rat finden, hoffe ich.

Finde ich Stimmung und Zeit, so will ich das Liedlein von Magdeburg noch machen, und nach einer alten Melodie, daß da=durch kein Aufenthalt entsteht. Übrigens bin ich getröstet, wenn es an Zeit dazu fehlt, daß Sie etwas anders substituieren können.

Wenn Sie mir durch die Botenfrau mein Exemplar des Vor=spiels schicken könnten, so würde es mir bei den vorhabenden

Arbeiten gute Dienste tun. Wenn ich auch nur die ersten acht oder zehn Blatt habe, denn am Ende und in der Mitte wird nichts verändert.

Schelling ist mit sehr viel Ernst und Lust zurückgekehrt, er besuchte mich gleich in der ersten Stunde seines Hierseins und zeigt überaus viel Wärme. Über die Farbenlehre, sagt er mir, habe er in der letzten Zeit viel nachgelesen, um im Gespräch mit Ihnen fortzukommen, und habe Sie um vieles zu fragen. Nach der Aufführung des Vorspiels wird er sich bei Ihnen melden, denn ich sagte ihm, daß er Sie jetzt zu beschäftigt finde. Es wäre hübsch, wenn Sie ihm vor Ihrer Hieherkunft noch Ihre Experimente zeigen könnten.

Ein sonderbares Original von einem moralisch-politischen Enthusiasten habe ich dieser Tage hier kennen lernen, den Wieland und Herder über Hals und Kopf zu der großen Nation spedieren. Es ist ein hiesiger Student aus Kempten, ein Mensch voll guten Willens, von vieler Fähigkeit und einer heftig sinnlichen Energie. Er hat mir eine ganz neue Erfahrung verschafft.

Leben Sie recht wohl. Ich denke, es werden in diesen Tagen wohl noch einige Boten zwischen hier und Weimar in Bewegung gesetzt werden.

Meine Frau grüßt Sie aufs beste.

S.

Wenn Sie bei Empfang dieses Briefs mit Ihren Veränderungen im Prolog einig sind und finden gleich einen Expressen, so haben Sie die Güte, mir das Exemplar gleich durch ihn zu senden.

N. S.

Hier lege ich noch einen Korrekturabbruck des Prologs bei, so wie er im Almanach stehen wird; denn da ich die Ihnen gesandte Abschrift aus dem Gedächtnis niederschrieb, so wurde einiges darin extemporiert, und es finden sich Varianten, die ich mit NB bezeichnet habe. Können Sie mir nun Ihre Änderungen morgen vor Nach= mittag zwei Uhr durch einen Expressen schicken, so kann ich mich im Druck noch darnach richten. Geht dies nicht an, so haben Sie die Güte, dies beiliegende gedruckte Exemplar des Prologs, und nicht das geschriebne, an Posselt abzusenden, damit die zwei ge= druckten Exemplare gleich lauten.

An Wolfgang von Goethe.

Jena, den 6. Oktober 1798.

Die Veränderungen im Prolog nehme ich mit Vergnügen auf; gegen die drei angeführten Gründe ist nichts einzuwenden.

Ich will etwa sechs besondere Abdrücke vom Prolog machen lassen, um die Kopistenarbeit zu ersparen. Wenn Sie mir dann Montag früh eine Einlage an Schröder und Cotta senden wollen, so können solche mit dem gedruckten Prolog gleich von hier an die Behörden abgehen. Auf alle Fälle aber folgt hier der Prolog zurück.

Es tut mir freilich leib, wenn die kleinen Veränderungen im Vorspiel nicht gleich der ersten Vorstellung zugute kommen können. Das Motiv mit der Zeitung wäre passend zu einer vollkommenen Exposition des Moments und der Kriegsgeschichte. Lassen Sie wenigstens bei Nr. 5 den Konstabler mit einem Zeitungsblatt auf= treten und anstatt des Verses:

　　　　　Aber ein Eilbot ist angekommen,

setzen:

　　　　　Aber das Prager Blatt ist angekommen.

Auf diese Art leiten wir doch die Zeitung ein, wenn wir sie ein andermal bringen wollen.

Auch haben Sie mich neulich wegen der Perücke zweifelhaft gemacht. Wenn wir statt jener Stelle lieber setzten:

Nr. 3   Wachtmeister.

Und das Gemunkel, und Gespioniere,
Und das Heimlichtun, und die vielen Kuriere —

Trompeter.

Ja ja! das hat sicher was zu sagen.

Wachtmeister.

Und der spanische steife Kragen
Den man u. s. f.

Der Bote eilt, ich kann für heute nichts mehr sagen. Vielleicht lassen Sie mich noch durch das Botenmädchen wissen, welcher Termin für die Vorstellung festgesetzt ist; denn freilich wünschte ich zur Kapuzinerpredigt ein paar Tage Muße.

Leben Sie recht wohl.

S.

An Wolfgang von Goethe.

Jena, den 8. Oktober 1798.

Hier erhalten Sie meine Kapuzinerpredigt, sowie sie unter den Zerstreuungen dieser letzten Tage, die von Besuchen wimmelten, hat zustand kommen können. Da sie nur für ein paar Vorstellungen in Weimar bestimmt ist und ich mir zu einer andern, die ordentlich gelten soll, noch Zeit nehmen werde, so habe ich kein Bedenken getragen, mein würdiges Vorbild in vielen Stellen bloß zu übersetzen und in andern zu kopieren. Den Geist glaube ich so ziemlich getroffen zu haben.

Aber nun ein Hauptanliegen. Wenn Sie die Predigt gelesen haben, so werden Sie selbst finden, daß sie notwendig um einige Szenen später kommen muß, wenn man durch die beiden Jäger und andre Figuren schon einen Begriff von den Soldaten durch sie selbst bekommen hat. Käme sie früher, so würden die unmittelbar folgenden Szenen dadurch geschwächt und gegen die Gradation gefehlt werden. Auch ift es gut, daß unmittelbar nach ihr eine belebte handelnde Szene folge, daher ift mein Vorfchlag, fie unmittelbar entweder vor dem Auftritt des Rekruten oder, was mir noch lieber wäre, unmittelbar vor der Ertappung des Bauren und dem Auflauf im Zelt zu bringen. Es wird an der übrigen Ökonomie dadurch gar nicht gerückt, wie Sie finden werden, es ift nur ein Stichwort zu verändern. Die paar Reden, welche die Soldaten darin bekommen haben, find in ein paar Minuten gelernt.

Daß ich den Spielmann und den Tanz habe noch anbringen müffen, um die Szene beim Eintritt des Kapuziners bunt und belebt zu machen, werden Sie gleichfalls für notwendig erkennen.

Habeu Sie Dank für das Anfangslied; ich finde es ganz zweck= mäßig, vielleicht kann ich noch ein paar Strophen anflicken, denn es möchte um ein weniges zu kurz fein.

Ich will von Morgen an immer auf dem Sprung fein, abzu= reifen. Leben Sie recht wohl.　　　　　　　　　　　　S.

An Wolfgang von Goethe.

Jena, den 9. Oktober 1798.

Dank für die überfchickten Decken und Kupfer, die wir hier recht nötig brauchten, und für die gute Nachrichten befonders, die Sie mir vom Gang unfrer Theatralien fchreiben. Der Auffchub des Stücks kann mir nicht anders als lieb fein, auf den Donners= tag hoffe ich bei guter Zeit da fein zu können. Bei diefer belebten Behandlung der Sache entwickeln fich allerlei Dinge in meinem Kopf, die dem Wallenftein noch zuftatten kommen werden. Das Vorfpiel denke ich noch vielmehr für das Ganze zu benutzen und weiß auch fchon viele bedeutende Striche, die es noch zu feinem Vorteil erhalten foll. Die Arbeit wird mir vergrößert und doch zugleich befchleunigt werden.

Hätte ich gedacht, daß die Kapuzinerpredigt morgen früh nicht zu fpät kommen würde, fo hätte fie noch beffer ausfallen müffen.

Im Grund macht es mir große Lust, auf diese Fratze noch etwas zu verwenden; denn dieser Pater Abraham ist ein prächtiges Original, vor dem man Respekt bekommen muß, und es ist eine interessante und keineswegs leichte Aufgabe, es ihm zugleich in der Tollheit und in der Gescheidigkeit nach= oder gar zuvorzutun. Indes werde ich das Möglichste versuchen.

Das Soldatenlied habe ich noch mit ein paar Versen vermehrt, die ich beilege. Es deucht mir, daß es gut sein wird, dem Zu= schauer anfangs etwas Zeit zu geben, sowie auch den Statisten selbst, die Gruppe in ihrer Bewegung zu sehen und die Anord= nungen zu machen. Sie werden es wohl so einrichten, daß mehrere Stimmen sich in die Strophen teilen, und daß auch ein Chorus die letzten Zeilen immer wiederholt.

Sie haben es mit den Veränderungen, die Sie in meinem Text vorgenommen, ganz gnädig gemacht. Von einigen ist mir die Ursache nicht gleich klar, doch darüber werden wir sprechen. Solche Kleinigkeiten führen oft zu den nützlichsten Bemerkungen.

Leben Sie recht wohl. Ich freue mich nur, daß Lust und Humor Sie bei dieser mechanischen Hetzerei nicht verlassen.

Meine Frau grüßt aufs beste.

S.

Sollten Sie mir morgen mit der Botenfrau noch etwas zu sagen haben, so lassen Sie ihr doch einprägen, mir den Brief zeitig zu übergeben. Ich erhalte ihn sonst erst Donnerstags.

An August Wilhelm Iffland.

Jena, den 15. Oktober 1798.

Ich erhielt Ihren werten Brief, eben als ich im Begriff war, nach Weimar zur Repräsentation von Wallensteins Lager abzu= gehen, und sogleich nach meiner Zurückkunft eil ich, Ihnen zu antworten.

Wallenstein ist eine Suite von drei Stücken. Das erste heißt Wallensteins Lager, es ist ein Vorspiel in einem Akt, welches fünf Viertelstunden spielt und die mehrsten Figuren hat. Es ist ein Gemälde der Wallensteinischen Armee, gibt ein Bild von Deutschlands Zustande im Dreißigjährigen Krieg, zeigt die Dispositionen der Regimenter für und gegen den Feldherrn und ist bestimmt, den Grund zu zeichnen, auf welchem die Wallensteinische Unternehmung vorgeht. Man kann es zwar, wie wir in Weimar wirklich getan haben, für sich allein spielen, da es ein Kriegs- und Lagergemälde ist und ein Ganzes für sich ausmacht. Schicklicher aber wird es mit dem zweiten Stücke verbunden.

Dieses zweite Stück heißt die Piccolomini, von den beiden am meisten darin handelnden Personen. Es ist in fünf Akten, wird aber nicht viel über zwei gute Stunden spielen. Dies Stück enthält die ganze Exposition des Wallenstein und hört da auf, wo der Knoten geschürzt ist. Am Schlusse hat es einen Epilog, der den Übergang zu dem dritten Stück bildet.

Das dritte Stück heißt Wallensteins Abfall und Tod und ist die eigentliche Tragödie. Da die Exposition völlig geschehen und der Knoten geschürzt ist, so ist es von der ersten Szene an eine ununterbrochene fortgehende Handlung. Es hat auch fünf Akte und wird drei kleine Stunden spielen. Die Dekoration wird in allen drei Stücken nicht anders als zwischen den Akten verändert, die Dekorationen für alle drei Stücke überhaupt, sowie auch das Kostüm kann Ihnen vorläufig zugesendet werden.

Da ich die Repräsentation in Weimar dazu benutze, um den Stücken die nur möglichste Gelenkigkeit und Lebhaftigkeit zu geben, so kann ich sie nicht eher an ein andres Theater absenden, als bis ich jedes in Weimar habe spielen sehen. In den ersten Wochen des Dezembers, nicht früher, kann das dritte Stück zu Weimar gegeben sein, und so könnte ich ohngefähr auf den 18. oder 20. Dezember die sämtliche Suite an Sie abgehen lassen.

Das Vorspiel ist in kurzen gereimten Versen, etwa wie Goethes

Puppenspiel und sein Faust. Die zwei andern Stücke sind in freien Jamben und für die bequeme Rezitation des Schauspielers eingerichtet.

Die Verse des Vorspiels sind bei dem weimarischen Theater mit sehr vieler Leichtigkeit gesprochen worden und haben das Publikum wohl unterhalten.

Ich mache ungern Bedingungen, indessen da es in solchen Fällen das Beste ist, seine Intention gerade herauszusagen, so will ich keine Umstände machen. Ich verlange für die drei Stücke zusammen 60 Friedrichsdor, ein Preis, bei dem ich allerdings die Größe des Berliner Publikums, den Glanz Ihres Theaters und vorzüglich Ihre Gefälligkeit in Anschlag gebracht habe.

Ich habe noch an kein ander Theater darüber geschrieben, wenn ich das wenige abrechne, was Schröder durch Böttiger in Weimar davon gehört haben mag.

Was Sie Herru Rat Schlegel wegen des Wallenstein aufgetragen, ist mir erst vor drei Tagen in Weimar durch Goethen ausgerichtet worden.

Empfangen Sie die Versicherung meiner aufrichtigen Achtung.

Schiller.

An Wolfgang von Goethe.

Jena, den 18. Oktober 1798.

Nach dem heutigen wohl zurückgelegten Tag ist die Ruhe freilich das Beste. Ich freue mich, daß alles so heiter und vergnügt von uns geschieden ist, und was mich selbst betrifft, so habe ich einen recht angenehmen Tag durchlebt.

Ich hoffe, Sie morgen desto länger zu sehen. Nach dem Abschreiber will ich mit dem frühesten schicken.

Schlafen Sie recht wohl.

Sch.

An Friedrich Cotta.

Jena, den 19. Oktober 1798.

Es sind am 17. Oktober dreihundertzweiundsechzig Almanache an Sie abgegangen; weil aber die Umschläge und Titelkupfer dazu noch nicht parat waren, so habe ich nur einstweilen deren hundert mit der reitenden Post nachgesandt, und morgen gehen die übrigen mit der fahrenden Post ab; zehen Titelkupfer ausgenommen, die noch fehlen und die die reitende Post nachbringen soll! Wenn Sie also das heutige Paket erhalten, so müssen die hundert Decken und Titelkupfer in Ihren Händen sein.

Heute hat Goethe auch ein Paket für die Expedition der Allgemeinen Zeitung abgeschickt, er rechnet darauf, daß es sogleich und ohne den Umweg nach Tübingen zu machen, als Beilage abgedruckt und ausgegeben werde. Es ist berechnet, daß es gerade ein Blatt von einem halben Bogen füllen wird.

Ich lege auch ein Kalender-Exemplar bei, wenn die andern etwa noch nicht angekommen sein sollten. Göpferdt wollte es auf sich nehmen, alle Aushängebogen an Sie zu senden, aber seine Bestellungen sind nicht die sichersten.

Herrn Haselmeyer bitte zu benachrichtigen, daß das Vorspiel nicht anders als in gereimten Versen gespielt werden kann und darf, und daß es eine Schande für jedes Theater sein würde, das sich vor gereimten Versen fürchtete, nachdem es in Weimar mit Glück ausgeführt worden. Die zwei andern Stücke kann ich ihm in Prosa schreiben und ein wenig prosaisch stilisieren, damit sein Wunsch erfüllt wird. Sonst bleibt es bei meinen Bedingungen.

Den Brief, worin ich Sie bitte, mir das Honorar für den Almanach baldigst zu übermachen, haben Sie hoffentlich erhalten.

Beilage an meine Mutter bitte gütigst zu besorgen. Leben Sie recht wohl. Der Ihrige

S.

An Wolfgang von Goethe.

Jena, den 23. Oktober 1798.

Es ist schade, daß Sie diese letzten schönen Tage nicht noch in Jena ausgewartet habeu. Es geht uns darin ganz wohl, ob ich gleich in meiner Arbeit nicht so schnell fortrücke, als ich dachte. Die Umsetzung meines Texts in eine angemessene, deutliche und maulrechte Theatersprache ist eine sehr aufhaltende Arbeit, wobei das Schlimmste noch ist, daß man über der notwendigen und lebhaften Vorstellung der Wirklichkeit, des Personals und aller übrigen Bedingungen allen poetischen Sinn abstumpft. Gott helfe mir über diese Besogne hinweg. Übrigens kounte es nicht fehlen, daß dieser deutliche Theaterzweck, auf den ich jetzt losarbeite, mich nicht auch zu einigen neuen wesentlichen Zusätzen und Veränderungen veranlaßt hätte, welche dem Ganzen zuträglich sind.

Ich habe seit Ihrer Abreise nichts vorgenommen als meine Arbeit und nichts gesehen als meine Familie, kann Ihnen also heute nichts Neues noch sonst Erbauliches schreiben. Wenn Sie etwas in Erfahrung bringen, so lassen Sie michs ja wissen.

Leben Sie recht wohl. Meine Frau empfiehlt sich. An Meyern schöne Grüße.

Sch.

Beiliegenden Almanach bitte an Herdern abgeben zu lassen.

An Wolfgang von Goethe.

Jena, den 26. Oktober 1798.

Ein Besuch, der mir bis in den späten Abend blieb, läßt mich heute nicht viel sagen. Ich bitte Sie, mir die Auslagen für den Almanach aufsetzen zu lassen und baldmöglichst zu senden, daß ich diese Sache mit Cotta berichtigen kann. Auch frage ich an, ob die 24 Louisdor, welche wir Ihnen für den Almanach schuldig geworben, hier an Sie bezahlt oder bei Cotta berechnet werden. Wenn Sie Montags nicht selbst hier sind, so bitte ich mir bis dahin Ihre Antwort darüber aus.

Herzlich grüßen wir Sie. Ich muß mit Herrn Cottas Formel schließen:

In Eil.

Sch.

An Friedrich Cotta.

Jena, den 26. Oktober 1798.

Nur in zwei Worten melde ich Ihnen heute den richtigen Empfang Ihres Briefs, auf welchen mir Hofrat Schütz auch sogleich 252 Laubtaler bar ausbezahlt, und danke Ihueu verbindlich für diese baldige Besorgung.

Die Rechnungen der Buchbinder und das, was für Decken und Kupfer ist ausgelegt worden, sende ich mit nächster Post. Heute nichts mehr. Ich schreibe in größter Eile. Leben Sie bestens wohl. Ihr

Sch.

An Friedrich Cotta.

Jena, den 28. Oktober 1798.

Habeu Sie die Güte, lieber Freund, die Inlage, sobald es möglich, im Einschluß an den Herru Henrichs in Paris, mit dem Sie Geschäfte haben, an Herrn von Humboldt gelangen zu lassen. Wollen Sie noch zugleich diejenigen zwei Zeitungsblätter, wo Wallensteins Lager angekündigt, und das, wo es beurteilt ist, an Herru von Humboldt beilegen, so werden Sie mich sehr verbinden. Das Paket schicke ich deswegen unversiegelt an Sie.

Anbei schicke ich auch die Künstler= und Buchbinderrechnungen über das bereits Fertige. Herr Böhme hat aber von Leipzig aus geschrieben, daß der Rest der Auflage hier auch broschiert werden soll. Es sind daher noch zwischen sechs- und siebenhundert zurück, welche nicht auf dem Zettel stehen. Die Buchbinder habe ich bezahlt. Wenn Sie mir den Betrag dieser Quittung nebst noch 24 Reichstaler 9 Groschen für die noch übrig zu broschierenden Almanache, mithin in allem

171 Reichstaler und 50 Laubtaler Rest vom Honorar
macht zusammen 248 Reichstaler

im November noch hieher senden wollen, so ist mirs lieb.

Für das Exemplar der Propyläen danke ich aufs schönste. Sie nehmen sich sehr gut aus. Ich wünsche nun herzlich, daß Sie recht viel Glück dabei haben mögen.

Goethes lebhafter Anteil an der Allgemeinen Zeitung muß Sie sehr erfreuen. Diese Ehre ist noch keiner Zeitung von ihm widerfahren.

Wenn der Wallenstein druckfertig ist, so mögen sich die Herrn Schweighäuser oder die zwei andern daran versuchen. Ich zweifle aber, ob er das französische Joch sich wird auflegen lassen.

Wollen Sie an Herrn Buchhändler Bell in London in Ihrem Namen schreiben oder schreiben lassen, daß er den Wallenstein in Manuskript haben soll, zum Übersetzen; wenn er für die drei Stücke zusammen 60 Pfund bezahlt, so ist mirs lieb. Aber sie müßten ihn auf Antwort pressieren.

Leben Sie recht wohl. Ganz der Ihrige

Schiller.

An Gottfried Körner.

Jena, den 29. Oktober 1798.

Wenn ich dir sage, daß ich in neun Wochen die zwei noch übrigen Wallensteinschen Schauspiele auf die Bühne zu bringen habe, so wirst du Nachsicht mit meiner Saumseligkeit im Schreiben haben. In der Tat habe ich absolut keinen Begriff davon, wie ich in diesem Zeitraum fertig werden soll, da außer einigen Bogen, die ganz neu zu machen sind, jede Szene in diesen zehn Akten zu retuschieren ist. Aber grade diese Notwendigkeit, das Ganze in einem kurzen Zeitraum schnell durch den Kopf zu treiben, wird ihm gut tun und auf das Total einen glücklichen Einfluß haben.

Das Vorspiel ist nun in Weimar gegeben. Die Schauspieler sind freilich mittelmäßig genug; aber sie taten, was sie konnten, und man mußte zufrieden sein. Die Neuerung mit den gereimten Versen fiel nicht auf, die Schauspieler sprachen die Verse mit vieler Freiheit, und das Publikum ergötzte sich. Übrigens ist es ergangen, wie wir erwarteten. Die große Masse staunte und gaffte das neue dramatische Monstrum an, einzelne wurden wunderbar ergriffen. Du kannst, wenn die Allgemeine Zeitung von Posselt in Dresden zu haben ist, das Nähere über diese Wallensteinschen Repräsentationen in Weimar gedruckt lesen; denn Goethe hat sich den Spaß gemacht, diese Relationen selbst zu machen, daß er sie Böttiger aus den Zähnen reiße. Kannst du aber die Zeitung nicht bekommen, so will ich dir sie schicken.

Es freut mich, daß der Almanach euch Vergnügen gemacht hat, und daß die Balladen Glück machen, ist mir besonders lieb. Glaube nicht, daß ich diese Gattung so leger traktiere; sie wird mir leicht, weil ich darüber klar bin — und in keiner, möcht ich sagen, bin ich mir der freien Kunsttätigkeit so deutlich bewußt. Auch wirst du finden, wenn du diese zwei Balladen kritisch unter= suchen willst, daß ich sie mit ganzer Besonnenheit gedacht und organisiert habe.

Das Bürgerlied, weiß ich wohl, kann nicht allgemein inter= essieren; aber das liegt mehr am trockenen Stoff als an den mythischen Maschinen — diese sind vielmehr das einzige Lebendige darin: denn der Teufel mache etwas Poetisches aus dem un= poetischsten aller Stoffe.

Für das Beste im Almanach halte ich aber, und Goethe auch,

den Prolog zum Wallenstein. Er hat auch in Weimar sowohl beim Lesen als beim Rezitieren selbst viel Sensation gemacht.

Wir freuen uns auf deinen kritischen Brief über den Almanach. Sieh, daß du ihn bald schickst. Goethe ist auch recht begierig danach.

Den dramatischen Prolog sollst du erhalten, sobald er ins Reine geschrieben ist.

Lebe recht wohl. Herzlich umarmen wir euch alle. Vor einer Stunde kam Dorchens Brief an Lottchen an.

Lebe wohl.   Dein S.

Schreib mir auch im nächsten Briefe, wie du künftig zu titulieren bist.

An Wolfgang von Goethe.

Jena, den 30. Oktober 1798.

Wir sind noch immer im Garten, wo wir uns des ungewöhnlich schönen Wetters noch recht erfreuen und vergessen, daß es auf lange Zeit von uns Abschied nimmt. Mit Furcht sehe ich aber den November herankommen, wo ich so viel zu leisten und einen so unfreundlichen Himmel zu erwarten habe. Das Geschäft rückte unterdessen weiter, aber nicht so schnell, als Sie vielleicht denken. Doch hoffe ich, Ihnen, wenn Sie kommen, die zwei ersten Akte ganz fertig und in wenigen Tagen darauf auch die zwei letzten vorzulegen.

Ich habe mit großem Vergnügen unterdessen in den Propyläen gelesen, wo ich mich aufs neue an den klar und bestimmt herausgesprochenen Wahrheiten und Kunstorakeln erbauet habe. Es ist mir, als wenn sie mir noch nie so nahe gerückt, so klar entgegengekommen wären. Sie werden zwar wenigen zugute kommen, aber es ist nur gut, daß Sie veranlaßt worden sind, damit herauszugehen. Es wird merkwürdig sein, wie mancher, der doch auch zu Ihrer Konfession zu gehören glaubt, diese hohen Ideen seinen kleinlichen Begriffen akkommodieren wird.

Daß Schröder sein Kommen so gar ungewiß macht und so weit hinausschiebt, nimmt mich doch wunder. Ich wäre begierig, seinen Brief zu sehen, wenn Sie ihn mitteilen wollen. Indessen soll mir dieser Umstand etwas mehr Freiheit gegen ihn im Verkauf des Wallensteins verschaffen, wenn ich es vielleicht nicht gar überhoben sein kann, mit ihm selbst zu traktieren, da er die Direktion des Theaters, soviel ich weiß, an vier oder fünf Schauspieler verkauft hat.

Von Iffland habe noch keine Antwort.

Die Rechnungen sind an Cotta geschickt. Er hat mir auch ein gutes Exemplar der Propyläen gesendet, so daß Sie mir keins zu schicken brauchen.

Leben Sie recht wohl. Mir ist der Kopf von meinem Tagewerk nicht zum besten zugerichtet.

Meine Frau grüßt aufs schönste. Sch.

An Wolfgang von Goethe.

Jena, den 2. November 1798.

Herrn Schröders Brief send ich anbei zurück. Wir haben, wie ich sehe, ohne seinen Ehrgeiz in Bewegung zu setzen, bloß seiner Eitelkeit geschmeichelt, und unsere Artigkeiten gegen ihn werden, scheint es, bloß dazu gebraucht werden, sein Schmollen mit den Hamburgern desto pikanter zu machen. Es ist klein und armselig, daß er diese lokale Bitterkeiten gegen Menschen, von denen man in Weimar keine Notiz nimmt, in diese reine, freie Kunstangelegenheit und in den Brief an Sie kounte mit einfließen lassen.

NB. Es ist dringend nötig, daß noch sechshundert Kupfer und Umschläge vom Almanach so schnell als möglich abgedruckt werden. Haben Sie daher die Güte, Meyern zu ersuchen, daß er dieses ja schleunigst besorgen möge und daß ich spätestens auf den Mittwoch Abend vierhundert davon bekomme. Ich hatte es Cotta ersparen wollen, unnötig Geld für diese Sache auszugeben, aber die Gewohnheit, Exemplare auf Kommiſſion zu verſenden, macht, daß eine große Zahl mehr verſchickt als wirklich gekauft wird. Ich ſende zu den Titelkupfern Papier, für die Umſchläge kann es Meyer in Weimar wohl finden, hellgelbes ſcheint das wohlfeilſte zu ſein.

Über den Almanach habe ich noch wenig vernommen. Von Körnern erwarte ich den gewöhnlichen umſtändlichen Brief dar= über; vorläufig habe ich nur von ihm gehört, was ihm am beſten gefallen. Dieſe Art oder Unart, aus Werken einer beſtimmten poetiſchen Stimmung ſich eines auszuſuchen und ihm wie einem beſſer ſchmeckenden Apfel den Vorzug zu geben, iſt mir immer fatal, obgleich es keine Frage iſt, daß unter mehreren Produktionen immer eins das beſſere ſein kann und wird. Aber das Gefühl ſollte gegen jedes beſondere Werk einer beſondern Stimmung ge= rechter ſein, und gewöhnlich ſind hinter ſolchen Urteilen doch nur Sperlingskritiken verſteckt.

Ich hätte gar nicht übel Luſt, ſobald ich vor dem Wallenſtein nur Ruhe habe, zu demjenigen Teil Ihrer Einleitung in die Propy= läen und des Geſprächs, der von der unäſthetiſchen Foderung des Naturwirklichen handelt, das Gegenſtück zu machen und die ent= gegengeſetzte, aber damit gewöhnlich verbundene Foderung des Moraliſchen und Naturmöglichen oder vielmehr Vernunftmög= lichen anzugreifen; denn wenn man von dieſer Seite auch noch herankommt, ſo bekommt man den Feind recht in die Mitte. Sie konnten davon nicht wohl reden, weil dieſe Unart nicht ſowohl die bildenden Künſte und Urteile darüber als die poetiſchen Werke und Kritiken derſelben anzuſtecken pflegt.

Leben Sie recht wohl für heute. Es iſt mir unangenehm, daß Ihre Hieherkunft verzögert wird. Hier heißt es, man würde morgen Wallenſteins Lager wieder ſpielen, ich zweifle aber daran.

Leben Sie recht wohl. Die Frau grüßt aufs beſte.

Die ſechshundert Kupfer und Umſchläge empfehle nochmals.

Schiller.

An Wolfgang von Goethe.

Jena, den 6. November 1798.

Ich schreibe Ihnen von meinem Kastell in der Stadt, wir sind heut eingezogen, und abgemattet, wie ich bin, kann ich Ihnen nichts als einen Gutenabend sagen. Wir habeu lange nichts von Ihnen gehört, es ist mir etwas ganz Ungewohntes, an das ich mich auch nicht gewöhnen möchte.

Die Arbeit geht übrigens ihren Gang fort, und Sie sollen schon etwas getan finden, wenn Sie kommen.

An die Decken und Kupfer erinnre nochmals, ich werde sehr drum gemahnt. Leben Sie recht wohl. Die Frau grüßt aufs beste.

Sch.

An Wolfgang von Goethe.

Jena, den 9. November 1798.

Ich bin seit gestern endlich an den poetisch=wichtigsten, bis jetzt immer aufgesparten Teil des Wallensteins gegangen, der der Liebe gewidmet ist und sich seiner frei menschlichen Natur nach von dem geschäftigen Wesen der übrigen Staatsaktion völlig trennt, ja demselben, dem Geist nach, entgegensetzt. Nun erst, da ich diesem letztern die mir mögliche Gestalt gegeben, kann ich mir ihn aus dem Sinne schlagen und eine ganz verschiedene Stimmung in mir aufkommen lassen, und ich werde einige Zeit damit zuzu= bringen habeu, ihn wirklich zu vergessen. Was ich nun am meisten zu fürchten habe, ist, daß das überwiegende menschliche Interesse dieser großen Episode an der schon feststehenden ausgeführten Handlung leicht etwas verrücken möchte, denn ihrer Natur nach gebührt ihr die Herrschaft, und je mehr mir die Ausführung der= selben gelingen sollte, desto mehr möchte die übrige Handlung dabei ins Gedränge kommen. Denn es ist weit schwerer, ein Interesse für das Gefühl als eins für den Verstand aufzugeben.

Vorderhand ist nun mein Geschäft, mich aller Motive, die im ganzen Umkreis meines Stücks für diese Episode und in ihr selbst liegen, zu bemächtigen und so, wenn es auch langsam geht, die rechte Stimmung in mir reifen zu lassen. Ich glaube mich schon auf dem eigentlichen rechten Weg zu finden und hoffe daher keine verlorene Frais zu machen.

So viel muß ich aber vorher sagen, daß der Piccolomini nicht eher aus meiner Hand in die der Schauspieler kommen kann und darf, als bis wirklich auch das dritte Stück, die letzte Hand ab= gerechnet, ganz aus der Feder ist. Und so wünsche ich nur, daß mir Apollo gnädig sein möchte, um in den nächsten sechs Wochen meinen Weg zurückzulegen.

Damit mir meine bisherige Arbeit aus den Augen komme, sende ich sie Ihnen gleich jetzt. Es sind nur eigentlich zwei kleine Lücken geblieben, die eine betrifft die geheime mystische Geschichte zwischen Octavio und Wallenstein und die andere die Präsen= tation Questenbergs an die Generale, welche mir in der ersten Aus= führung noch etwas Steifes hatte und wo mir die rechte Wendung noch nicht einfiel. Die zwei ersten und die zwei letzten Akte sind sonst fertig, wie Sie sehen, und der Anfang des dritten ist auch abgeschrieben.

Vielleicht hätte ich mirs ersparen können, Ihnen das Manu= skript nach Weimar zu schicken, da ich Sie nach Ihrem letzten Brief jeden Tag erwarten kann.

Zu den Farbenuntersuchungen wünsche ich Ihnen ernstlich Glück, denn es wird sehr viel gewonnen sein, wenn Sie diese Last sich vom Herzen gewälzt haben, und da der Winter Sie so nicht zum Produktiven stimmt, so können Sie ihn nicht besser anwenden, als wenn Sie, neben der Sorge für die Propyläen, dieser Arbeit sich widmen.

Was von Decken und Kupfer fertig ist, bitte mir mit der Botenfrau zu senden. Von den Kupfern brauche ich hundertfünf= zehn weniger als bestellt sind, denn so viel fanden sich zufälliger=

weiſe noch. Ich erſuche Meyern, dieſe abzuſtellen, wenns noch
Zeit iſt.

Daß mir Iffland noch nicht geantwortet, kommt mir bedenklich
vor, denn er preſſierte mich ſelbſt ſo ſehr, und es iſt ſein Intereſſe,
das Stück bald zu habeu, wenn er es ernſtlich will.

Leben Sie nun recht wohl. Mein Aufenthalt in der Stadt iſt
mir bisher ganz gut bekommen, Meine Frau grüßt.

Sch.

An Auguſt von Kotzebue.

Jena, den 16. November 1798.

Ihre gütige Zuſchrift vom 3. dieſes Monats habe ich geſtern
erhalten und verſäume keinen Augenblick, Ihnen wegen meines
Stückes die verlangte Auskunft zu geben.

Es beſteht eigentlich aus drei Stücken, einem Vorſpiel in einem
Akte, worin die Wallenſteinſche Armee charakteriſieret und ein
Gemälde des Zeitmoments entworfen iſt, und aus zwei andern
Schauſpielen, jedes in fünf Akten geſchrieben. Das Vorſpiel,
welches Wallenſteins Lager heißt, und das zweite Stück: Die
Piccolomini, ſind für Eine Abendrepräſentation und das dritte,
eigentliche Stück: Wallenſteins Abfall und Tod, für die
andere berechnet. Indes könnten alle drei Stücke, wenn die Kon=
venienz eines beſondern Theaters es erfoderte, in ein einziges, großes,
vier Stunden lang ſpielendes Stück zuſammengezogen werden.

Mit größtem Vergnügen würde ich bereit ſein, Ihnen das
Stück unter den angebotnen Bedingungen zu überlaſſen, es kommt
aber hier fürs erſte auf die Beantwortung der Frage an: „ob man
in Wien überhaupt nur erlauben wird, Wallenſteins Geſchichte
auf die Bühne zu bringen?" Denn was die Ausführung dieſes
Stoffes ſelbſt betrifft, ſo verſtünde es ſich von ſelbſt, daß ich alles
und jedes, was der Zenſur nur irgend anſtößig darin ſein möchte,
ſorgfältig ausmerzte.

Ihnen als einem dramatischen Meister und meinem Kollegen auf dieser Bahn brauche ich nicht zu sagen, daß bei einem Stoff wie dieser, die Gründe pro und contra in Anregung gebracht werden mußten, und obgleich schon das poetische Interesse es mit sich brachte, das Kriminelle in Wallensteins Handeln mit den leb=haftesten Farben abzuschildern und Abscheu dagegen zu erwecken, doch natürlicherweise die Gesinnung, die ihn dazu bewogen, und die Gründe, die sein Betragen menschlich motivieren, obgleich keineswegs entschuldigen, ins Licht gesetzt werden mußten. Ich kann mich, was diesen Punkt betrifft, dem Urteil des strengsten politischen Richters unterwerfen, ja es würde mir sogar lieb sein, wenn die Wiener Zensur, überzeugt von meinen Grundsätzen, das Manuskript darnach beurteilen wollte. Und wäre mir zufällig auch etwas entwischt, was auf der Bühne mißdeutet werden könnte, so würde ich mich ohne alles Bedenken der nötigen Auslassung unter=werfen, sowie ich Ihnen überhaupt plein pouvoir gebe, die not=wendigen Veränderungen in dem Stück, ohne weitere Rückfrage mit mir, zu treffen.

Ich erwarte daher, ehe ich das Stück für das Theater in Wien in Ordnung bringe und eine vergebliche Mühe riskiere, Ihre ge=fällige Erklärung darüber, ob die Zensur in Wien die Vorstellung des Wallensteins aus historisch=politischen Gründen überhaupt gestatten wird; denn die Gründe dagegen, die von der Bearbeitung könnten hergenommen werden, hoffe ich alle entweder selbst weg=zuräumen, oder ich könnte mich darüber auf Ihre Sorgfalt ver=lassen. Drei Wochen nach erhaltener Antwort von Ihnen könnte ich alsdann das Stück an Sie absenden. Empfangen Sie die Versicherung meiner aufrichtigen Hochachtung, die ich Ihren Ver=diensten schuldig bin und hier mit Vergnügen an den Tag lege.

Schiller.

An Friedrich Cotta.

Jena, den 21. November 1798.

Ich wollte Ihnen heute verschiedenes schreiben, was wegen Wallensteins noch zu besprechen ist, aber Goethe, der eben da ist, unterbricht mich, und ich melde also bloß den Empfang des Geldes, wofür ich bestens danke. Meyers Quittung werde schicken, sobald ich sie erhalte.

Herr Böhme hat es mit Göpferdt übertrieben. Über 1300 Exemplare sind schon um die Mitte Oktobers nach Leipzig abgegangen. Die Absendung der übrigen, welche nun alle seit acht Tagen in Leipzig sind, haben die Kupferdrucker und Buchbinder verzögert.

Daß Haselmeier nicht schreibt, mag wohl daher rühren, daß er die Erscheinung des gedruckten Wallensteins abwarten und die 25 Louisdor sparen will. Ich finde, daß mir dieser Umstand auch bei andern Theatern im Wege ist, und eben darüber habe ich einen Vorschlag zu tun, doch davon im nächsten Briefe.

Leben Sie bestens wohl.

S.

An Wolfgang von Goethe.

Jena, den 21. November 1798.

Ich bitte mir die Piccolominis aus. Iffland, der heute geschrieben und meinen Kontrakt ratifiziert hat, treibt mich, das Stück bald zu schicken, und so muß ich denn die Nebenstunden benutzen, ihm seine letzte Gestalt zu geben. Auch wollen wir, wenn es Ihnen recht ist, in diesen Tagen über die Theaterfoderungen an das Stück übereinzukommen suchen.

S.

An Wolfgang von Goethe.

Jena, den 24. November 1798.

Ich wünsche Ihnen also, da ich Sie heute nicht mehr sehe, eine reiche Ausbeute bei der heutigen Charakterausstellung. Ich selbst werde den Abend in stiller philosophischer Gesellschaft mit Schelling zubringen.

Der heutige Wintertag, durch das Schlittengeklingel unterbrochen, ist mir nicht unangenehm; und obgleich meine jetzige Arbeit nicht von der Art ist, daß sich die Fortschritte gut bemerken lassen, so bin ich doch nicht untätig.

Anbei folgen die Atlanten, die Sie doch vielleicht unterhalten, da sich der verwegene oratorische Ton an Diderots Kunstreflexionen einigermaßen anschließt, den Geist immer ausgenommen.

Leben Sie recht wohl. Ich hoffe morgen viel von Ihnen zu hören.

Sch.

An Wolfgang von Goethe.

Jena, den 30. November 1798.

Ich bin es diese Tage her so gewohnt worden, daß Sie in der Abendstunde kamen und die Uhr meiner Gedanken aufzogen und stellten, daß es mir ganz ungewohnt tut, nach getaner Arbeit mich an mich selbst verwiesen zu sehen. Besonders wünschte ich, daß es uns nicht erst am letzten Tag eingefallen wäre, den chromatischen Kursus anzufangen, denn gerade eine solche reine Sachbeschäftigung gewährte mir eine heilsame Abwechslung und Erholung von meiner jetzigen poetischen Arbeit, und ich würde gesucht haben, mir in Ihrer Abwesenheit auf meine eigene Weise darin fortzuhelfen. Soviel bemerkte ich indessen, daß ein Hauptmoment in der Methode sein wird, den rein faktischen sowie den polemischen Teil aufs strengste von dem hypothetischen unterschieden zu halten, daß die

Evidenz des Falles und die des Newtonischen Falsums nicht in das Problematische der Erklärung verwickelt werde und daß es nicht scheine, als wenn jene auch so wie diese einen gewissen Glauben postuliere. Es liegt zwar schon in Ihrer Natur, die Sache und die Vorstellung wohl zu trennen, aber demunerachtet ist es kaum zu vermeiden, daß man eine gangbar gewordene Vorstellungsweise nicht zuweilen den Dingen selbst unterschiebt und aus einem bloßen Instrument für das Denken eine Realursache zu machen geneigt ist.

Ihre lange Arbeit mit den Farben und der Ernst, den Sie darauf verwendet, muß mit einem nicht gemeinen Erfolg belohnt werden. Sie müssen, da Sie es können, ein Muster aufstellen, wie man physikalische Forschungen behandeln soll, und das Werk muß durch seine Behandlung eben so belehrend sein als durch seine Ausbeute für die Wissenschaft.

Wenn man überlegt, daß das Schicksal dichterischer Werke an das Schicksal der Sprache gebunden ist, die schwerlich auf dem jetzigen Punkte stehen bleibt, so ist ein unsterblicher Name in der Wissenschaft etwas sehr Wünschenswürdiges.

Heute endlich habe ich den Wallenstein zum erstenmal in die Welt ausfliegen lassen und an Iffland abgeschickt. Die Kostüme werden Sie so gütig sein, ihm bald schicken zu lassen, weil er sie bald nötig haben könnte. Ich hab ihn vorläufig davon benachrichtigt.

Meyern, den ich bestens grüße, bitte um Zurücksendung der quittierten Rechnung.

Leben Sie recht wohl in Ihren jetzigen Zerstreuungen. Wie wünschte ich, daß Sie mir Ihre Muße, die Sie jetzt gerade nicht brauchen, zu meiner jetzigen Arbeit leihen könnten.

Die Frau grüßt Sie bestens. Leben Sie wohl.

Sch.

An Wolfgang von Goethe.

Jena, den 4. Dezember 1798.

Ich muß Sie heute mit einer astrologischen Frage behelligen und mir Ihr ästhetisch-kritisches Bedenken in einer verwickelten Sache ausbitten.

Durch die größere Ausdehnung der Piccolomini bin ich nun genötigt, mich über die Wahl des astrologischen Motivs zu entscheiden, wodurch der Abfall Wallensteins eingeleitet werden und ein mutvoller Glaube an das Glück der Unternehmung in ihm erweckt werden soll. Nach dem ersten Entwurf sollte dies dadurch geschehen, daß die Konstellation glücklich befunden wird, und das Speculum astrologicum sollte in dem bewußten Zimmer vor den Augen des Zuschauers gemacht werden. Aber dies ist ohne dramatisches Interesse, ist trocken, leer und noch dazu wegen der technischen Ausdrücke dunkel für den Zuschauer. Es macht auf die Einbildungskraft keine Wirkung und würde immer nur eine lächerliche Fratze bleiben. Ich habe es daher auf eine andere Art versucht und gleich auszuführen angefangen, wie Sie aus der Beilage ersehen.

Die Szene eröffnete den vierten Akt der Piccolomini, nach der neuen Einteilung, und ginge dem Auftritte, worin Wallenstein Sesins Gefangennehmung erfährt und worauf der große Monolog folgt, unmittelbar vorher, und es wäre die Frage, ob man des astrologischen Zimmers nicht ganz überhoben sein könnte, da es zu keiner Operation gebraucht wird.

Ich wünschte nun zu wissen, ob Sie dafür halten, daß mein Zweck, der dahin geht, dem Wallenstein durch das Wunderbare einen augenblicklichen Schwung zu geben, auf dem Weg, den ich gewählt habe, wirklich erreicht wird, und ob also die Fratze, die ich gebraucht, einen gewissen tragischen Gehalt hat und nicht bloß als lächerlich auffällt. Der Fall ist sehr schwer, und man mag es angreifen wie man will, so wird die Mischung des Törichten und

Abgeschmackten mit dem Ernsthaften und Verständigen immer anstößig bleiben. Auf der andern Seite durfte ich mich von dem Charakter des Astrologischen nicht entfernen, und mußte dem Geist des Zeitalters nahe bleiben, dem das gewählte Motiv sehr entspricht.

Die Reflexionen, welche Wallenstein darüber anstellt, führe ich vielleicht noch weiter aus, und wenn nur der Fall selbst dem Tragischen nicht widersprechend und mit dem Ernst [nicht] unvereinbar ist, so hoffe ich ihn durch jene Reflexionen schon zu erheben.

Haben Sie nun die Güte und sagen mir darüber Ihre Meinung.

Das jetzige fatale Wetter setzt mir sehr zu, und ich habe durch Krämpfe und Schlaflosigkeiten wieder einige Tage für meine Arbeit verloren.

Meine Frau empfiehlt sich aufs beste, und für den Braten danken wir Ihnen gar schön. Er ist sehr willkommen gewesen.

Leben Sie recht wohl. Ich wünsche zu hören, daß Sie in Ihren Schematibus etwas vorrücken mögen.

Sch.

[Beilage.]

Wallenstein. So ist er tot, mein alter Freund und Lehrer?
Seni. Er starb zu Padua in seinem hundert
    Und neunten Lebensjahr, grad auf die Stunde,
    Die er im Horoskop sich selbst bestimmt;
    Und unter drei Orakeln, die er nachließ,
    Wovon zwei in Erfüllung schon gegangen,
    Fand man auch dies, und alle Welt will meinen,
    Es geh' auf dich.

    (Er schreibt mit großen Buchstaben auf eine schwarze Tafel.)

Wallenstein (auf die Tafel blickend).

   Ein fünffach F. — Hm! Seltsam!

   Die Geister pflegen Dunkelheit zu lieben —

   Wer mir das nach der Wahrheit lesen könnte.

Seni. Es ist gelesen, Herr.

Wallenstein.   Es ist? Und heißt?

Seni. Du hörtest von dem siebenfachen M,

   Das von dem nämlichen Philosophus

   Kurz vor dem Hinscheid des hochseligen Kaisers

   Matthias in die Welt gestellet worden.

Wallenstein. Jawohl! Es gab uns damals viel zu denken.

   Wie hieß es doch? Ein Mönch hat es gedeutet.

Seni.

   Magnus Monarcha Mundi Matthias Mense Majo Morietur.

Wallenstein. Und das traf pünktlich ein, im Mai verstarb er.

Seni. Der jenes M gedeutet nach der Wahrheit,

   Hat auch dies F gelesen.

Wallenstein (gespannt).   Nun! Laß hören!

Seni. Es ist ein Vers.

Wallenstein.   In Versen spricht die Gottheit.

Seni (schreibt mit großen Buchstaben auf die Tafel).

Wallenstein (liest). Fidat Fortunae Friedlandus.

Seni. Friedland traue dem Glück. (Schreibt weiter.)

Wallenstein (liest).   Fata Favebunt.

Seni. Die Verhängnisse werden ihm hold sein.

Wallenstein.

   Friedland traue dem Glück! Die Verhängnisse werden ihm hold sein.

       (Er bleibt in tiefen Gedanken stehen.)

   Woher dies Wort mir schallt — Ob es ganz leer,

   Ob ganz gewichtig ist, das ist die Frage!

   Hier gibts kein Mittleres. Die höchste Weisheit

   Grenzt hier so nahe an den höchsten Wahn.

   Wo soll ichs prüfen? — Was die Sinne mir

Seltsames bringen, ob es aus den Tiefen
Geheimnisvoller Kunst heraufgestiegen,
Ob nur ein Trugbild auf der Oberfläche —
Schwer ist das Urteil, denn Beweise gibts
Hier keine. Nur dem Geiste in uns
Gibt sich der Geist von außen zu erkennen.
Wer nicht den Glauben hat, für den bemühn
Sich die Dämonen in verlornen Wundern,
Und in dem sinnvoll tiefen Buch der Sterne
Liest sein gemeines Aug' nur den Kalender.
Dem reben die Orakel, der sie nimmt,
Und wie der Schatte sonst der Wirklichkeit,
So kann der Körper hier dem Schatten folgen.
Denn wie der Sonne Bild sich auf dem Dunstkreis
Malt, eh' sie kommt, so schreiten auch den großen
Geschicken ihre Geister schon voran,
Und in dem Heute wandelt schon das Morgen.
Die Mächte, die den Menschen seltsam führen,
Drehn oft das Janusbild der Zeit ihm um,
Die Zukunft muß die Gegenwart gebären.
Fidat Fortunae Friedlandus, Fata Favebunt.
Es klingt nicht wie ein menschlich Wort — Die Worte
Der Menschen sind nur wesenlose Zeichen,
Der Geister Worte sind lebendige Mächte.
Es tritt mir nah wie eine dunkle Kraft
Und rückt an meinen tiefsten Lebensfäden.
Mir ist, indem ichs bilde mit den Lippen,
Als hübe sichs allmählich und es träte
Starrblickend mir ein Geisterhaupt entgegen. —

An Wolfgang von Goethe.

Jena, den 7. Dezember 1798.

Wir leben jetzt wieder in sehr entgegengesetzten Zuständen, Sie unter lauter Zerstreuungen, die Ihnen keine Sammlung des Gemüts erlauben und ich in einer Abgeschiedenheit und Einförmigkeit, die mich nach Zerstreuung seufzen macht, um den Geist wieder zu erfrischen. Ich habe übrigens diese traurigen Tage, die sich erst heute wieder aufhellten, nicht ganz unnütz verbracht und einige bedeutende Lücken in meiner Handlung ausgefüllt, wodurch sie sich immer mehr rundet und stetiger wird. Es sind verschiedene ganz neue Szenen entstanden, die dem Ganzen sehr gut tun. Auch jenen nicht ganz aufzuhebenden Bruch, von dem Sie schreiben, in betreff des Tollen und Vernünftigen, seh ich dadurch etwas vermindert, indem alles darauf ankommt, daß jene seltsame Verbindung heterogener Elemente als beharrender Charakter erscheine, aus dem Total des Menschen hervorkomme und sich überall offenbare. Denn wenn es gelingt, sie nur recht individuell zu machen, so wird sie wahr, da das Individuelle zur Phantasie spricht und man es also nicht mit dem trockenen Verstand zu tun hat.

Wenn Sie glauben, daß wir das astrologische Zimmer nicht einbüßen sollten, so ließe sich immer noch Gebrauch davon machen, auch im Fall, daß wir die andere Fratze beibehielten. Das Mehr schadet hier nichts, und eins hilft dem andern. Mir ist eigentlich nur darum zu tun, daß ich von Ihnen wisse, ob das neulich Überschickte überall nur statthaft ist, denn es ist gar nicht nötig, daß etwas anderes dadurch ausgeschlossen wird.

Ich weiß Ihnen heute nichts zu sagen, was Sie interessieren könnte, denn ich bin nicht aus meiner Arbeit gekommen und habe auch von außen nichts in Erfahrung gebracht.

Wollten Sie mir nicht das Buch über den Kaukasus verschaffen,

von dem Sie mir öfters sagten.   Ich habe jetzt gerade ein Be=
dürfnis nach einer ergötzlichen Lektüre.

Leben Sie recht wohl, an Meyern viele Grüße.   Meine Frau
empfiehlt sich.

S.

An Wolfgang von Goethe.

Jena, den 11. Dezember 1798.

Es ist eine rechte Gottesgabe um einen weisen und sorgfältigen
Freund, das habe ich bei dieser Gelegenheit aufs neue erfahren.
Ihre Bemerkungen sind vollkommen richtig und Ihre Gründe
überzeugend.   Ich weiß nicht welcher böse Genius über mir ge=
waltet, daß ich das astrologische Motiv im Wallenstein nie recht
ernsthaft anfassen wollte, da doch eigentlich meine Natur die Sachen
lieber von der ernsthaften als leichten Seite nimmt.   Die Eigen=
schaften des Stoffes müssen mich anfangs zurückgeschreckt haben.
Ich sehe aber jetzt vollkommen ein, daß ich noch etwas Bedeutendes
für diese Materie tun muß, und es wird auch wohl gehen, ob es
gleich die Arbeit wieder verlängert.

Leider fällt diese für mich so dringende Epoche des Fertig=
werdens in eine sehr ungünstige Zeit, ich kann jetzt gewöhnlich
über die andere Nacht nicht schlafen und muß viel Kraft anwenden,
mich in der nötig Klarheit der Stimmung zu erhalten.   Könnte
ich nicht durch meinen Willen etwas mehr, als andere in ähnlichen
Fällen können, so würde ich jetzt ganz und gar pausieren müssen.

Indessen hoffe ich Ihnen doch die Piccolomini zum Christge=
schenk noch schicken zu können.

Möchten nur auch Sie diese nächsten schlimmen Wochen heiter
und froh durchleben und dann im Januar wieder munter zu uns
und Ihren hiesigen Geschäften zurückkehren.

Ich bin neugierig zu erfahren, was Sie für das vierte Stück
der Propyläen ausgedacht.

Leben Sie recht wohl. Ich erhalte einen Abendbesuch von meinem Hausherrn, der mich hindert mehr zu sagen.

Die Frau grüßt Sie herzlich. Meyern viele Grüße.

S.

An Wolfgang von Goethe.

Jena, den 14. Dezember 1798.

Ich sage Ihnen heute nur einen freundlichen Gruß, denn der Schnupfen nimmt mir den Kopf so ein, daß ich ganz betört von der Arbeit aufstehe. Möchten die nächsten harten drei Wochen nur für Sie und mich vorüber sein!

Für den Nürnberger Dichter danke ich, bis jetzt habe ich noch nicht viel in demselben lesen können. Es ist gar nicht übel, wenn Sie ein paar Worte zu seiner Empfehlung sagen, denn hier ist der Fall, wo keiner das Herz hätte, auf Risiko des eignen Geschmacks zu loben, weil man auf keine modische Formel fußen kann.

Da Ihr Hieherkommen sich nach den Piccolominis richtet, so werde ich Sie wohl zuerst in Weimar sehen, denn ich darf dieses Stück, insofern es für die Bühne bestimmt ist, nicht unvollendet in die neue Jahrzahl hinüberschleppen, auch hoffe ich in dieser Zeit noch das Nötige dafür zu tun. Sobald etwas von den neuen Szenen in Ordnung und abgeschrieben ist, sende ichs Ihnen.

Leben Sie wohl für heute. Die Frau grüßt schönstens.

S.

An Friedrich Cotta.

Jena, den 16. Dezember 1798.

Der versprochene Nachfolger meines letzten Briefs hing von zwei andern Theaterbriefen ab, die ich noch erwartete, und die nicht kamen, darum ist er so lange verzögert worden.

Es ist allerdings ein beträchtlicher Geldverlust für mich, wenn

der Wallenstein auf Ostern erscheint, und da ich weiß, daß Sie
mir diesen gern ersparen, so rechne ich auf Ihre freundschaftliche
Nachgiebigkeit. Ich habe Iffland, der mir 60 Louisdor für die
drei Stücke gibt, schon vorläufig wegen des Drucks zu beruhigen
gesucht, jedoch in unbestimmten Ausdrücken. Die Theater zu
Frankfurt, Wien und Grätz haben sich auch schon darum gemeldet,
und ich bin gewiß, daß auch die Hamburger, Leipziger und Bres-
lauer das Manuskript verlangen werden, sobald die verzögerte
Herausgabe bekannt wird. Gegen eine solche Abänderung kann
das Publikum mit Grunde nichts einwenden, sobald man ihm die
Ursache, nämlich den Wunsch und das Interesse der Theaterdirektionen ehrlich angibt. Es frägt sich nun, welcher Termin zur
Herausgabe bestimmt wird. Ich dächte unmaßgeblich das Neujahr
1800. Bis Ostern 1800 zu warten ist nicht nötig der Theater
wegen, aber ein früherer Termin wie Michaelis 1799 würde den
Theatern zu kurz sein. Wenu Sie mit diesem Vorschlag zufrieden
sind, so soll es unabänderlich dabei bleiben, und ich werde Ihre
Gesinnung daraus abnehmen, daß Sie inliegendes Inseratum in
die Allgemeine Zeitung setzen. Wenn ich es darin finde, und nicht
eher, will ich dann bei den Theatern die Verfügungen treffen.

Zugleich aber ist es billig, daß ich Ihnen die Ihnen noch zu
zahlende Summe von jetzt an ordentlich verinteressiere oder zurück-
zahle, denn da ich durch den Aufschub des Drucks an Einnahme
gewinne, Sie aber durch die Nutzlosigkeit Ihres vorgeschoßnen
Kapitals verlieren, so versteht sich jenes von selbst, und Sie nehmen
mir eine Last vom Herzen, wenn Sie mich hierin bloß merkan-
tilisch behandeln. Einen Teil der Summe kann ich hoffentlich
in einigen Monaten von den Theatereinnahmen an Sie zurück-
zahlen.

Bei Haselmeiern ist nun weiter kein Schritt mehr zu tun. Es
ist ein interessierter kleinlicher Mensch, wie ich sehe, dem ich nun
gute Lust hätte, den Preis zu erhöhen, wenn er sich noch einmal
um das Stück melden sollte.

Goethe hat an seinem Fauſt noch viel Arbeit, eh er fertig wird.
Ich bin oft hinter ihm her, ihn zu beendigen, und ſeine Abſicht iſt
wenigſtens, daß dieſes nächſten Sommer geſchehen ſoll. Es wird
freilich eine koſtbare Unternehmung ſein. Das Werk iſt weitläuftig,
20—30 Bogen gewiß, es ſollen Kupfer dazu kommen, und er
rechnet auf ein derbes Honorar. Es iſt aber auch ein ungeheurer
Abſatz zu erwarten. Es wird gar keine Frage ſein, daß er Ihnen
das Werk in Verlag gibt, wenn Ihnen die Bedingungen recht
ſind, denn er meint es ſehr gut mit Ihnen. Nächſter Tag erhalten
Sie auch einen neuen Beitrag von ihm zur Allgemeinen Zeitung.
Sobald ich nur erſt die Theater mit meinem Wallenſtein verſorgt
habe, ſollen Sie auch von mir Beiträge zur Zeitung erhalten.

Leben Sie recht wohl. Meine Frau empfiehlt ſich Ihneu und
Madame Cotta ſowie ich aufs beſte. Ihr   Sch.

An Wolfgang von Goethe.

Jena, den 18. Dezember 1798.

So wenig ich Anſtand nehme, alles, was Sie von unſerm
Volksdichter Gutes ſagen, im einzelnen wie im allgemeinen zu
unterſchreiben, ſo kommt es mir doch immer als eine gewiſſe
Unſchicklichkeit vor, auf einer ſo öffentlichen Stelle, als die Allge=
meine Zeitung iſt, die Augen auf ihn zu ziehen; für die Vorzüge
der Form iſt einmal kein Sinn zu erwarten, und ſo wird das
Kleine und Gemeine in den Gegenſtänden den delikaten Herren
und Damen Anſtoß geben und den Witzlingen eine Blöße. Das
iſt wenigſtens mein Gefühl, wenn ich mir bei Durchleſung Ihrer
Anzeige zugleich das Publikum vergegenwärtige, dem ſie in die
Hände kommt, und es deucht mir eine annehmliche Klugheits=
regel, da, wo es keine Überzeugungsgründe gibt, um durch die Ver=
nunft zu ſiegen, das Gefühl nicht zu chokieren. Ein ganz anderes
wäre es, wenn eben dieſe Anzeige in einem literariſchen Blatt
ſtünde; hier iſt man befugt und verpflichtet, alles zu würdigen

und ins Detail zu gehen. In einer politischen Zeitung kann nur das mutmaßlich allgemein Interessierende Platz finden, nicht, was gefallen sollte, sondern, wie Boufflers sagt, was gefällt.

Ich habe mit großem Vergnügen diesen Boufflers gelesen, er ist überaus schön geschrieben und enthält charmante Bemerkungen, so gut gedacht als gesagt. Freilich ist eine gewisse Enge und Dürftigkeit darin. Wenn er zuweilen der Hospitalité wegen auch von den Deutschen Notiz nimmt, so kommt es gar lächerlich heraus; man sieht ihm an, daß es nichts weiter als ein Trinkgeld ist und daß er nicht viel dabei denkt.

Garve, hör ich, soll jetzt auch gestorben sein. Wieder einer aus dem goldenen Weltalter der Literatur weniger, wird uns Wieland sagen.

In Kursachsen ist das Niethhammerische Journal verboten worden.

Den Anschlag des Buchdrucker Gaedicke finde ich sehr mäßig, ich sollte denken, daß Cotta die Arbeit bei sich nicht wohlfeiler haben kann.

Es wäre mir jetzt doch lieb, wenn Sie den Frankfurtern bald wollten zu wissen tun lassen, daß die drei Wallensteinischen Stücke für 60 Dukaten zu haben sind. Denn ich möchte gern bald wissen, ob die Edition fürs Reich noch nötig oder nicht, da Kotzebue noch nicht wieder geantwortet und wahrscheinlich doch im Verhafte sitzt. Der Wallenstein bleibt das ganze Jahr 1799 ungedruckt, das kann den Frankfurtern auch geschrieben werden.

Wissen Sie noch nicht bestimmt, ob Sie Ihre Theatralische Mutter aus Regensburg auf den nächsten Monat schon bekommen?

Die Arbeit ist in den letzten Tagen schlecht vorgerückt. Das Sudelwetter, das mir sonst nicht so unhold ist, hat mich doch sehr mitgenommen, und schon der traurige Anblick des Himmels und der Erde drückt die Seele nieder.

Leben Sie nur so wohl, als es jetzt irgend angeht. Herzlich grüßen wir Sie beide.   S.

An Wolfgang v. Goethe.

Jena, den 22. [21.] Dezember 1798.

Ich bin sehr verlangend Kants Anthropologie zu lesen. Die pathologische Seite, die er am Menschen immer herauskehrt und die bei einer Anthropologie vielleicht am Platze sein mag, verfolgt einen fast in allem, was er schreibt, und sie ists, die seiner praktischen Philosophie ein so grämliches Ansehen gibt. Daß dieser heitre und jovialische Geist seine Flügel nicht ganz von dem Lebensschmuß hat losmachen können, ja selbst gewisse düstere Eindrücke der Jugend usw. nicht ganz verwunden hat, ist zu verwundern und zu beklagen. Es ist immer noch etwas in ihm, was einen, wie bei Luthern, an einen Mönch erinnert, der sich zwar sein Kloster geöffnet hat, aber die Spuren desselben nicht ganz vertilgen konnte.

Daß die Aristokraten auf eine Schrift wie Boufflers' nicht so ganz gut zu sprechen sind, will ich wohl glauben. Sie würden weit mehr Wahrheiten aus dem Mund und der Feder eines bürgerlichen Schriftstellers ertragen. Aber es ist immer so gewesen, auch in der Kirche war die Ketzerei eines Christen immer verhaßter als der Unglaube eines Atheisten oder Heiden.

Haben Sie in diesen Tagen nichts an dem Farbenschema mehr gemacht? Ich freue mich auch in dieser Rücksicht auf mein Hinüberkommen zu Ihnen, um in der Materie etwas weiter zu rücken. Schelling seh ich wöchentlich nur einmal, um, zur Schande der Philosophie sei es gesagt, meistens l'Hombre mit ihm zu spielen. Mir zwar ist diese Zerstreuung, da ich jetzt absolut keine andre habe, beinah unentbehrlich worden, aber es ist freilich schlimm, daß man nichts Gescheiteres miteinander zu tun hat. Indessen, sobald ich nur ein klein wenig den Kopf wieder über Wasser habe, will ich etwas Besseres mit ihm anfangen. Er ist noch immer so wenig mitteilend und problematisch wie zuvor.

Von den abwesenden Freunden habe ich wieder lange nichts

gehört. Humboldt wird, hoffe ich, nicht unter den Fremden sich befunden haben, die man in Paris arretiert hat.

Ich hatte Sie bitten wollen, mir das Logis, worin Thouret gewohnt, auf drei oder vier Wochen vom Herzog auszubitten, wenn ich nach Weimar käme. Meine Schwägerin kann meine Frau mit den Kindern jetzt nicht wohl logieren, und doch möchte ich von meiner Familie nicht so lang getrennt sein, auch Ihnen mit mir nicht auf so lange Überlast machen. Freilich würden unsre wechselseitigen Kommunikationen dadurch etwas gehemmt, aber es käme nur auf eine Einrichtung an, so würde es schon gehen. Ich erbitte mir darüber Ihren Rat. Etwa in zwölf Tagen dächte ich hinüber zu kommen.

Ich sehe zwar kaum ein kleines Vorrücken in der Arbeit, denn bei dem Korrigieren der letztern Akte für den Theaterzweck bin ich auf weit mehr Schwierigkeiten gestoßen, als ich erwartete, und diese Arbeit ist erstaunlich penibel und zeitverderbend.

Indessen wünsche ich Ihnen zum zurückgelegten kürzesten Tag, der in Ihrer Existenz eine gewisse Epoche zu machen pflegt, Glück.

Leben Sie recht wohl, herzlich gegrüßt von uns beiden.

S.

An August Wilhelm Iffland.

Jena, den 24. Dezember 1798.

Hier erfolgen die Piccolomini. Ich habe getan, was ich konnte, um mein Versprechen pünktlich zu erfüllen, aber der November und Dezember sind schlechte Monate für einen Poeten, der noch dazu von jedem rauhen Lüftchen abhängt, wie ich. Seien Sie versichert, daß ich alles, was Sie mir in Ihrem letzten Briefe ans Herz legten, beherzigt habe und beherzigen werde, und ich habe gewiß mehr Unruhe als Sie selbst über diese kleine Verzögerung gehabt.

Noch muß ich bemerken, daß in diesem Manuskript eine Szene ganz und eine Stelle, die sich auf jene bezieht, noch in einer andern fehlt. Es ist die erste Szene des vierten Aktes, worin eine astrologische Operation vorgeht und Wallenstein der glückliche Tag bestimmt wird. Um Sie nicht aufzuhalten, habe ich das Manuskript lieber ohne diese Szene, die heut über acht Tage gewiß folgt, abgeschickt.

Ich brauche zu dieser astrologischen Fratze noch einige Bücher, die ich erst übermorgen erhalte, und zugleich muß ich wegen Dekorierung und Architektur des astrologischen Turmes mit Goethen noch Rücksprache nehmen, wegen der theatralischen Ausführbarkeit. Wie gesagt aber erhalten Sie diesen Rest in einer Woche. Sie haben bloß die Güte, zu verordnen, daß in der Rolle Wallensteins und Senis beim Anfang des vierten Aktes ein paar Blätter und in der Rolle der Gräfin und der Thekla in dem vierten Abschnitt des zweiten Akts ein paar Seiten leer gelassen werden.

Ferner frage ich noch an, wem Sie die Rolle des Octavio zugedacht haben, damit ich wisse, ob es bei diesem stummen Ende des Stückes bleiben kann. Man hat mir hier gesagt, daß Sie den Wallenstein selbst nicht spielen wollten, sondern ihn an Fleck geben. Da ich Fleck nicht kenne, aber Sie, so muß mir dieses freilich leid tun, und ich hoffe noch, daß es nicht dabei bleiben wird. Der Octavio, so bedeutend er ist und es durch Sie noch werden müßte, könnte doch notdürftig auch durch ein subalternes Talent geleistet werden, aber Wallenstein fordert ein eminentes, und der Schauspieler, der ihn treffen will, muß ebenso als Herrscher unter seinen Mitschauspielern dastehen und anerkannt sein als Wallenstein der Chef unter seinen Obersten. Sollten Sie indes den Umständen dieses Opfer bringen wollen, so hoffe ich Sie doch in Weimar noch gewiß als Wallenstein zu sehen.

Um nun auf meine Frage zurückzukommen, so würde ich, wenn Sie meinen, am Schluß des fünften Akts noch ein paar Worte sagen lassen, die dem Stück zu einem bedeutenden Schlußsteine dienten und den Zusammenhang mit dem dritten Stück noch ein wenig deutlicher machten. In Weimar werde ich es tun und auch in dem Gedruckten.

Daß Sie das dritte Stück vor Ausgang Februars werden geben können, dafür stehe ich. Es ist um sehr vieles, wohl um ein gutes Drittel, kürzer als die Piccolomini, welche anfangs am Ende des dritten Akts hatten endigen sollen und alsbann das kleinere Stück gewesen wäre. Aber eine reife Überlegung der Forderungen, welche das Publikum einmal an ein Trauerspiel macht, hat mich bewogen, die Handlung schon im zweiten Stück weiter zu führen, denn das dritte kann durch das Tragische seines Inhalts sich auch, wenn es kleiner ist, in der gehörigen Würde behaupten.

In dem dritten Stück, wovon ich das Personal und die Dekorationen auf beiliegendem Blatt angebe, hat Max Piccolomini nur noch eine, aber die Hauptszene, und Octavio Piccolomini erscheint erst am Ende des Stücks, nach Wallensteins Tode, wieder und beschließt das Stück. Aber eine neue sehr bedeutende Rolle ist Gordon, ein gutherziger fühlender Mann von Jahren, der weit mehr Schwäche als Charakter hat, sich also für einen Schauspieler schickt, der im Besitz ist, schwache zärtliche Väter, alte Moors usw. zu spielen. Er muß aber in guten Händen sein, denn er nimmt an den wichtigsten Szenen teil und spricht die Empfindung, ich möchte sagen, die Moral des Stücks aus. Wahrscheinlich werden Sie also einen guten Schauspieler aus den Piccolominis weglassen und auf den Tod Wallensteins für Gordon aufheben müssen.

Buttler, Wallensteins Mörder, wird sehr bedeutend.

Der Bürgermeister von Eger ist ein Philister, der durch den Schauspieler, welcher den Kellermeister spielen wird, sehr gut wird besetzt werden können.

Was den Seni betrifft, so wird es nicht zu wagen sein, ihn in gar zu karikaturistische Hände zu geben, weil er im dritten Stück, bei einem sehr pathetischen Anlaß erscheint und die Rührung von Wallensteins letzter Szene leicht verderben könnte.

Wie wichtig die Gräfin ist, brauche ich nicht zu sagen.

Möchten übrigens die Piccolominis Ihre Wünsche erfüllen! Ich sehe Ihrem Urteil darüber mit Verlangen entgegen.

Ganz der Ihrige

Schiller.

An Wolfgang von Goethe.

Jena, den 24. Dezember 1798.

Ich setze mich mit einem sehr erleichterten Herzen nieder, um Ihnen zu schreiben, daß die Piccolomini soeben an Iffland abgegangen sind. Er hat mich in seinem Briefe so tribuliert und gequält zu eilen, daß ich heute meine ganze Willenskraft zusammennahm, drei Kopisten zugleich anstellte und (mit Ausschluß der einzigen Szene im astrologischen Zimmer, die ich ihm nachsende) das Werk wirklich zustande brachte. Eine recht glückliche Stimmung und eine wohl ausgeschlafene Nacht haben mich sekundiert, und ich hoffe sagen zu können, daß diese Eile dem Geschäft nichts geschadet hat. So ist aber auch schwerlich ein heiliger Abend auf dreißig Meilen in der Runde verbracht worden, so gehetzt nämlich und qualvoll über der Angst, nicht fertig zu werden. Iffland hat mir seine Not vorgestellt, wenn er in den zwei nächsten Monaten, der eigentlichen Theaterzeit, nichts hätte, wodurch er die Opern, welche frei gegeben werden, balancieren könnte, da er, in seiner Rechnung auf das Stück, auf nichts anders gedacht hätte, und gab mir den Verlust bei dem versäumten Tempo auf 4000 Taler an.

Ich werde nun diese Woche anwenden, das Exemplar des Stücks für unser weimarisches Theater in Ordnung schreiben zu lassen, die astrologische Szene überdenken und dann auf die nächste

Woche, etwa den zweiten, wenn die Witterung und mein Befinden es zulassen, zu Ihnen kommen.

Da ich nicht weiß, ob mir eine Summe Geld, die ich erwarte, zu rechter Zeit eingeht, so will ich das nicht erst abwarten und in Hoffnung, daß ich im Notfall bei Ihnen etwas borgen kann, wenn ichs ja brauchen sollte, mein Paket machen.

Für Ihre Güte, mir das Logis zu verschaffen, danke ich Ihnen sehr. Möbel, hölzerne, wird mein Schwager missen können, Betten aber nicht, und wenn Sie mir also davon etwas leihen wollen, so brauche ich desto weniger mitzubringen.

Was unsre Kommunikationen betrifft, so wird sich mit einer Kutsche schon eine Einrichtung machen lassen.

Und nun für heute Lebewohl. Ich mußte mein Herz erleichtern und Ihnen dieses neueste Evenement in meinem Hause melden. Meine Frau läßt Sie aufs beste grüßen.

S.

An August Wilhelm Iffland.

Jena, den 28. Dezember 1798.

Die Piccolomini, die ich am 24. abschickte, sind Ihnen, wie ich hoffe, zu rechter Zeit zugekommen. Zur Sicherheit ließ ich mir einen Postschein darüber geben.

Hier erhalten Sie nun die restierenden Szenen, welche Sie so gütig sein werden an die gehörigen Stellen einrücken zu lassen.

Sollten Sie glauben, daß das Stück zu lang spielen möchte, so bitte, mir bald Nachricht davon zu geben. Ich habe für diesen Fall auf einige Auslassungen gedacht, die besonders die zwei ersten Akte treffen. Questenberg, besonders wenn er nicht vorzüglich gut zu besetzen ist, wie hier in Weimar, kann noch etwas verlieren.

Leben Sie recht wohl. Das Schiffchen ist nun im Meere.
Gebe der Himmel nur gute Winde zur Fahrt.

Ganz der Ihrige

Schiller.

An Luise von Lengefeld.

Jena, den 29. Dezember 1798.

Ihre schönen Geschenke, beste chère mère, habeu uns neulich
große Freude gemacht und den alten Kindern wie den jungen.
Nehmen Sie unsern herzlichen Dank dafür. Es war überhaupt
ein Tag des Glücks für mich, da ich den Abend vorher die Piccolomini fertig gemacht und an Iffland abgeschicket hatte.

Gräfin Schimmelmann hat uns wieder einen recht schönen
Brief geschrieben. Ich lege ihn bei, Sie werden daraus sehen,
daß wir auch ein Präsent von ihr zu erwarten haben. Ernstchen
ist ein rechtes Goldmännchen im Hause.

Herzlich grüßen wir Sie, liebe chère mère. Ich kann heute
nur kritzeln, denn ich habe einen bösen Finger.

Sch.

An August Wilhelm Iffland.

Jena, den 31. Dezember 1798.

Ich hoffe, daß dieser Brief Sie aus einer Verlegenheit reißen
wird, in der Sie sich meines Stücks wegen sehr wahrscheinlich
befinden. Ich habe nämlich dieser Tage zum erstenmal das Stück
ganz hintereinander vorgelesen und gefunden, daß vier Stunden
nicht zu der Repräsentation hinreichen werden. Im Schrecken
über diese Entdeckung habe ich mich gleich hingesetzt und die mögliche Abkürzungen damit vorgenommen, welche ich Ihnen hier
sende. Ein Tag wird freilich dadurch verloren, aber auch gewiß
eben so viel durch die Abkürzung für das Memorieren gewonnen,

denn es ſind ungefähr vierhundert Jamben weniger geworden.
Sollte das Stück auch nach dieſen Abkürzungen noch um ein
Merkliches zu groß bleiben, welches ich aber nicht hoffe, ſo bleibt
freilich kein anderer Rat, als den fünften Akt für das dritte Stück
aufzuheben, welches mir aber äußerſt hart ankommen würde, und
beſonders deswegen, weil dann der Titel des Stücks nicht gerecht=
fertigt würde, da es nicht mit den Piccolomini ſchlöſſe.

Mein Troſt iſt dieſer. Wird der Wallenſtein von Ihnen ſelbſt
geſpielt, ſo merkt das Publikum die Länge des Stücks ohnedem
nicht, und ſpielten Sie den Octavio, ſo wird es für ſein längeres
Warten durch die vier letzten Szenen des fünften Akts ent=
ſchädigt.

Nun bitte ich Sie, nur nicht ungeduldig über die Mühe zu
werden, die Ihnen durch meinen Errorem calculi gemacht wird.

Die Schnelligkeit, womit ich eile, ihn zu verbeſſern, überzeuge
Sie wenigſtens von meinem ernſtlichen Eifer, es Ihnen recht zu
machen.

Sagen Sie mir bald ein Wort des Troſtes, daß die Ver=
wirrung, die durch das Ausſtreichen gemacht wird, wieder gehoben,
das Stück im Gange und zu einer befriedigenden Wirkung Hoff=
nung da iſt.

Ganz der Ihrige
Schiller.

Im Fall Sie das kleine Liedchen der Thekla beibehalten, iſt
wohl Herr Zelter ſo gut, es zu komponieren, und ſendet uns die
Melodie nach Weimar.

An Wolfgang von Goethe.

Jena, den 31. Dezember 1798.

Der Herzogin Rolle hab ich Ihnen gestern durch Wolzogen geschickt. Hier erhalten Sie die Piccolomini ganz, aber, wie Sie sehen, ganz erschrecklich gestrichen. Ich dachte schon genug davon weggeschnitten zu haben, als ich aber vorgestern zum erstenmal das Ganze hintereinander vorlas, nach der bereits verkürzten Edition, und mit dem dritten Akt schon die dritte Stunde zu Ende ging, so erschrak ich so, daß ich mich gestern nochmals hinsetzte und noch etwa vierhundert Jamben aus dem Ganzen herauswarf. Sehr lang wird es auch jetzt noch spielen, aber doch nicht über die vierte Stunde, und wenn man Schlag halb sechs anfängt, so kommt das Publikum noch vor zehn Uhr nach Hause.

Haben Sie die Güte, den zweiten Akt, den ich Ihnen doppelt schicke, in beiden Gestalten zu lesen. Er enthält die neuen Szenen der Thekla, und es würde Sie stören, wenn Sie bei diesen Szenen, die Sie zum erstenmal lesen, auch nur durch das Auge an die Verstümmelung erinnert würden und den Text auf dem Papiere mühsam zusammen suchen müßten.

An Iffland sende ich mit heutiger Post diese neuesten Verkürzungen nach, denn die große Länge des Stücks wird ihn nicht wenig in Verlegenheit setzen.

Die bedeutende Äußerung Wallensteins über Buttlern (vierter Aufzug, dritte Szene), die hier weggestrichen, findet im dritten Stück einen schicklichern Platz.

Bei der Rollenbesetzung habe ich darauf gerechnet, daß die Thekla durch die Jagemann gespielt wird, und ihr etwas zu singen gegeben. So bliebe freilich die Gräfin der Slanzowsky, es wäre denn, daß Sie die neu erwartete Mutter dazu passender fänden; denn an der Gräfin liegt freilich viel, und sie hat, wie Sie sehen werden, auch in den neuen Szenen des zweiten Akts bedeutende Dinge zu sagen. Da man sie noch älter annehmen darf als selbst die Herzogin (indem sie den König von Böhmen vor sechzehn Jahren hat machen helfen), so kann sich die andere nicht beklagen.

Beim Wrangel habe ich auf Hunnius gerechnet.

Und so lege ich denn das Stück in Ihre Hände. Ich habe jetzt schlechterdings kein Urteil mehr darüber, ja manchmal möchte ich an der theatralischen Tauglichkeit ganz verzweifeln. Möchte es eine solche Wirkung auf Sie tun, daß Sie mir Mut und Hoffnung geben können, denn die brauche ich.

Leben Sie recht wohl. Der Bote wird um drei Uhr expediert.

Sch.

Aus journalistischer Tätigkeit.

✦✦✦✦✦✦✦✦✦✦✦✦✦✦✦✦✦✦ ✦ ✦✦✦✦✦✦✦✦✦✦✦✦✦✦✦✦✦✦

Anzeige der Gedichte
[aus dem Musenalmanach für 1799.]

Bei Herrn Crusius in Leipzig erscheint auf Michaelis 1799 eine Sammlung meiner Gedichte, von mir selbst ausgewählt, verbessert und mit neuen vermehrt.

Schiller.

Anzeige
[aus der Allgemeinen Zeitung vom 28. Dezember 1798. Vergl. S. 183 dieses Bandes.]

Einer mit verschiedenen Theaterdirektionen getroffenen Übereinkunft gemäß bleiben die drei Schauspiele: Wallensteins Lager, die Piccolomini und Wallensteins Tod noch ein Jahr lang ungedruckt, und die auf Ostern 1799 angekündigte Erscheinung derselben im Druck wird hiemit widerrufen. Der Verleger wird die dadurch erhaltene längere Frist dazu benutzen, die Liebhaber durch ein zierliches Äußere des Werks desto mehr zu befriedigen.

J. G. Cotta'sche Buchhandlung.

Spruch des Konfucius.

Dreifach ist des Raumes Maß.
    Rastlos, fort ohn Unterlaß
    Strebt die Länge, fort ins Weite
    Endlos gießet sich die Breite,
    Grundlos senkt die Tiefe sich.
Dir ein Bild sind sie gegeben.
    Rastlos vorwärts mußt du streben,
    Nie ermüdet stille stehn,
    Willst du die Vollendung sehn,
    Mußt ins Weite dich entfalten,
    Mit allfassendem Gefühl,
    Soll sich dir die Welt gestalten,
    In die Tiefe mußt du steigen,
    Soll sich dir das Wesen zeigen. —
Nur Beharrung führt zum Ziel,
    Nur die Fülle führt zur Klarheit,
    Und im Abgrund wohnt die Wahrheit.

Die Erwartung.

Hör ich das Pförtchen nicht gehen?
Hat nicht der Riegel geklirrt?
    Nein, es war des Windes Wehen,
    Der durch diese Pappeln schwirrt.

O schmücke dich, du grün belaubtes Dach,
Du sollst die Anmutstrahlende empfangen,
Ihr Zweige, baut ein schattendes Gemach,
Mit holder Nacht sie heimlich zu umfangen,
Und all ihr Schmeichellüfte werdet wach
Und scherzt und spielt um ihre Rosenwangen,
Wenn seine schöne Bürde, leicht bewegt,
Der zarte Fuß zum Sitz der Liebe trägt.

　　Stille, was schlüpft durch die Hecken
　　Raschelnd mit eilendem Lauf?
　　　　Nein, es scheuchte nur der Schrecken
　　　　Aus dem Busch den Vogel auf.

O lösche deine Fackel, Tag! Hervor,
Du geistge Nacht, mit deinem holden Schweigen,
Breit um uns her den purpurroten Flor,
Umspinn uns mit geheimnisvollen Zweigen,
Der Liebe Wonne flieht des Lauschers Ohr,
Sie flieht des Strahles unbescheidnen Zeugen!
Nur Hesper, der verschwiegene, allein
Darf still herblickend ihr Vertrauter sein.

　　Rief es von ferne nicht leise,
　　Flüsternden Stimmen gleich?
　　　　Nein, der Schwan ists, der die Kreise
　　　　Ziehet durch den Silberteich.

Mein Ohr umtönt ein Harmonienfluß,
Der Springquell fällt mit angenehmem Rauschen,
Die Blume neigt sich bei des Westes Kuß,
Und alle Wesen seh ich Wonne tauschen;

Die Traube winkt, die Pfirsche zum Genuß,
Die üppig schwellend hinter Blättern lauschen;
Die Luft, getaucht in der Gewürze Flut,
Trinkt von der heißen Wange mir die Glut.

   Hör ich nicht Tritte erschallen?
   Rauschts nicht den Laubgang daher?
    Nein, die Frucht ist dort gefallen,
    Von der eignen Fülle schwer.

Des Tages Flammenauge selber bricht
In süßem Tod, und seine Farben blassen;
Kühn öffnen sich im holden Dämmerlicht
Die Kelche schon, die seine Gluten hassen,
Still hebt der Mond sein strahlend Angesicht,
Die Welt zerschmilzt in ruhig große Massen,
Der Gürtel ist von jedem Reiz gelöst,
Und alles Schöne zeigt sich mir entblößt.

   Seh ich nichts Weißes dort schimmern?
   Glänzts nicht wie seidnes Gewand?
    Nein, es ist der Säule Flimmern
    An der dunkeln Taxuswand.

O sehnend Herz, ergötze dich nicht mehr,
Mit süßen Bildern wesenlos zu spielen,
Der Arm, der sie umfassen will, ist leer,
Kein Schattenglück kann diesen Busen kühlen;
O führe mir die Lebende daher,
Laß ihre Hand, die zärtliche, mich fühlen,
Den Schatten nur von ihres Mantels Saum,
Und in das Leben tritt der hohle Traum.

Und leis, wie aus himmlischen Höhen
Die Stunde des Glückes erscheint,
   So war sie genaht ungesehen
   Und weckte mit Küssen den Freund.

Das Lied von der Glocke.

Vivos voco. Mortuos plango. Fulgura frango.

Fest gemauert in der Erden
Steht die Form, aus Lehm gebrannt.
Heute muß die Glocke werden,
Frisch, Gesellen! seid zur Hand.
   Von der Stirne heiß
   Rinnen muß der Schweiß,
Soll das Werk den Meister loben,
Doch der Segen kommt von oben.

Zum Werke, das wir ernst bereiten,
Geziemt sich wohl ein ernstes Wort;
Wenn gute Reden sie begleiten,
Dann fließt die Arbeit munter fort.
So laßt uns jetzt mit Fleiß betrachten,
Was durch die schwache Kraft entspringt,
Den schlechten Mann muß man verachten,
Der nie bedacht, was er vollbringt.
Das ist's ja, was den Menschen zieret
Und dazu ward ihm der Verstand,
Daß er im innern Herzen spüret,
Was er erschafft mit seiner Hand.

Nehmet Holz vom Fichtenstamme,
Doch recht trocken laßt es sein,
Daß die eingepreßte Flamme
Schlage zu dem Schwalch hinein,
      Kocht des Kupfers Brei,
      Schnell das Zinn herbei,
Daß die zähe Glockenspeise
Fließe nach der rechten Weise.

Was in des Dammes tiefer Grube
Die Hand mit Feuers Hilfe baut,
Hoch auf des Turmes Glockenstube
Da wird es von uns zengen laut.
Noch dauern wird's in späten Tagen
Und rühren vieler Menschen Ohr
Und wird mit dem Betrübten klagen
Und stimmen zu der Andacht Chor.
Was unten tief dem Erdensohne
Das wechselnde Verhängnis bringt,
Das schlägt an die metallne Krone,
Die es erbaulich weiter klingt.

Weiße Blasen seh' ich springen,
Wohl! die Massen sind im Fluß.
Laßt's mit Aschensalz durchdringen,
Das befördert schnell den Guß.
      Auch von Schaume rein
      Muß die Mischung sein,
Daß vom reinlichen Metalle
Rein und voll die Stimme schalle.

Denn mit der Freude Feierklange
Begrüßt sie das geliebte Kind
Auf seines Lebens erstem Gange,
Den es in Schlafes Arm beginnt;
Ihm ruhen noch im Zeitenschoße
Die schwarzen und die heitern Lose,
Der Mutterliebe zarte Sorgen
Bewachen seinen goldnen Morgen —
Die Jahre fliehen pfeilgeschwind.

Vom Mädchen reißt sich stolz der Knabe,
Er stürmt ins Leben wild hinaus,
Durchmißt die Welt am Wanderstabe,
Fremd kehrt er heim ins Vaterhaus,
Und herrlich, in der Jugend Prangen,
Wie ein Gebild aus Himmels Höhn,
Mit züchtigen, verschämten Wangen
Sieht er die Jungfrau vor sich stehn.
Da faßt ein namenloses Sehnen
Des Jünglings Herz, er irrt allein,
Aus seinen Augen brechen Tränen,
Er flieht der Brüder wilden Reihn.
Errötend folgt er ihren Spuren
Und ist von ihrem Gruß beglückt;
Das Schönste sucht er auf den Fluren,
Womit er seine Liebe schmückt.
O zarte Sehnsucht, süßes Hoffen,
Der ersten Liebe goldne Zeit,
Das Auge sieht den Himmel offen,
Es schwelgt das Herz in Seligkeit,
O daß sie ewig grünen bliebe,
Die schöne Zeit der jungen Liebe!

Wie ſich ſchon die Pfeifen bräunen!
Dieſes Stäbchen tauch’ ich ein,
Sehn wir’s überglaſt erſcheinen,
Wirds zum Guſſe zeitig ſein.
　　Jetzt, Geſellen, friſch!
　　Prüft mir das Gemiſch,
Ob das Spröde mit dem Weichen
Sich vereint zum guten Zeichen.

Denn wo das Strenge mit dem Zarten,
Wo Starkes ſich und Mildes paarten,
Da gibt es einen guten Klang.
Drum prüfe, wer ſich ewig bindet,
Ob ſich das Herz zum Herzen findet!
Der Wahn iſt kurz, die Reu iſt lang.
　　Lieblich in der Bräute Locken
　　Spielt der jungfräuliche Kranz,
　　Wenn die hellen Kirchenglocken
　　Laden zu des Feſtes Glanz.
Ach! des Lebens ſchönſte Feier
Endigt auch den Lebensmai,
Mit dem Gürtel, mit dem Schleier
Reißt der ſchöne Wahn entzwei.
　　Die Leidenſchaft flieht,
　　Die Liebe muß bleiben,
　　Die Blume verblüht,
　　Die Frucht muß treiben.
Der Mann muß hinaus
Ins feindliche Leben,
Muß wirken und ſtreben
Und pflanzen und ſchaffen,
Erliſten, erraffen,

Muß wetten und wagen,
Das Glück zu erjagen.

Da strömet herbei die unendliche Gabe,
Es füllt sich der Speicher mit köstlicher Habe,
Die Räume wachsen, es dehnt sich das Haus.
    Und drinnen waltet
    Die züchtige Hausfrau,
    Die Mutter der Kinder,
    Und herrschet weise
    Im häuslichen Kreise,
    Und lehret die Mädchen
    Und wehret den Knaben,
    Und reget ohn' Ende
    Die fleißigen Hände,
    Und mehrt den Gewinn
    Mit ordnendem Sinn,
Und füllet mit Schätzen die duftenden Laden,
Und dreht um die schnurrende Spindel den Faden,
Und sammelt im reinlich geglätteten Schrein
Die schimmernde Wolle, den schneeichten Lein,
Und füget zum Guten den Glanz und den Schimmer,
Und ruhet nimmer.

    Und der Vater mit frohem Blick
Von des Hauses weitschauendem Giebel
Überzählet sein blühend Glück,
Siehet der Pfosten ragende Bäume
Und der Scheunen gefüllte Räume
Und die Speicher, vom Segen gebogen,
Und des Kornes bewegte Wogen,
Rühmt sich mit stolzem Mund:
Fest wie der Erde Grund

Gegen des Unglücks Macht
Steht mir des Hauses Pracht!
Doch mit des Geschickes Mächten
Ist kein ew'ger Bund zu flechten,
Und das Unglück schreitet schnell.

Wohl! Nun kann der Guß beginnen,
Schön gezacket ist der Bruch.
Doch, bevor wir's lassen rinnen,
Betet einen frommen Spruch!
Stoßt den Zapfen aus!
Gott bewahr' das Haus.
Rauchend in des Henkels Bogen
Schießt's mit feuerbraunen Wogen.

Wohltätig ist des Feuers Macht,
Wenn sie der Mensch bezähmt, bewacht,
Und was er bildet, was er schafft,
Das dankt er dieser Himmelskraft;
Doch furchtbar wird die Himmelskraft,
Wenn sie der Fessel sich entrafft,
Einhertritt auf der eignen Spur
Die freie Tochter der Natur.
Wehe, wenn sie losgelassen
Wachsend ohne Widerstand
Durch die volkbelebten Gassen
Wälzt den ungeheuren Brand!
Denn die Elemente hassen
Das Gebild der Menschenhand.
Aus der Wolke
Quillt der Segen,
Strömt der Regen,

Aus der Wolke, ohne Wahl,
Zuckt der Strahl!
Hört ihr's wimmern hoch vom Turm!
Das ist Sturm!
Rot wie Blut
Ist der Himmel.
Das ist nicht des Tages Glut!
Welch Getümmel
Straßen auf!
Dampf wallt auf!
Flackernd steigt die Feuersäule,
Durch der Straße lange Zeile
Wächst es fort mit Windeseile,
Kochend wie aus Ofens Rachen
Glühn die Lüfte, Balken krachen,
Pfosten stürzen, Fenster klirren,
Kinder jammern, Mütter irren,
Tiere wimmern
Unter Trümmern,
Alles rennet, rettet, flüchtet,
Taghell ist die Nacht gelichtet.
Durch der Hände lange Kette
Um die Wette
Fliegt der Eimer, hoch im Bogen
Spritzen Quellen, Wasserwogen.
Heulend kommt der Sturm geflogen,
Der die Flamme brausend sucht,
Prasselnd in die dürre Frucht
Fällt sie, in des Speichers Räume,
In der Sparren dürre Bäume,
Und als wollte sie im Wehen
Mit sich fort der Erde Wucht

Reißen in gewalt'ger Flucht,
Wächst sie in des Himmels Höhen
Riesengroß!
Hoffnungslos
Weicht der Mensch der Götterstärke,
Müßig sieht er seine Werke
Und bewundernd untergehen.
Leergebrannt
Ist die Stätte,
Wilder Stürme rauhes Bette,
In den öden Fensterhöhlen
Wohnt das Grauen,
Und des Himmels Wolken schauen
Hoch hinein.

Einen Blick
Nach dem Grabe
Seiner Habe
Sendet noch der Mensch zurück —
Greift fröhlich dann zum Wanderstabe.
Was Feuers Wut ihm auch geraubt,
Ein süßer Trost ist ihm geblieben,
Er zählt die Häupter seiner Lieben,
Und sieh! ihm fehlt kein teures Haupt.

In die Erd' ist's aufgenommen,
Glücklich ist die Form gefüllt,
Wird's auch schön zu Tage kommen,
Daß es Fleiß und Kunst vergilt?
Wenn der Guß mißlang?
Wenn die Form zersprang?
Ach! vielleicht indem wir hoffen,
Hat uns Unheil schon getroffen.

Dem dunkeln Schoß der heil'gen Erde
Vertrauen wir der Hände Tat,
Vertraut der Sämann seine Saat
Und hofft, daß sie entkeimen werde
Zum Segen, nach des Himmels Rat.
Noch köstlicheren Samen bergen
Wir traurend in der Erbe Schoß
Und hoffen, daß er aus den Särgen
Erblühen soll zu schönerm Los.

Von dem Dome
Schwer und bang
Tönt die Glocke
Grabgesang.
Ernst begleiten ihre Trauerschläge
Einen Wandrer auf dem letzten Wege.

Ach! die Gattin ist's, die teure,
Ach! es ist die treue Mutter,
Die der schwarze Fürst der Schatten
Wegführt aus dem Arm des Gatten,
Aus der zarten Kinder Schar,
Die sie blühend ihm gebar,
Die sie an der treuen Brust
Wachsen sah mit Mutterlust —
Ach! des Hauses zarte Bande
Sind gelöst auf immerdar,
Denn sie wohnt im Schattenlande,
Die des Hauses Mutter war,
Denn es fehlt ihr treues Walten,
Ihre Sorge wacht nicht mehr,
An verwaister Stätte schalten
Wird die Fremde, liebeleer.

Bis die Glocke sich verkühlet,
Laßt die strenge Arbeit ruhn,
Wie im Laub der Vogel spielet,
Mag sich jeder gütlich tun.
 Winkt der Sterne Licht,
 Ledig aller Pflicht
Hört der Bursch die Vesper schlagen,
Meister muß sich immer plagen.

Munter fördert
Seine Schritte
Fern im wilden Forst der Wandrer
Nach der lieben Heimathütte.
Blöckend ziehen
Heim die Schafe,
Und der Rinder
Breitgestirnte
Glatte Scharen kommen brüllend,
Die gewohnten Ställe füllend.
Schwer herein
Schwankt der Wagen,
Kornbeladen;
Bunt von Farben
Auf den Garben
Liegt der Kranz,
Und das junge
Volk der Schnitter
Fliegt zum Tanz.
 Markt und Straße
Werden stiller,
Um des Lichts gesell'ge Flamme
Sammeln sich die Hausbewohner,

Und das Stadttor
Schließt sich knarrend.
    Schwarz bedecket
Sich die Erde,
Doch den sichern Bürger schrecket
Nicht die Nacht,
Die den Bösen gräßlich wecket,
Denn das Auge des Gesetzes wacht.
    Heil'ge Ordnung, segenreiche
Himmelstochter, die das Gleiche
Frei und leicht und freudig bindet,
Die der Städte Bau gegründet,
Die herein von den Gefilden
Rief den ungesell'gen Wilden,
Eintrat in der Menschen Hütten,
Sie gewöhnt zu sanften Sitten
Und das teuerste der Bande
Wob, den Trieb zum Vaterlande!
    Tausend fleiß'ge Hände regen,
Helfen sich in munterm Bund
Und in feurigem Bewegen
Werden alle Kräfte kund.
Meister rührt sich und Geselle
In der Freiheit heil'gem Schutz,
Jeder freut sich seiner Stelle,
Bietet dem Verächter Trutz.
Arbeit ist des Bürgers Zierde,
Segen ist der Mühe Preis,
Ehrt den König seine Würde,
Ehret uns der Hände Fleiß.
    Holder Friede,
Süße Eintracht,
Weilet, weilet

Freundlich über dieser Stadt!
Möge nie der Tag erscheinen,
Wo des rauhen Krieges Horden
Dieses stille Tal durchtoben,
Wo der Himmel,
Den des Abends sanfte Röte
Lieblich malt,
Von der Dörfer, von der Städte
Wildem Brande schrecklich strahlt!

Nun zerbrecht mir das Gebäude,
Seine Absicht hat's erfüllt,
Daß sich Herz und Auge weide
An dem wohlgelungnen Bild.
   Schwingt den Hammer, schwingt,
   Bis der Mantel springt,
Wenn die Glock soll auferstehen
Muß die Form in Stücken gehen.

Der Meister kann die Form zerbrechen
Mit weiser Hand, zur rechten Zeit,
Doch wehe, wenn in Flammenbächen,
Das glühnde Erz sich selbst befreit!
Blind wütend mit des Donners Krachen
Zersprengt es das geborstne Haus,
Und wie aus offnem Höllenrachen
Speit es Verderben zündend aus;
Wo rohe Kräfte sinnlos walten,
Da kann sich kein Gebild gestalten,
Wenn sich die Völker selbst befrein,
Da kann die Wohlfahrt nicht gedeihn.

Weh, wenn sich in dem Schoß der Städte
Der Feuerzunder still gehäuft,
Das Volk, zerreißend seine Kette,
Zur Eigenhilfe schrecklich greift!
Da zerret an der Glocke Strängen
Der Aufruhr, daß sie heulend schallt,
Und nur geweiht zu Friedensklängen
Die Losung anstimmt zur Gewalt.

Freiheit und Gleichheit! hört man schallen,
Der ruh'ge Bürger greift zur Wehr,
Die Straßen füllen sich, die Hallen,
Und Würgerbanden ziehn umher,
Da werden Weiber zu Hyänen
Und treiben mit Entsetzen Scherz,
Noch zuckend, mit des Panters Zähnen,
Zerreißen sie des Feindes Herz.
Nichts Heiliges ist mehr, es lösen
Sich alle Bande frommer Scheu,
Der Gute räumt den Platz dem Bösen,
Und alle Laster walten frei.
Gefährlich ist's den Leu zu wecken,
Und grimmig ist des Tigers Zahn,
Jedoch der schrecklichste der Schrecken
Das ist der Mensch in seinem Wahn.
Weh denen, die dem Ewigblinden
Des Lichtes Himmelsfackel leihn!
Sie leuchtet nicht, sie kann nur zünden
Und äschert Städt' und Länder ein.

Freude hat mir Gott gegeben!
Sehet! wie ein goldner Stern
Aus der Hülse, blank und eben,
Schält sich der metallne Kern.

Von dem Helm zum Kranz
Spielt's wie Sonnenglanz,
Auch des Wappens nette Schilder
Loben den erfahrnen Bilder.

Herein! herein!
Gesellen alle, schließt den Reihen,
Daß wir die Glocke taufend weihen.
Concordia soll ihr Name sein!
Zur Eintracht, zu herzinnigem Vereine
Versammle sie die liebende Gemeine.
Und dies sei fortan ihr Beruf,
Wozu der Meister sie erschuf:
Hoch überm niedern Erdenleben
Soll sie in blauem Himmelszelt
Die Nachbarin des Donners schweben
Und grenzen an die Sternenwelt,
Soll eine Stimme sein von oben,
Wie der Gestirne helle Schar,
Die ihren Schöpfer wandelnd loben,
Und führen das bekränzte Jahr.
Nur ewigen und ernsten Dingen
Sei ihr metallner Mund geweiht,
Und stündlich mit den schnellen Schwingen
Berühr im Fluge sie die Zeit;
Dem Schicksal leihe sie die Zunge,
Selbst herzlos, ohne Mitgefühl,
Begleite sie mit ihrem Schwunge
Des Lebens wechselvolles Spiel.
Und wie der Klang im Ohr vergehet,
Der mächtig tönend ihr entschallt,
So lehre sie, daß nichts bestehet,
Daß alles Irdische verhallt.

Jetzo mit der Kraft des Stranges
Wiegt die Glock mir aus der Gruft,
Daß sie in das Reich des Klanges
Steige, in die Himmelsluft.
    Ziehet, ziehet, hebt!
    Sie bewegt sich, schwebt.
Freude dieser Stadt bedeute,
Friede sei ihr erst Geläute.

Nänie.

Auch das Schöne muß sterben! Das Menschen und Götter bezwinget,
    Nicht die eherne Brust rührt es des stygischen Zeus.
Einmal nur erweichte die Liebe den Schattenbeherrscher,
    Und an der Schwelle noch, streng, rief er zurück sein Geschenk.
Nicht stillt Aphrodite dem schönen Knaben die Wunde,
    Die in den zierlichen Leib grausam der Eber geritzt.
Nicht errettet den göttlichen Held die unsterbliche Mutter,
    Wann er, am Skäischen Tor fallend, sein Schicksal erfüllt.
Aber sie steigt aus dem Meer mit allen Töchtern des Nereus,
    Und die Klage hebt an um den verherrlichten Sohn.
Siehe! Da weinen die Götter, es weinen die Göttinnen alle,
    Daß das Schöne vergeht, daß das Vollkommene stirbt.
Auch ein Klaglied zu sein im Mund der Geliebten ist herrlich,
    Denn das Gemeine geht klanglos zum Orkus hinab.

Aus den Briefen.

✦✦✦

An Wolfgang von Goethe.

Jena, den 1. Jannar 1799.

Hier zur Unterhaltung ein paar Blätter von Körnern über den Almanach.

Mein Opus ist nun in Ihren Händen, und Sie haben ihm, indem ich schreibe, schon die Nativität gestellt. Unterdessen habe ich schon angefangen, meine Gedanken auf das dritte Stück zu richten, um sogleich, wenn ich in Weimar bin, daran gehen zu können. Es gibt zwar noch viel darin zu tun, aber es wird rascher gehen, weil die Handlung bestimmt ist und lebhafte Affekte herrschen.

Ich muß morgen noch zur Aber lassen, welches ich seit meinen zwei hitzigen Brustfiebern in den Jahren 91 und 92 immer beobachtet habe. Diese Operation hält mich morgen, wenn nicht gar übermorgen, noch hier zurück. Sonst befinde ich mich innerlich recht wohl, aber um die Plage nicht ausgehen zu lassen, habe ich mich neulich unter dem Nagel in den Finger gestochen, der sehr schmerzhaft wird und, weil es der Mittelfinger der rechten Hand ist, mich beim Schreiben sehr inkommodiert.

Sie waren so gütig, mir durch den Kammerrat ein Verzeichnis dessen, was ich in Weimar brauche, abfodern zu lassen. Das habe ich meinem Schwager neulich zugestellt und, in der Voraussetzung, daß dies Ihre Absicht dabei sei, alles, was ich nötig habe, darunter begriffen.

Morgen hoffe ich noch von Ihnen zu erfahren, ob ich über=
morgen kommen darf.

Leben Sie recht wohl. Wir freuen uns beide sehr darauf, Sie
wieder zu sehen.

Sch.

An Wolfgang von Goethe.

[Weimar, den 5. Januar.]

Ich erhalte mit großem Vergnügen Ihr Billett und werde,
weil Sie es erlauben, heut um ein Uhr aufwarten und kann bis
fünf Uhr zu allem, was Sie mit mir machen wollen, bereit sein.

Wir haben in dem nieblichen und bequemen Logis, das Sie
uns bereitet und eingerichtet haben, recht wohl geschlafen.

Das übrige mündlich. Meine Frau begrüßt Sie aufs beste.

S.

An Wolfgang von Goethe.

Den 10. Jenner 1799.

Ich wünsche und hoffe zu hören, daß Sie diese Nacht ausge=
schlafen haben und sich heute wieder besser befinden. Gestern mußte
ich mich wundern, wie Sie sich nach einer schlecht schlafenden
Nacht und unter Wolken von Tabakrauch noch so ganz gut bei
Humor erhielten.

Heute um vier Uhr werde ich mich bei Ihnen einfinden. Nach
geendigter Probe werden wir uns wohl zusammen bei Geh. Rat
Voigts befinden.

Meine Arbeit rückt doch immer etwas voran. Nulla dies sine
linea.

Wollen Sie mir etwa die letzte Woche der Allgemeinen Zeitung
kommunizieren? Die meinige liegt in Jena.

S.

An Wolfgang von Goethe.

[Weimar, den 19. Januar 1799.]

Ich packe hier zwei sehr heterogene Novitäten zusammen. Lassen Sie sich solche zum Nachtisch willkommen sein.

Ifflands Wärme für das Stück läßt mich von dem theatralischen Sukzeß viel Gutes augurieren.

Da er es für möglich hält, wegen der von ihm zu übernehmenden Rolle meinen Rat noch abzuwarten, so scheinen sie dort mit der Repräsentation nicht so sehr zu eilen, und die Berliner Kritiker werden uns also auch nicht viel zuvorkommen.

Leben Sie recht wohl. In der Oper hoffe ich Sie zu finden.

S.

An August Wilhelm Iffland.

Weimar, den 25. Januar 1799.

Ihre Zufriedenheit mit meinem Stück hat mir große Freude gemacht und gibt mir Mut, die Erscheinung desselben auf den Brettern mit weniger Sorge zu erwarten.

Die Anstalten, es hier zu geben, haben mich schon seit mehreren Wochen hierher nach Weimar gezogen, wodurch auch der Empfang und die Beantwortung Ihres Briefs um einige Tage verzögert worden.

Ohne Zweifel haben Sie sich indessen für Octavio bestimmt, denn dies scheint mir, wenn Sie den Wallenstein nicht selbst spielen, die einzig würdige Rolle für Sie zu sein. Auch fordert es das Ganze des Stücks, daß Octavio, das Contre-poids Wallensteins und der Repräsentant des Kaisers, die höchst mögliche Bedeutsamkeit und Würde erhalte. Buttler würde Ihr Talent zu eng beschränken, und Gordon ist eine zu passive subalterne Natur.

Ich bin ungeduldig zu erfahren, wann beide Stücke in Berlin gegeben werden, und meine Bekannte, die das Berliner Theaterpersonale kennen, sind auf die Rollen=Besetzung neugierig. Ich ersuche Sie daher, mir die Komödienzettel mitzuteilen.

So viel ich aus den hier gehaltenen Proben augurieren kann, so wird Wallenstein selbst, durch Graff, nicht übel exekutiert werden. Eine volle tiefe Stimme und ein gefühlter aus dem Innern dringender Ton unterstützen ihn und seine eigne dunkle seltsame Natur kommt ihm dabei zustatten. Auch Vohs tut in Max Piccolomini sein möglichstes. Nebenrollen wie Isolani, Questenberg, Wrangel, Kellermeister usw. sind auch ganz gut besetzt. Sonst aber fehlt es sehr, und Octavio, fürcht ich, geht hier ganz verloren.

Leben Sie aufs beste wohl.

Schiller.

An Gottlieb Fichte.

Jena, den 26. Januar 1799.

Meinen besten Dank für Ihre Schrift, verehrtester Freund! Es ist gar keine Frage, daß Sie sich darin von der Beschuldigung des Atheismus vor jedem verständigen Menschen völlig gereinigt haben, und auch dem unverständigen Unphilosophen wird vermutlich der Mund dadurch gestopft sein. Nur wäre zu wünschen gewesen, daß der Eingang ruhiger abgefaßt wäre, ja daß Sie dem ganzen Vorgange die Wichtigkeit und Konsequenz für Ihre persönliche Sicherheit nicht eingeräumt hätten. Denn so wie die hiesige Regierung denkt, war nicht das Geringste dieser Art zu befahren. Ich habe in diesen Tagen Gelegenheit gehabt, mit jedem, der in dieser Sache eine Stimme hat, darüber zu sprechen, und auch mit dem Herzoge selbst habe ich es mehrere Male getan. Dieser erklärte ganz rund, daß man Ihrer Freiheit im Schreiben keinen Eintrag tun würde und könne, wenn man auch gewisse Dinge nicht auf dem Katheder gesagt wünsche. Doch ist dies letzte nur seine Privatmeinung, und seine Räte würden auch nicht einmal diese Einschränkung machen. Bei solchen Gesinnungen mußte es nicht den besten Eindruck auf diese letztern machen, daß Sie so viel Verfolgung befahren.

Auch macht man Ihnen zum Vorwurf, daß Sie den Schritt ganz für sich getan haben, nachdem die Sache doch einmal in Weimar anhängig gemacht worden. Nur mit der weimarischen Regierung hatten Sie es zu tun, und der Appell an das Publikum konnte nicht stattfinden, als höchstes in betreff des Verkaufs Ihres Journals, nicht aber in Rücksicht auf die Beschwerde, welche Kursachsen gegen Sie zu Weimar erhoben und davon Sie die Folgen ruhig abwarten konnten.

Was meine besondere Meinung betrifft, so hätte ich allerdings gewünscht, daß Sie Ihr Glaubensbekenntnis über die Religion in einer besondern Schrift ruhig und selbst ohne die geringste Empfindlichkeit gegen das sächsische Konsistorium abgelegt hätten. Dagegen hätte ich, wenn ja etwas gegen die Konfiskation Ihres Journals gesagt werden mußte, freimütig und mit Gründen bewiesen, daß das Verbot Ihrer Schrift, selbst wenn sie wirklich atheistisch wäre, noch immer unstatthaft bleibe; denn eine aufgeklärte und gerechte Regierung kann keine theoretische Meinung, welche in einem gelehrten Werke für Gelehrte dargelegt wird, verbieten. Hierin würden Ihnen alle, auch die Philosophen von der Gegenpartei, beigetreten sein, und der ganze Streit wäre in ein allgemeines Feld, für welches jeder denkende Mensch sich wehren muß, gespielt worden.

Mündlich das Weitere! Leben Sie wohl, mein verehrter Freund! Ganz der Ihrige.   Schiller.

An Charlotte von Kalb.

Weimar, den 31. Januar 1799.

Sie machen mir viele Freude, daß Sie mich einen so schönen Nachklang meiner gestrigen Darstellung hören lassen. Die Menge hielt sich an das, was geschieht und gehandelt wird, aber die

Seele, die der Dichter in sein Werk zu legen wünscht und welche tiefer liegt als die Handlung selbst, ist nur für die, welche eine Seele fassen können. Und so muß man selbst ein produktives Vermögen in sich haben, wenn man aus einer so mangelhaften Darstellung, als durch diese Werkzeuge möglich war, den Sinn und Geist des Dichters herausfindet. Sie haben mich gefunden, das freut mich, denn im Ganzen dieses Stücks habe ich mein Wesen ausgesprochen.

Dank Ihnen für Ihre lieben Zeilen Ich hoffe es morgen oder, wenn Sie lieber haben, übermorgen mündlich zu tun.

Schiller.

An Johann Jakob Graff.

Jena [d. h. Weimar], den 3. Februar 1799.

Sie haben mir gestern durch Ihr gehaltenes Spiel und Ihre treffliche Rezitation sowohl des Monologs als auch der übrigen schweren Stellen eine recht große Freude gemacht. Kein Wort ist auf die Erde gefallen, und das ganze Publikum ging befriedigt von der Szene. Empfangen Sie dafür meinen innigen Dank. Sie haben einen großen Triumph erlangt und dürfen nicht zweifeln, daß Ihrem großen Verdienst um diese Rolle auch öffentlich vor dem ganzen Publikum Gerechtigkeit erzeigt werden wird.

Nicht so leicht soll es einem andern werden, Ihnen den Wallenstein nachzuspielen, und nach dem Beweis, den Sie gestern von Ihrer Herrschaft über sich selbst abgelegt, werden Sie bei künftigen Vorstellungen Ihre Kunst gewiß noch vollkommener entwickeln.

Ganz der Ihrige

Schiller.

An Gottfried Körner.

Jena, den 10. Februar 1799.

Es ist eine Ewigkeit, daß ich weder an dich noch an sonst einen Menschen in der Welt geschrieben habe. Du weißt aber die Verhinderung und wirst mich entschuldigt habeu. Seit etlichen Tagen bin ich von Weimar zurück, wo ich fünf Wochen lang mit meiner ganzen Familie gewesen, um durch persönliches Treiben und Bemühen eine erträgliche Darstellung meiner Piccolomini zu bewirken. Dies ist nun glücklich überstanden, meine Absicht ist erreicht worden, das Stück hat alle Wirkung getan, die mit Hülfe dieses Theaterpersonals nur irgend zu erwarten gewesen. Es wurde zweimal hintereinander gespielt, und das Interesse ist bei der zweiten Repräsentation noch gestiegen. Es kommt mir zwar selbst sonderbar vor, daß das Publikum meinen Wallenstein früher kennen lernen soll als du, aber ich kanns einmal nicht ändern. Du erhältst ihn nicht eher, als bis alles fertig ist, das ist eine Freude, die ich mir vorbehalten habe, von dir will ich ein reines Urteil über das Ganze hören. In spätestens sechs Wochen hoffe ich das letzte Stück vollendet zu haben, dann erhältst du alles auf einmal.

Mein Aufenthalt in Weimar hat mir auch in Rücksicht auf meine Gesundheit wieder neue gute Hoffnungen erweckt. Ich bin genötigt gewesen, alle Tage in Gesellschaft zu sein, und ich habe es wirklich durchgesetzt, mir etwas zuzumuten. Selbst an den Hof und auf die Redoute bin ich gegangen, ohne daß meine Krämpfe mich daran gehindert, und so hab ich in diesen fünf Wochen wieder als ein ordentlicher Mensch gelebt und mehr mitgemacht, als in den letzten fünf Jahren zusammengenommen. Freilich habe ich diese fünf Wochen für meine Arbeit ganz verloren, sonst könnte ich heute mit dem ganzen Wallenstein fertig sein, aber in anderer Rück= sicht reuen mich diese Zerstreuungen gar nicht.

Deine Anmerkungen über den Almanach haben uns wieder sehr viel Vergnügen gemacht; wir treffen fast überall in unserm Urteil zusammen. Setze sie ja fort.

Humboldts Schrift wirst du nun erhalten haben. Was sagst du dazu? Sie ist freilich sehr trocken und fast scholastisch geschrieben, aber unleugbar enthält sie einen Schatz von Gedanken.

Laß mich doch hören, was man bei euch in Dresden von Fichtes Apologie spricht. In Weimar und auch hier mißfällt der Ton sehr, worin sie abgefaßt ist.

Nnn lebe recht wohl. Ich sehne mich sehr, wieder etwas von euch zu hören.

Die Kinder befinden sich recht wohl, überhaupt sind wir in der schrecklichen Kälte ganz gut durchgekommen.

Herzlich umarmen wir euch alle.

Dein

Sch.

An Friedrich Cotta.

Jena, den 10. Februar 1799.

Es deucht mir eine Ewigkeit, daß ich Ihnen, wertester Freund, nicht geschrieben habe, aber wenn ich Ihnen melde, daß ich die vergangenen zwei Monate mich abgequält habe, um die Piccolomini auf die Bühne zu bringen, und fünf Wochen in Weimar gehaust habe, um die Repräsentation des Stücks auf dasiger Bühne selbst zu dirigieren, so werden Sie mich entschuldigen. Das Stück ist nun gespielt, es hat allgemeinen Beifall erhalten, alles spricht davon, und ich kann mich der gewünschten Wirkung erfreuen. In einigen Tagen erhalten Sie von Goethen eine ausführliche Nachricht davon für Ihre Zeitung.

Die Nachricht, die Sie mir von dem Buchhändler Bell geben, ist mir sehr angenehm gewesen. Wir wollen ihm fürs erste das Vorspiel und alsdann das Manuskript der Piccolomini senden, schreiben Sie ihm das. Nur bitte ich, daß Sie immer in Ihrem Namen handeln. Das Manuskript des Vorspiels lege ich sogleich bei.

Die Propyläen habe erhalten und danke verbindlichſt dafür.
Die Zeit kommt nun heran, wo ich Sie bald wiederſehe, ich freue
mich herzlich darauf. Leben Sie recht wohl, an Madame Cotta
die freundlichſten Grüße von uns beiden. Ganz der Ihrige

Schiller.

An Auguſt Wilhelm Iffland.

Jena, den 18. Februar 1799.

Ihren Gründen gegen die Vorſtellung von Wallenſteins Lager
kann ich nichts entgegenſetzen. Zwar als ich das Stück ſchrieb,
kam mir keine ſolche Bedenklichkeit; aber ich ſetze mich jetzt an
Ihren Platz und muß Ihnen recht geben. Das Skandal wird
genommen und nicht gegeben, aber das iſt es eben, was ein ſolches
Wagſtück bedenklich macht. Es tut mir jetzt bloß leid, daß Sie
dadurch Zeit verloren haben und in unſerm Handel zu kurz
kommen. Mögen dafür die zwei andern Stücke Sie entſchädigen
können. Was die Piccolomini betrifft, ſo gibt mir der Sukzeß
dieſes Stücks auf dem weimariſchen Theater gute Hoffnungen.
Sie kennen unſere beſchränkten Mittel; dennoch iſt es uns gelungen, eine bedeutende Vorſtellung zuſtande zu bringen. Vohs
hat ſich ſelbſt übertroffen, und Graff als Wallenſtein hat ſich recht
brav gehalten. Beide haben auch vom Hof Präſente erhalten.

Wie beklag ichs, daß ich dieſem Briefe nicht gleich das dritte
Stück zur Begleitung mitgeben kann, aber ich war fünf Wochen
in Weimar, wo Geſchäfte und unvermeidliche Zerſtreuungen mir
viel Zeit geraubt haben. Jetzt will ich das Werk zu fördern
ſuchen, ſo ſchnell ich kann.

Der Apparat dazu iſt einfach und wird Ihnen keinen Aufenthalt machen; auch kommt alles, was ein äußres Arrangement er-
fordert, in der erſten Hälfte vor, welche ich ſende, ſobald ſie in
Ordnung gebracht iſt. Es iſt, welches ich vorläufig bemerken
muß, darauf gerechnet, daß Thekla ſingt. Die einzige neue

Charakterkleidung, welche noch angeschafft werden muß, ist die eines Bürgermeisters von Eger. Auf eine Anzahl von zwanzig bis dreißig gemeiner Küraſſiere, welche zugleich geſehen werden, iſt auch gerechnet.

Nun bitte ich Sie, mich bald mit einer Nachricht von der Repräſentation der Piccolomini zu erfreuen und etwa den Ko= mödienzettel beizulegen, daß wir die Beſetzung wiſſen.

Die 60 Friedrichsdor kann ich auf der Leipziger Meſſe durch Herrn Cotta einkaſſieren laſſen, wenn Sie ſo gütig ſein wollen, ſolche einem dahin reiſenden Buchhändler mitzugeben.

Der Ihrige

Schiller.

An Friedrich Cotta.

Jena, den 19. Februar 1799.

Haben Sie doch die Güte, lieber Freund, mit erſter Poſt 5 Karolin an den Herr Baumeiſter Hölzel zu Mannheim, im Materialhof wohnhaft, in meinem Namen zu übermachen. Jene Leute habeu mir vor vierzehn Jahren bei meinem Aufenthalt in Mannheim weſentliche Dienſte erzeigt, jetzt hat ſie der Krieg aus dem Wohlſtand in Not und Dürftigkeit verſetzt, und ſie brauchen Hilfe, ſchnelle Hilfe. Ich kann von Ihrem Herzen erwarten, daß Sie meinen Wunſch aufs bäldiſte erfüllen werden. Die fahrende Poſt, welche Geld von hier nach Mannheim mitnimmt, geht erſt in vier Tagen ab, und noch dazu höre ich, daß die Poſten des Waſſers wegen ſehr unrichtig gehen, darum wollte ich lieber dieſen Weg der Zahlung erwählen.

Auf den September werden Sie die Güte haben, dieſelbe Summe noch einmal gegen einen Schein von mir an Herrn Hölzel auszuzahlen.

Übermorgen folgt Goethens Anzeige der Piccolomini. Geben Sie Ordre in Stuttgart, daß ſie gleich gedruckt werde. Nur darum bitten wir beide, daß die angeführten Stellen durchschossen gedruckt werden, weil die aus Wallensteins Lager sich nicht gut dem Auge darstellten.

Wir grüßen Sie und Ihre liebe Frau aufs beste. Werden Sie Madame Cotta diesmal nicht mitbringen? Sie sollte uns recht sehr willkommen sein. Ihr aufrichtig ergebener

Schiller.

An Wolfgang von Goethe.

Jena, den 1. März 1799.

Nach acht Wochen Stillstand beginnt also das Commercium durch die Botenfrau wieder. Ich glaube in eine viel ältere Zeit zu blicken, als es wirklich ist. Das theatralische Wesen, der mehrere Umgang mit der Welt, unser anhaltendes Beisammensein haben meinen Zustand indessen um vieles verändert, und wenn ich erst der Wallensteinischen Massa werde los sein, so werde ich mich als einen ganz neuen Menschen fühlen.

Körner hat geschrieben, ich lege seinen Brief bei. Das Humboldtische Werk scheint auch bei ihm kein Glück zu machen, es ist wirklich nötig, daß man einen passenden Auszug daraus irgendwo vor das Publikum bringe, daß das Gute und Schätzenswerte seiner Ideen in Kurs gesetzt wird. Wie gut ist es übrigens, daß Sie bei den Propyläen nicht auf Humboldt gerechnet haben, da man sieht, wie es ihm bei allem Scharfsinn und Geist nicht möglich ist, den Leser festzuhalten. Es ist doch eine sonderbare Erscheinung, daß er, indem er der Flachheit und dilettantischen Leichtigkeit, welche sonst die autores nobiles charakterisiert, zu entgehen suchte, in diese trockne Manier verfallen mußte.

Ich erhielt heute einen Brief von der Schimmelmann, der mir einen sehr schicklichen Anlaß gibt, die bewußte Sache anhängig zu machen. Auch erfuhr ich darin zu meinem nicht geringen Erstaunen, daß Wallensteins Lager in Kopenhagen ist, denn es ist

da bei Schimmelmanns vorgelesen und sogar an seinem Geburts=
tag von guten Freunden aufgeführt worden. Ich wüßte keinen
andern Weg als von Weimar aus und fürchte, daß Ubique auch
hier seine Hand wieder im Spiel habe. Haben Sie doch die
Güte, es zu untersuchen, und besonders bitte ich, die Piccolomini
zu sich ins Haus zu nehmen; denn es wäre doch ein fataler
Streich, wenn die Sachen in der Welt herumliefen. Auf Iffland
kann ich keinen Verdacht haben. Ubique hat neulich in Kopen=
hagen Mäkelei getrieben, und von seiner Indiskretion ist alles zu
erwarten.

Ich kann Ihnen heute nichts mehr sagen, die Post drängt mich,
und ich muß auch den Ubique abfertigen. Leben Sie recht wohl,
Meyern viele Grüße. Meine Frau empfiehlt sich bestens, sie hat
gestern der Loderischen Komödie beigewohnt und sich ganz artig
amüsiert.

S.

An Karl Böttiger.

Jena, den 1. März 1799.

Sie sprachen in Ihren Bemerkungen mehreres treffend und
glücklich aus, was ich in das Stück habe legen wollen und dem
Takt des Zuschauers überlassen mußte, herauszufühlen, daß mich
diese Versicherung meiner gelungenen Absicht notwendig erfreuen
muß. Freilich konnte die Intention des Poeten nicht überall deut=
lich erscheinen, da zwischen ihm und dem Zuschauer der Schau=
spieler stand, nur meine Worte und das Ganze meines Gemäldes
können gelten.

So lag es zum Beispiel nicht in meiner Absicht, noch in den
Worten meines Textes, daß sich Octavio Piccolomini als einen so
gar schlimmen Mann, als einen Buben, darstellen sollte. In
meinem Stück ist er das nie, er ist sogar ein ziemlich rechtlicher
Mann, nach dem Weltbegriff, und die Schändlichkeit, die er

begeht, sehen wir auf jedem Welttheater von Personen wiederholt, die, so wie er, von Recht und Pflicht strenge Begriffe haben. Er wählt zwar ein schlechtes Mittel, aber er verfolgt einen guten Zweck. Er will den Staat retten, er will seinem Kaiser dienen, den er nächst Gott als den höchsten Gegenstand aller Pflichten betrachtet. Er verrät einen Freund, der ihm vertraut, aber dieser Freund ist ein Verräter seines Kaisers und in seinen Augen zugleich ein Unsinniger.

Auch meiner Gräfin Terzky möchte etwas zuviel geschehen, wenn man Tücke und Schadenfreude zu Hauptzügen ihres Charakters machte. Sie strebt mit Geist, Kraft und einem bestimmten Willen nach einem großen Zweck und ist freilich über die Mittel nicht verlegen. Ich nehme keine Frau aus, die auf dem politischen Theater, wenn sie Charakter und Ehrgeiz hat, moralischer handelte.

Indem ich diese beiden Personen in Ihrer Achtung zu restituieren suche, muß ich den Wallenstein selbst, als historische Person, etwas in derselben heruntersetzen. Der historische Wallenstein war nicht groß, der poetische sollte es nie sein. Der Wallenstein in der Geschichte hatte die Präsumtion für sich, ein großer Feldherr zu sein, weil er glücklich, gewalttätig und keck war, er war aber mehr ein Abgott der Soldateska, gegen die er splendid und königlich freigebig war, und die er auf Unkosten der ganzen Welt in Ansehen erhielt. Aber in seinem Betragen war er schwankend und unentschlossen, in seinen Planen phantastisch und exzentrisch, und in der letzten Handlung seines Lebens, der Verschwörung gegen den Kaiser, schwach, unbestimmt, ja sogar ungeschickt. Was an ihm groß erscheinen, aber nur scheinen konnte, war das Rohe und Ungeheure, also gerade das, was ihn zum tragischen Helden schlecht qualifizierte. Dieses mußte ich ihm nehmen, und durch den Ideenschwung, den ich ihm dafür gab, hoffe ich, ihn entschädigt zu haben.

Wenn die Wallensteinischen Stücke ein Jahr lang gedruckt durch die Welt gelaufen sind, kann ich vielleicht selbst ein paar

15*

Worte darüber sagen. Jetzt liegt mir das Produkt noch zu nahe vor dem Gesicht, aber ich hoffe, jedes einzelne Bestandstück des Gemäldes durch die Idee des Ganzen begründen zu können.

Fr. Schiller.

An Wolfgang von Goethe.

Jena, den 5. März 1799.

Es hat mich diesen Winter oft geschmerzt, Sie nicht so heiter und mutvoll zu finden, als sonst, und eben darum hätte ich mir selbst etwas mehr Geistesfreiheit gewünscht, um Ihnen mehr sein zu können. Die Natur hat Sie einmal bestimmt, hervorzubringen; jeder andere Zustand, wenn er eine Zeitlang anhält, streitet mit Ihrem Wesen. Eine so lange Pause, als Sie dasmal in der Poesie gemacht haben, darf nicht mehr vorkommen, und Sie müssen darin ein Machtwort aussprechen und ernstlich wollen. Schon deswegen ist mir Ihre Idee zu einem didaktischen Gedichte sehr willkommen gewesen; eine solche Beschäftigung knüpft die wissenschaftlichen Arbeiten an die poetischen Kräfte an und wird Ihnen den Übergang erleichtern, an dem es jetzt allein zu fehlen scheint.

Wenn ich mir übrigens die Masse von Ideen und Gestalten denke, die Sie in den zu machenden Gedichten zu verarbeiten haben und die in Ihrer Phantasie lebendig liegen, so daß ein einziges Gespräch sie hervorrufen kann, so begreife ich gar nicht, wie Ihre Tätigkeit auch nur einen Augenblick stocken kann. Ein einziger dieser Plane würde schon das halbe Leben eines andern Menschen tätig erhalten. Aber Ihr Realism zeigt sich auch hier; wenn wir andern uns mit Ideen tragen und schon darin eine Tätigkeit finden, so sind Sie nicht eher zufrieden, als bis Ihre Ideen Existenz bekommen haben.

Das Frühjahr und der Sommer werden alles gut machen, Sie werden sich nach der langen Pause desto reicher entladen, besonders wenn Sie den Gesang aus der Achilleis gleich vornehmen, weil dadurch eine ganze Welt in Bewegung gesetzt wird. Ich kann jenes kurze Gespräch, wo Sie mir den Inhalt dieses ersten Gesangs erzählten, noch immer nicht vergessen, so wenig als den Ausdruck von heiterm Feuer und aufblühendem Leben, der sich bei dieser Gelegenheit in Ihrem ganzen Wesen zeigte.

Hier wieder ein Brief von Ubique. Der Mensch kann doch nicht ruhen, sich in anderer Affären zu mischen. Und seine schreck= liche Salbaderei über Wallenstein und die Weiber des Stücks. Ich werde mein Stück nicht dazu hergeben, Schröders Mütlein an den Hamburger Schauspielern zu kühlen.

Opitz will die Stücke für die Leipziger Bühne haben. Seien Sie doch so gütig, mir mit dem Botenmädchen die Piccolomini zu schicken, die das Theater jetzt nicht braucht. Ich muß sie ab= schreiben lassen.

Von Iffland habe ich noch nichts gehört, wohl aber erfuhr ich auf einem andern Weg, daß Iffland die erste Vorstellung der Piccolomini nach dem unverkürzten Exemplar gegeben, daß sie bis halb Eilf soll gewährt haben, und daß er bei der zweiten Vor= stellung gezwungen gewesen, das abgekürzte Stück zu geben und solches auch auf dem Komödienzettel anzukündigen. Es ist mir sehr verdrießlich, und da er die Länge des Stücks aus den Proben recht gut mutmaßen konnte, so ist es sehr ungeschickt von ihm ge= wesen. Er soll den Octavio gespielt haben, wie Böttiger schreibt, Thekla sei von Madame Fleck gespielt worden. Vom Sukzeß selbst habe ich noch nichts gehört, wahrscheinlich kam die Nach= richt, die mir Gries mitteilte, aus dem Schlegelischen Hause.

Auf den Freitag sende ich die zwei ersten Akte des Wallensteins. An Iffland sende ich nichts, bis er mir geschrieben hat.

Leben Sie recht wohl und erheitern Sie sich trotz des wieder= kehrenden Winters, der hier sehr traurig aussieht. Herzlich grüßen wir Sie beide.

S.

An Wolfgang von Goethe.

Jena, den 7. März 1799.

Versprochenermaßen sende hier die zwei ersten Akte des Wallen=
steins, denen ich eine gute Aufnahme wünsche. Sagen Sie mir
womöglich gleich morgen ein Wörtchen darüber und senden mir
das Manuskript durch die Sonntagabends=Post wieder zu, da
ich keine lesbare Abschrift davon habe und meinen Kopisten auch
nicht feiern lassen darf.

Zugleich lege ich Ifflands Nachricht von der Vorstellung der
Piccolomini bei, nebst dem Komödienzettel. Es ist gerade so aus=
gefallen, wie ich mutmaßte, und man kann fürs erste damit zu=
frieden sein. Das dritte Stück wird durchbrechen, wie ich hoffe.

Ich habe es endlich glücklicherweise arrangieren können, daß es
auch fünf Akte hat, und den Anstalten zu Wallensteins Er=
mordung ist eine größere Breite sowohl als theatralische Bedeut=
samkeit gegeben worden. Zwei resolute Hauptleute, die die Tat
vollziehen, sind handelnd und redend eingeflochten, dadurch kommt
auch Buttler höher zu stehen, und die Präparatorien zu der Mord=
szene werden furchtbarer. Freilich hat sich dadurch auch meine
Arbeit um ein ziemliches vermehrt.

Leben Sie recht wohl für heute. Meine Frau, die nicht ganz
wohl war, aber wieder besser ist, grüßt herzlich. Für die Rüben
danken wir schön.

Sch.

An Wolfgang von Goethe.

Jena, den 12. März 1799.

Daß meine zwei ersten Akte eine so gute Aufnahme gefunden,
freut mich sehr; die drei letzten, wenn ich sie auch nicht ganz so
genau auszuführen Zeit habe, sollen wenigstens dem ganzen Effekt
nach nicht hinter den ersten zurückbleiben. Die Arbeit avanciert

jetzt mit beschleunigter Bewegung, und wenn ich jeden Tag an=
wenden kann, wie diese letztern, so ist es nicht unmöglich, daß ich
Ihnen den ganzen Rest des Wallensteins kommenden Montag
durch einen Expressen sende, um das Manuskript, im Fall keine
Erinnerungen dagegen zu machen wären, mit der Montagabends=
post an Iffland zu expedieren.

Erwarten Sie darum in dieser Woche nicht viel von mir zu
hören.

Daß das trojanische Feld sich anfängt um Sie auszubreiten,
höre ich mit wahrer Freude. Bleiben Sie in dieser guten Stim=
mung und möge das heitere Wetter Sie dabei sekundieren.

Leben Sie recht wohl. Meine Frau, die wieder wohl ist, grüßt
Sie herzlich. Der Grieß ist angelangt von Dresden, es ist ein
schwerer Kasten, und wir wollen ihn, wenn Sie ihn nicht sogleich
verlangen, mit einer Gelegenheit abschicken. Es ist nur für drei
Reichstaler und einige Groschen, weil nicht mehr Vorrat da ge=
wesen; die Mühle war wegen des Frosts still gestanden.

Leben Sie recht wohl.

S.

An Wolfgang von Goethe.

Jena, den 15. März 1799.

Ich schreibe nur eine Zeile, um zu bestätigen, was ich neulich
versprach. Montags erhalten Sie den Wallenstein ganz. Tot
ist er schon und auch parentiert, ich habe nur noch zu bessern und
zu feilen.

Kommen Sie ja auf die Feiertage. Das wird mir jetzt nach
dieser lastvollen Woche eine rechte Erquickung sein.

Die Frau grüßt. Lebens Sie bestens wohl.

Sch.

An Wolfgang von Goethe.

Jena, den 17. März 1799.

Hier erfolgt nun das Werk, so weit es unter den gegenwärtigen
Umständen gebracht werden konnte. Es kann ihm in einzelnen
Teilen noch vielleicht an bestimmter Ausführung fehlen, aber für
den theatralisch=tragischen Zweck scheint es mir ausgeführt genug.
Wenn Sie davon urteilen, daß es nun wirklich eine Tragödie ist,
daß die Hauptfoderungen der Empfindung erfüllt, die Haupt=
fragen des Verstandes und der Neugierde befriedigt, die Schick=
sale aufgelöst und die Einheit der Hauptempfindung erhalten sei,
so will ich höchlich zufrieden sein.

Ich will es auf Ihre Entscheidung ankommen lassen, ob der
vierte Akt mit dem Monolog der Thekla schließen soll, welches
mir das Liebste wäre, oder ob die völlige Auflösung dieser Episode
noch die zwei kleinen Szenen, welche nachfolgen, notwendig macht.
Haben Sie die Güte, das Manuskript so zeitig zu expedieren, daß
ich es spätestens morgen, Montag, abends um sieben Uhr wieder
in Händen habe, und lassen auf das Kuvert schreiben, wann der
Bote expediert worden.

Alles übrige mündlich. Herzlich gratuliere ich zu den Progressen
in der Achilleis, die doppelt wünschenswürdig sind, da Sie dabei
zugleich die Erfahrung machten, wie viel Sie durch Ihren Vorsatz
über Ihre Stimmung vermögen.

Die Frau grüßt aufs beste. Wir erwarten Sie auf die Feier=
tag mit großem Verlangen.

Sonntag abends.

Sch.

An Wolfgang von Goethe.

Jena, den 19. März 1799.

Ich habe mich schon lange vor dem Augenblick gefürchtet, den ich so sehr wünschte, meines Werks los zu sein; und in der Tat befinde ich mich bei meiner jetzigen Freiheit schlimmer als der bisherigen Sklaverei. Die Masse, die mich bisher anzog und fest= hielt, ist nun auf einmal weg, und mir dünkt, als wenn ich be= stimmungslos im luftleeren Raume hinge. Zugleich ist mir, als wenn es absolut unmöglich wäre, daß ich wieder etwas hervor= bringen könnte; ich werde nicht eher ruhig sein, bis ich meine Ge= danken wieder auf einen bestimmten Stoff mit Hoffnung und Neigung gerichtet sehe. Habe ich wieder eine Bestimmung, so werde ich dieser Unruhe los sein, die mich jetzt auch von kleineren Unternehmungen abzieht. Ich werde Ihnen, wenn Sie hier sind, einige tragische Stoffe, von freier Erfindung, vorlegen, um nicht in der ersten Instanz, in dem Gegenstande, einen Mißgriff zu tun. Neigung und Bedürfnis ziehen mich zu einem frei phanta= sierten, nicht historischen, und zu einem bloß leidenschaftlichen und menschlichen Stoff; denn Soldaten, Helden und Herrscher habe ich vor jetzt herzlich satt.

Wie beneide ich Sie, um Ihre jetzige nächste Tätigkeit. Sie stehen auf dem reinsten und höchsten poetischen Boden, in der schönsten Welt bestimmter Gestalten, wo alles gemacht ist und alles wieder zu machen ist. Sie wohnen gleichsam im Hause der Poesie, wo Sie von Göttern bedient werden. Ich habe in diesen Tagen wieder den Homer vorgehabt und den Besuch der Thetis beim Vulkan mit unendlichem Vergnügen gelesen. In der an= mutigen Schilderung eines Hausbesuchs, wie man ihn alle Tage erfahren kann, in der Beschreibung eines handwerksmäßigen Ge= schäfts ist ein Unendliches in Stoff und Form enthalten, und das Naive hat den ganzen Gehalt des Göttlichen.

Daß Sie schon im Herbst die Achilleis zu vollenden hoffen, es

doch wenigstens für möglich halten, ist mir bei aller Überzeugung
von Ihrer raschen Ausführungsweise, davon ich selbst Zeuge war,
doch etwas Unbegreifliches, besonders da Sie den April nicht ein=
mal zu Ihrer Arbeit rechnen. In der Tat beklage ichs, daß Sie
diesen Monat verlieren sollen; vielleicht bleiben Sie aber in der
epischen Stimmung, und alsdann lassen Sie sich ja durch die
Theatersorgen nicht stören. Was ich Ihnen in Absicht auf den
Wallenstein dabei an Last abnehmen kann, werde ich ohnehin mit
Vergnügen tun.

Dieser Tage hat mir die Imhof die zwei letzten Gesänge ihres
Gedichts geschickt, die mir sehr große Freude gemacht haben. Es
ist überaus zart und rein entwickelt, mit einfachen Mitteln und
ungemeiner Anmutigkeit. Wenn Sie kommen, wollen wir es zu=
sammen besprechen.

Hier sende ich die Piccolominis zurück und bitte mir dafür
Wallensteins Lager aus, das ich auch noch abschreiben lassen will
und dann die drei Stücke zusammen endlich an Körnern senden.

Der Kasten mit Grieß ist von einem Herrn Meyern in Ihrem
Namen abgefodert und ihm überliefert worden. Sie haben ihn
doch erhalten?

Leben Sie recht wohl. Meine Frau grüßt schönstens. Morgen
hoffe ich zu hören, daß wir Sie Donnerstags erwarten können.

Sch.

An Gottfried Körner.

Jena, den 25. März 1799.

Hier endlich schicke ich dir das Opus. Sei so gut und lies
es erst mit Bedacht für dich, daß du ein wenig damit bekannt
wirst, ehe du es vorliesest. Du kannst es vierzehn Tage behalten.

Ich habe keine Zeit mehr gehabt es durchzusehen, es mögen
mehrere Schreibfehler darin stecken.

Auch mußt du dich an einigen lückenhaften Jamben nicht

stoßen, weil diese Bearbeitung zum Gebrauch des Theaters ist, wobei es auf diese Reinheit und Integrität nicht ankommt. Es kommt bloß auf das Wesen und auf den Eindruck des Ganzen an. Abien. Schreib mir mit zurückgehender Post nur zwei Zeilen über den richtigen Empfang.

    Wir umarmen euch herzlich.

Dein

Sch.

An Amalie von Imhoff.

25. März.

Verzeihen Sie mir, liebe Freundin, daß ich Ihr Gedicht so lange bei mir behalten habe und so spät ein Wort darüber sage. Ich wollte es genießen und mit ganzer Besonnenheit studieren. Dieses konnte ich nicht, bis ich meines eigenen Werkes völlig entledigt war, das von so ganz entgegengesetzter Stimmung ist.

    Heute habe ich das Gedicht nun mit neuer Aufmerksamkeit wieder gelesen und kann Ihnen nicht ausdrücken, wie mich der schöne Geist, der es belebt, erfreut und bewegt hat. Ich bewundere die zarte und doch bestimmte Zeichnung, die reinen, eblen und doch dabei wahr menschlichen Gestalten, die einfachen und doch zureichenden Mittel, durch die alles geschieht. Die Exposition ist mit großer Geschicklichkeit gemacht, die Auflösung ist durch eine hohe Simplizität und Zartheit rührend. Es bleibt alles in der Natur und Wahrheit und trägt demungeachtet einen schönen, idealen Charakter. Über das einzelne hoffe ich Sie selbst zu sprechen, dies sind nur meine Empfindungen über das Ganze. Ich gebe heute Goethe das Gedicht, der mir dann seine Gedanken darüber mitteilen wird. In zehn oder zwölf Tagen komme ich nach Weimar, wo wir dann recht umständlich mit Ihnen darüber konferieren wollen.

    Leben Sie recht wohl bis dahin, ich freue mich sehr, Sie wieder eine Zeitlang zu sehen und über das schöne Werk recht viel mit Ihnen zu sprechen. Meine Frau, die auch recht viel Freude daran gehabt hat, grüßt Sie schönstens. Empfehlen Sie uns Ihrer Frau Mutter aufs beste. Sch.

An Wolfgang von Goethe.

[Jena, den 2. April.]

Ihre Sendung überrascht mich sehr angenehm, ich will den Gesang mit aller Aufmerksamkeit lesen und studieren.

Wallensteins Lager soll heut abend verabfolgt werden. Ich hoffe Sie bald zu sehen und Ihnen meine Empfindungen über das Gelesene mitzuteilen. S.

An Gottfried Körner.

Jena, den 8. April 1799.

Was du mir von dem ersten Eindruck des Wallensteins schreibst, hat mich sehr erfreut und belohnt mich für den langen Zwang, den ich mir antat, dir nichts einzelnes davon zu schicken.

Hier lege ich nun noch die neue Bearbeitung des Vorspiels bei, worin du auch viele Veränderung finden wirst.

Sende mir doch die drei Stücke mit dem nächsten Posttag zurück, weil ich sie weiter zu senden habe. Ich kann sie dir in einigen Wochen wieder schicken, wenn du sie haben willst.

Am zwanzigsten dieses Monats spielt man den Wallenstein zum erstenmal in Weimar. Ich reise übermorgen dahin und bleibe bis zum dreiundzwanzigsten, schreibe mir also direkt nach Weimar; was du vor dem achtzehnten wegschickst, trifft mich noch dort.

Wir umarmen euch herzlich. Gib mir bald Nachricht, wie die Vorlesung des Wallensteins abgelaufen.

Dein

S.

An Friedrich Cotta.

Weimar, den 13. April 1799.

Das Arrangement, das ich mit dem diesjährigen Almanach gemacht, veranlaßt mich, Ihnen diesen Brief noch auf die Messe nach Leipzig zu schreiben.

Ich habe ein kleines episches Gedicht, von der Größe wie Goethens Hermann und Dorothea und von sehr großem Interesse, erhalten, welches ganz dazu qualifiziert ist, den Inhalt unsers neuen Almanachs abzugeben. Es soll ganz allein darin erscheinen, und Goethe wird es mit einem darauf bezughabenden kleinen Einleitungsgedichte, ich aber mit einer Vorrede begleiten, vielleicht auch noch einige kleinere Gedichte anhängen.

Damit aber dem Almanach die Mannigfaltigkeit nicht fehle, so haben wir ausgemacht, das Gedicht mit vier Kupfern, außer dem Titelkupfer zu begleiten. Meyer macht die Zeichnungen und hat bereits bei dem Kupferstecher Boettger angefragt, ob und unter welchen Bedingungen er den Stich übernehmen könne. Dieser fodert 30 Reichstaler für den Stich.

Sie sollen nicht mehr Auslagen dafür haben als für den vorhergehenden Almanach und bezahlen also soviel Honorar weniger, als die vier Kupfer, außer dem Titelkupfer, kosten.

Boettger will bald eine Resolution haben, Sie können es also, da er in Leipzig sich aufhält, mündlich mit ihm abtun.

Mir ist dieses so glücklich eintreffende Gedicht doppelt willkommen gewesen, da Goethe, wegen einer großen Arbeit, die er unter Händen hat, dieses Jahr für den Almanach nicht viel hätte tun können und ich selbst, teils um etwas für die Propyläen tun zu können, teils um eine neue Tragödie noch für diesen Winter fertig zu machen, sehr froh bin, diesen Sommer frei zu sein.

Leben Sie recht wohl und lassen Sie mich Ihre Ankunft in Jena wissen. Ich bin gegenwärtig in Weimar und reise erst am dreiundzwanzigsten nach Jena zurück, weil der Wallenstein am zwanzigsten und zweiundzwanzigsten hier gegeben wird.

Meine Frau grüßt Sie aufs beste. Haben Sie zugleich die Güte, mir die Poetische Kunst des Aristoteles, übersetzt von Buhle, und Euripides Tragödien nach der neuesten Ausgabe von Beck in drei Bänden mitzubringen.

Ganz der Ihrige

Schiller.

An Frau von Kalb.

[Weimar, den 20. April 1799.]

Charlottens Geist und Herz können sich nie verleugnen. Ein rein gefühltes Dichtwerk stellt jedes schöne Verhältnis wieder her, wenn auch die zufälligen Einflüsse einer beschränkten Wirklichkeit es zuweilen entstellen konnten. Die edle Menschlichkeit spricht aus dem gefühlten Kunstwerk zu einer edlen menschlichen Seele, und die glückliche Jugend des Geistes kehrt zurück.

Ihr Andenken, teure Freundin, wird seinen vollen Wert für mich behalten. Es ist mir nicht bloß ein schönes Denkmal dieses heutigen Tages, es ist mir ein teures Pfand Ihres Wohlwollens und Ihrer treuen Freundschaft und bringt mir die ersten schönen Zeiten unserer Bekanntschaft zurück. Damals trugen Sie das Schicksal meines Geistes an Ihrem freundschaftlichen Herzen und ehrten in mir ein unentwickeltes, noch mit dem Stoffe unsicher kämpfendes Talent. Nicht durch das, was ich war und was ich wirklich geleistet hatte, sondern durch das, was ich vielleicht noch werden und leisten konnte, war ich Ihnen wert. Ist es mir jetzt gelungen, Ihre damaligen Hoffnungen von mir wirklich zu machen und Ihren Anteil an mir zu rechtfertigen, so werde ich nie ver= gessen, wie viel ich davon jenem schönen und reinen Verhältnisse schuldig bin.

Sch.

An Friedrich Cotta.

Jena, den 25. April 1799.

In diesem Augenblick lange ich wieder in Jena an und eile, Sie davon zu benachrichtigen, Goethe wird den ersten, spätestens zweiten Mai auch hier sein.

Sollte Iffland gegenwärtig sich in Leipzig befinden, so haben Sie die Güte, ihn zu fragen, ob er die bewußten 60 Friedrichsdor nicht an Sie auszahlen wolle. Er wollte mir dieselben in der Messe schicken, und ich weiß nicht, ob er deshalb schon Verfügung getroffen.

Leben Sie recht wohl. Wir freuen uns sehr, Sie zu sehen.

Ihr

S.

An Wolfgang von Goethe.

Jena, den 26. April 1799.

Die Zerstreuungen, die ich in Weimar erfahren, klingen heute noch bei mir nach, und ich kann noch zu keiner ruhigen Stimmung kommen. Indessen habe ich mich an eine Regierungsgeschichte der Königin Elisabeth gemacht und den Prozeß der Maria Stuart zu studieren angefangen. Ein paar tragische Hauptmotive haben sich mir gleich dargeboten und mir großen Glauben an diesen Stoff gegeben, der unstreitig sehr viele dankbare Seiten hat. Besonders scheint er sich zu der Euripidischen Methode, welche in der vollständigsten Darstellung des Zustandes besteht, zu qualifizieren, denn ich sehe eine Möglichkeit, den ganzen Gerichtsgang zugleich mit allem Politischen auf die Seite zu bringen und die Tragödie mit der Verurteilung anzufangen. Doch davon mündlich und bis meine Ideen bestimmter geworden sind.

Hier haben wir den Frühling nicht eben weiter vorgerückt gefunden als in Weimar, bloß die Stachelbeerhecken zeigten sich grün, die uns im Mühltal empfingen.

Wollten Sie die Güte habeu und gegen beiliegende Scheine die notierten Werke aus der Bibliothek für mich holen und durch das Botenmädchen senden lassen. Camden habe ich schon mit= genommen, aber den Schein vergessen zurückzulassen. Wenn Sie mir etwa aus der Sammlung des Herzogs den Gentzischen Historischen Kalender, der das Leben der Maria Stuart enthält, verschaffen könnten, so wäre mirs sehr angenehm.

Verzeihen Sie, daß ich Ihnen diese Mühe verursache.

Nochmals meinen herzlichen Dank für alles Angenehme, was ich bei Ihnen und durch Sie in Weimar genossen habe. Versäumen Sie ja nicht am ersten Mai hier zu sein, ich habe es auch Cotta schon geschrieben.

Meine Frau grüßt Sie aufs freundlichste. Leben Sie recht wohl. An Meyern viele Grüße.

Sch.

An Georg Göschen.

Jena, den 26. April 1799.

Ihr Brief und Paket, mein werter Freund, fand mich in Weimar unter einer Menge von Zerstreuungen, welche die Re= präsentation des Wallensteins mir verursachte, deswegen bitte ich meine verzögerte Antwort zu entschuldigen.

Empfangen Sie zugleich meinen verbindlichsten Dank für das ansehnliche Honorar, das Sie mir für die neue Ausgabe des Geistersehers bestimmten und das mir Hufeland heute ausgezahlt hat. Ich will nicht leugnen, daß diese unerwartete schöne Ein= nahme für ein Werk aus alten Zeiten, das mir durch Ihre Liberalität schon so gut belohnt worden ist, mich sehr angenehm überrascht hat, und es ist mir ein neues Beispiel, wie sehr auch ein kleines Kapital des Geistes, in Ihre glückliche Hand gelegt, wuchert.

Von Herzen wünsche ich, daß Sie sich mit den Ihrigen wieder

recht wohl befinden mögen. Wir hofften, diesen Sommer in Ihre Nachbarschaft zu kommen und Sie in Ihrem neuen Wohnsitze zu überraschen, aber Geschäfte habeu diese projektierte Reise wieder rückgängig gemacht.

Leben Sie aufs beste wohl.

Ihr aufrichtig ergebener

Schiller.

An Gottfried Körner.

Jena, den 8. Mai 1799.

Ich habe deinen letzten Brief mitten unter den weimarischen Zerstreuungen erhalten, und er war mir desto mehr willkommen, da mir das fabe Schwatzen über diesen Gegenstand in Weimar eine ernste und gründliche Stimme zum Bedürfnis machte. Erwarte indessen binnen der nächsten drei oder vier Monate nichts Vernünftiges darüber von mir zur Antwort; ich habe mich mit Gewalt aus dieser Materie herauszureißen gesucht, und es tut mir wohl, in einem neuen Element zu leben. Du sollst aber die beiden Stücke in acht Tagen spätestens wiedererhalten und einige Monate bei dir aufbewahren, daß du dir in dieser Zeit deine Bedenken und Desiderata aufnotieren kannst. Könntest du dich entschließen, die Anzeige des dritten Stücks für die Allgemeine Zeitung aufzusetzen, so würdest du Goethen und mir einen großen Gefallen erzeigen, denn diese Arbeit liegt sowohl ihm als mir jetzt außer dem Wege, und sie muß doch getan sein. Du kannst dich darin nach der Anzeige der Piccolomini in eben dieser Zeitung, die Goethe und ich in Gemeinschaft, obgleich etwas eilfertig aufgesetzt, richten und brauchst dir dabei keine große Mühe zu machen, da es nur um den Haupteindruck zu tun ist.

Der Wallenstein hat auf dem Theater in Weimar eine außerordentliche Wirkung gemacht und auch die Unempfindlichsten mit sich fortgerissen. Es war darüber nur Eine Stimme, und in den nächsten acht Tagen ward von nichts anderem gesprochen.

Jetzt bin ich gottlob wieder auf ein neues Trauerspiel fixiert, nachdem ich sechs Wochen lang zu keiner Resolution kommen kounte. Diesmal sollst du das Sujet nicht eher als mit dem voll= endeten Werke erfahren. Ich hoffe am Ende des Winters aller= spätestens damit fertig zu sein; denn fürs erste ist der Gegenstand nicht so widerstrebend als Wallenstein, und dann habe ich an diesem das Handwerk mehr gelernt. Wenn ich diesen Sommer nicht einige Monate an die Propyläen wenden müßte, so hoffte ich das neue Stück noch mit Ende dieses Jahres zu liefern.

Meine Gesundheit hält sich noch recht brav; ich hoffe, sie soll sich diesen Sommer noch mehr befestigen. Goethe hat sich jetzt Equipage angeschafft und fährt mich alle Tage spazieren; wir ziehen dieser Tage auch wieder in den Garten, was ihr ohne Zweifel auch bald tun werdet.

Sei doch so gut und laß mir von den Weiblein eine Bordüre zu einer blauen Tapete aussuchen für ein Gartensälchen. Ich brauche zwanzig Ellen, sie darf nur eine Hand breit sein. Wenn ich weiß, was sie kostet, so will ich das Geld zugleich mit dem für die Nudeln und den Grieß in dem nächsten Paket beilegen.

Wir umarmen euch herzlich

Dein

S.

An Wolfgang von Goethe.

[Jena, den 11. Mai 1799.]

Ihr Manuskript soll mich diese ersten ruhigen Stunden, die ich heut nachmittag nach der Konfusion des Auszugs genießen werde, angenehm und willkommen beschäftigen. Wir waren durch das gestrige Wetter freilich nicht begünstigt, und auch das heutige ist wenig erfreulich, aber ich bin dennoch froh, daß wir nun die ersten milden Augenblicke gleich im Freien genießen können.

Kommen Sie diesen Abend etwas zeitig, wenn Sie nicht Luft haben, bei unfern Philosophen auszuharren.

S.

An Wolfgang von Goethe.

[Jena, den 12. Mai 1799.]

Zu der geistigen Produktion gratuliere ich. Es ift viel gewonnen, daß Sie auch das nun hinter fich haben. Mir hat fich der Geist heut noch nicht zeigen wollen, ob ich ihn gleich in allen Gängen meines Gartens suchte und aufs Erfinden ausging.

Die Frau ist ziemlich erträglich heute und läßt Sie freundlich grüßen. Wir haben heute nichts vor und erwarten Sie. Hier etwas Philosophisches zum Nachtisch.

S.

An Gottfried Körner.

Jena, den 19. [20.] Mai 1799.

Hier sende ich den Wallenstein und was ich von den Piccolomini abgeschrieben liegen habe. Du tust Goethe und mir einen großen Gefallen, daß du die Anzeige machen willst, und je eher du sie fertigen kannst, desto lieber wirds uns sein. Ich brauche nicht zu sagen, daß ein anpreisender Ton nicht schicklich wäre, sondern bloß eine ruhige Sachdarstellung gewünscht wird, wie ein Freund von dem Werk des Freundes öffentlich sprechen und sich, wenn es nötig wäre, dazu bekennen kann. Die Kritik der Vorstellung wollen wir hier schon anhängen.

Das Inserat in der Allgemeinen Literatur=Zeitung ift besorgt.

Von der Bordüre brauche ich bloß zwanzig Ellen, weil die

16*

Tapete nur oben und nicht unten eingefaßt wird und auch der
obere Kranz wegen einer großen Flügeltür nicht ganz herumgeht.

Herzlich umarmen wir euch alle.

Dein

Sch.

An Johann Friedrich Unger.

Jena, den 26. Mai 1799.

Zu Ihrer Sammlung von Romanen werde ich gern meinen
Beitrag geben, sobald sich Stoff und Stimmung zu einer solchen
Arbeit bei mir findet, und habe daher auch nichts dagegen, wenn
Sie mich unter der Zahl derer, die dazu beitragen wollen, nennen.
Ein Gleiches trägt Goethe mir auf, Ihnen zu versichern. Über die
Bedingungen werden wir alsdann leicht einig werden.

Findet sich unter den kleinen Erzählungen, die ich in Händen
habe, und die mir für die Horen zu spät sind eingesendet worden,
etwas Passendes für Ihren Zweck, so werde ich es Ihnen zuschicken.

Goethe sagte mir dieser Tage, daß Sie ihn an einen neuen
Band seiner Schriften erinnert hätten. Ich weiß nicht, ob er jetzt
etwas Neues für diese Sammlung hat, ich habe ihm aber schon
längst angelegen, die kleinen Gedichte, Elegien, Idyllen, Epigramme, Balladen, Lieder u. s. f., die er in den letzten acht Jahren
gemacht hat und in Almanachen und Journalen zerstreut hat
drucken lassen, in einen Band, etwa den siebenten seiner Werke zu
sammeln. Eine solche Sammlung würde gewiß vielen sehr willkommen sein, und ich wünschte, daß Sie ihn dazu bereden könnten.

Wegen unserer Ausgabe eines deutschen Theaters ist nur eine
Schwierigkeit, ob man die Unternehmung nicht unter der verhaßten
Form eines Nachdrucks betrachten wird. Wenn dies nicht zu
fürchten ist, so wäre Goethes und meine Idee, jede Messe fünf
oder sechs Stücke, in zwei Bänden verteilt, herauszugeben, nebst
einer kritischen Rechenschaft über die Wahl der Stücke und einer

kurzen Beurteilung derselben. Wenn Sie für diese vier Bände
die Summe von 100 Karolin geben zu können glauben, ohne daß
der Preis eines Bandes höher als einen Reichstaler gesetzt zu
werden braucht, so wird das Publikum und wir unsre Rechnung
dabei finden.

Wenn Sie mir bald ein paar Worte darüber sagen wollen, so
ersuche ich Sie zugleich, mir etwas über die Repräsentation meines
Wallenstein in Berlin zu schreiben, wovon ich noch kein Wort ge=
hört habe, auch, wenn es angeht, einen Komödienzettel, wegen der
Rollenbesetzung, beizulegen.

Mit Achtung und Ergebenheit der Ihrige

Schiller.

An Wolfgang von Goethe.

Jena, den 29. Mai 1799.

Ich habe in den zwei Tagen, daß Sie von uns sind, in meinem
angefangenen Geschäft emsig fortgefahren und hoffe, daß ein be=
ständigeres Wetter auch meinen Bemühungen förderlich sein wird.
Indem ich mir von unserm letzten Zusammensein Rechenschaft
gebe, finde ich, daß wir uns, ohne produktiv zu sein, wieder nützlich
beschäftigt haben, die Idee besonders von dem notwendigen Aus=
einanderhalten der Natur und Kunst wird mir immer bedeutender
und fruchtbarer, so oft wir auf diese Materie zurückkommen, und
ich rate, bei dem Aufsatz über den Dilettantism auch recht breit
darüber herauszugehen.

Das Schema über diesen Aufsatz erwarte ich nun bald, ab=
geschrieben und mit neuen Bemerkungen bereichert, zurück und
hoffe, daß Ihnen die Nähe von Aurora und Hesperus recht viel
Licht dazu geben möge.

Ich bin gestern zufällig über ein Leben des Christian Thomasius
geraten, das mich sehr unterhalten hat. Es zeigt das interessante
Loswinden eines Mannes von Geist und Kraft aus der Pedanterei

des Zeitalters, und obgleich die Art, wie er es angreift, selbst noch pedantisch genug ist, so ist er doch, seinen Zeitgenossen gegenüber, ein philosophischer, ja ein schöner Geist zu nennen. Er erwählte dasselbe Mittel, das auch Sie für das kräftigste halten, die Gegner durch immer fort und schnell wiederholte Streiche zu beunruhigen, und schrieb das erste Journal unter dem Titel: Monatliche Gespräche, worin er auf satirische Art und mit einem satirischen Kupferstich vor jedem Stücke seinen Gegnern, den Theologen und aristotelischen Philosophen, tapfer zusetzt. Er wagte es, akademische Schriften zuerst auch in deutscher Sprache zu schreiben; eine davon über das feine Betragen und das, was der Deutsche von den Franzosen nachahmen solle, wäre ich neugierig zu lesen und werde mich hier darnach umtun.

Haben Sie vielleicht etwas von der Frau Imhoff und ihrem Werke in Erfahrung gebracht und wollen Sie ihr das, wovon Sie neulich sagten, insinuieren?

Meine Frau grüßt Sie herzlich. Wir vermissen Sie sehr, und ich kann mich kaum mehr daran gewöhnen, die Abende ohne Gespräch zuzubringen. Meyern viele Grüße.

Leben Sie recht wohl.　　　　　　　　　　　S.

An Kammersekretär Jacobi.

Jena, den 30. Mai 1799.

Sechzig Stück Friedrichsdor für die dem Königlichen National-Theater zu Berlin überlassenen Schauspiele

Wallensteins Lager,

Die Piccolomini und

Wallensteins Tod

habe ich von der Königlichen Haupt-Theater-Kasse bar und richtig bezahlt erhalten, worüber hiemit quittiere.

Friederich Schiller,
Hofrat und Professor zu Jena.

An Wolfgang von Goethe.

Jena, den 31. Mai 1799.

Ich begreife wohl, daß Ihnen das Gedicht unserer Dilettantin immer weniger Freude machen mag, je näher Sie es betrachten. Denn auch darin zeigt sich der Dilettantism besonders, daß er, weil er aus einem falschen Prinzip ausgeht, nichts hervorbringen kann, das nicht im Ganzen falsch ist, also auch keine wesentliche Hülfe zuläßt. Mein Trost ist, daß wir bei diesem Werke den dilettantischen Ursprung ja ankündigen dürfen, und daß wir, indem wir eine Toleranz dafür beweisen, bloß eine Humanität zeigen, ohne unser Urteil zu kompromittieren. Das Schlimmste dabei ist die Mühe und die Unzufriedenheit, die es Ihnen macht; indessen müssen Sie die Arbeit als eine sectionem cadaveris zum Behuf der Wissenschaft ansehen, da dieser praktische Fall bei der gegenwärtigen theoretischen Arbeit nicht ganz ungelegen kommt.

Mir haben diese Tage ganz entgegengesetzte Produkte eines Meisters in der Kunst nicht viel mehr Freude gewährt, obgleich ich, da ich nicht dafür zu repondieren habe, ganz ruhig dabei bleiben kann. Ich habe Corneillens Rodogune, Pompée und Polyeucte gelesen und bin über die wirklich enorme Fehlerhaftigkeit dieser Werke, die ich seit zwanzig Jahren rühmen hörte, in Erstaunen geraten. Handlung, dramatische Organisation, Charaktere, Sitten, Sprache, alles, selbst die Verse, bieten die höchsten Blößen an, und die Barbarei einer sich erst bildenden Kunst reicht lange nicht hin, sie zu entschuldigen. Denn der falsche Geschmack, den man so oft auch in den geistreichsten Werken findet, wenn sie in einer rohen Zeit entstanden, dieser ist es nicht allein, nicht einmal vorzugsweise, was daran widerwärtig ist. Es ist die Armut der Erfindung, die Magerkeit und Trockenheit in Behandlung der Charaktere, die Kälte in den Leidenschaften, die Lahmheit und Steifigkeit im Gang der Handlung und der Mangel an Interesse fast durchaus. Die Weibercharaktere sind klägliche Fratzen, und ich habe noch nichts als das eigentlich Heroische glücklich behandelt gefunden, doch ist auch dieses an sich nicht sehr reichhaltige Ingrediens einförmig behandelt.

Racine ist ohne allen Vergleich dem Vortrefflichen viel näher, obgleich er alle Unarten der französischen Manier an sich trägt und im ganzen etwas schwach ist. Nun bin ich in der Tat auf Voltaires Tragödie sehr begierig, denn aus den Kritiken, die der letztere über Corneille gemacht, zu schließen, ist er über die Fehler desselben sehr klar gewesen.

Es ist freilich leichter tadeln als hervorbringen. Dabei fällt mir mein eigenes Pensum ein, das noch immer sehr ungestaltet daliegt. Wüßten es nur die allzeit fertigen Urteiler und die leicht fertigen Dilettanten, was es kostet, ein ordentliches Werk zu erzeugen.

Haben Sie doch die Güte, mir mit der Botenfrau die Piccolomini und den Wallenstein zu schicken. Kotzebue hat mich darum ersucht, und ich versprach es ihm, weil mich diese Gefälligkeit weniger kostet als ein Besuch bei ihm oder ein Abendessen.

Meyern viele Grüße. Seinen Brief habe ich an Böttger abgeschickt.

Meine Frau grüßt Sie bestens.

Leben Sie wohl und heiter bei diesem erquickenden Regenwetter. Sch.

An Wolfgang von Goethe.

Jena, den 4. Juni 1799.

Hier erfolgt Körners Aufsatz über den Wallenstein. Er ist aber, so wie er ist, nicht zu gebrauchen, weil er sich die Bequemlichkeit gemacht hat, lieber den Dichter statt seiner sprechen zu lassen, und auf diese Weise das Werk in Fetzen zerrissen vor das Publikum bringt. Wenn das Stück schon gedruckt wäre, möchte das hingehen, so aber finde ich meine Rechnung nicht dabei. Es ist glücklicherweise nicht so pressant es abzuschicken, denn ich denke, Sie

werden mit mir einig sein, daß man, weil man doch so lang ge=
wartet hat, die Anzeige nach der vierten Vorstellung des Wallen=
stein abschickt. Bis dahin will ich die Körnerische Arbeit noch
vornehmen und darin mehr den erzählenden als den dramatischen
Ton herrschen lassen, auch noch einige Aufschlüsse über das Ganze
einflechten.

Ich habe mich nicht enthalten können, weil das Schema zu den
ersten Akten der Maria in Ordnung und in den letzten nur noch
ein einziger Punkt unausgemacht ist, um die Zeit nicht zu ver=
lieren, gleich zur Ausführung fortzugehen. Ehe ich an den zweiten
Akt komme, muß mir in den letzten Akten alles klar sein. Und so
habe ich denn heute, den 4. Juni, dieses Opus mit Lust und Freude
begonnen und hoffe in diesem Monat schon einen ziemlichen Teil
der Exposition zurückzulegen.

Was Sie mir von den Schwestern zu Lesbos schrieben, hat
mir großen Trost gewährt. Auch meine Schwägerin schrieb mir
von dieser Zusammenkunft und konnte mir nicht genug rühmen,
wieviel sie dabei gelernt habe.

Ich lese jetzt in den Stunden, wo wir sonst zusammen kamen,
Lessings Dramaturgie, die in der Tat eine sehr geistreiche und be=
lebte Unterhaltung gibt. Es ist doch gar keine Frage, daß Lessing
unter allen Deutschen seiner Zeit über das, was die Kunst betrifft,
am klarsten gewesen, am schärfsten und zugleich am liberalsten
darüber gedacht und das Wesentliche, worauf es ankommt, am
unverrücktesten ins Auge gefaßt hat. Liest man nur ihn, so möchte
man wirklich glauben, daß die gute Zeit des deutschen Geschmacks
schon vorbei sei, denn wie wenig Urteile, die jetzt über die Kunst
gefällt werden, dürfen sich an die seinigen stellen.

Ist es denn wahr, daß die Königin von Preußen den Wallen=
stein in Berlin nicht hat wollen spielen sehen, um ihn in Weimar
zuerst kennen zu lernen?

Schreiben Sie uns doch, ob die La Roche in Oßmannstedt an=
gelangt ist? Auch meiner Frau liegt an dieser Nachricht.

Auch bitte ich mir durch Vulpius das Verzeichnis der von mir einzusendenden Bücher zurückschicken zu lassen, nebst einem Katalog der Auktion, wenn noch einer zu haben.

Leben Sie recht wohl und genießen Sie die jetzigen angenehmen Tage.

Sch.

An Friedrich Cotta.

Jena, den 5. Juni 1799.

Meinen Glückwunsch zur guten Ankunft bei den Ihrigen. Meine Frau, die sich Ihnen aufs beste empfiehlt, fragte gleich bei Erblickung Ihres Briefes, ob man Ihnen zur Vermehrung Ihrer Familie gratulieren dürfe. Wir hoffen in Ihrem nächsten Briefe die angenehme Nachricht zu erhalten und nehmen herzlich Anteil daran.

Ich muß Sie bitten Herrn Bell noch einige Zeit ohne bestimmte Antwort zu lassen, weil ich in dieser Sache noch eine Nachricht aus England erwarte, die mich entweder von meinem alten Engagement losmacht oder mir ein anderes günstiges Verhältnis eröffnet.

Binnen vier oder fünf Tagen erhalten Sie das Manuskript meiner Schwägerin zum Kalender. Sie hat mirs zugeschickt und es wird abgehen, sobald ich es durchgesehen habe. Nur bittet sie Sie, Geduld mit ihr zu haben, daß sie nicht ganz soviel schickt, als Sie wünschen, sie war nicht Herr ihrer Zeit und ihrer Stimmung, und wenn ich meine eigene Meinung dabei sagen soll, so ist mirs lieber, daß sie die Sache so ernsthaft nimmt und lieber weniger gibt, als in der Eilfertigkeit schlechtere Arbeit macht. Sie können sich bei ihr darauf verlassen, daß sie nichts anders macht als mit Lust und Liebe. Es gibt demungeachtet einen sehr beträchtlichen Beitrag, der einen guten Teil des Kalenders füllt.

Haben Sie vielleicht bei Göschen wegen des Carlos angefragt,

ob er ihn jetzt so abdrucken lassen will, wie er ist, mit dem Ver=
sprechen von uns, daß wir den veränderten Carlos erst in fünf
Jahren drucken lassen wollen? Ich will dann nichts für die Auf=
lage von ihm haben.

Leben Sie recht wohl. Ganz der Ihrige

Sch.

P. S. Den Einschluß bitte, gefälligst und bald an meine Mutter
zu besorgen.

An Georg Heinrich Nöhden.

Jena, den 5. Juni 1799.

Ich muß mich schämen, daß ich Ihr gütiges Schreiben vom
vorigen September nebst dem angenehmen Einschluß so spät be=
antworte, aber ich ließ es aufstehen, weil ich noch nichts Be=
stimmtes über den Wallenstein sagen kounte. Empfangen Sie
meinen verbindlichsten Dank für Ihre Bemühungen um den
Carlos. Soweit ich das Englische verstehe und den Wert einer
Übersetzung beurteilen kann, ist er sehr gut übergetragen; aber wie
die Poeten sind, auch den kleinsten Ausdruck mögen sie sich nicht
gern nehmen lassen, und so kann ich nicht leugnen, daß es mir
um verschiedene Stellen leid tut, wo die Kraft und Eigentümlich=
keit dem Genius der fremden Sprache hat aufgeopfert werden
müssen. Dann kann ich auch nicht leugnen, daß ich das Silben=
maß in dieser Übersetzung ungern vermißte.

Nun aber zum Wallenstein. Dieses dramatische Werk ist nun
fertig, aber in einer Suite von drei Stücken ist es ausgeführt,
einem Vorspiel von einem Akt, „Wallensteins Lager" betitelt,
einem Schauspiel in fünf Akten, welches von den zwei Haupt=
personen nach dem Wallenstein, die Piccolomini, den Namen
führt, und endlich dem eigentlichen Trauerspiele Wallenstein, gleich=
falls in fünf Akten. Das Vorspiel ist in kurzen gereimten Versen

geschrieben, nach dem Geist des Jahrhunderts, in welchem die
Geschichte spielt. Die zwei anderen Stücke sind in Jamben. —
Es sind durch meinen Buchhändler Cotta in Tübingen aus Eng=
land Anträge an mich geschehen, daß ich diese Stücke in Manu=
skript dahin senden möchte, und man will sechzig Pfund dafür
bezahlen. Auch hat vor etlichen Wochen ein Herr Symonds, in
Paternoster Row wohnhaft, der, wie Ihnen bekannt sein wird,
auch eine Übersetzung des Carlos herausgab, an mich geschrieben
und sich meine künftigen Stücke ausgebeten. Da ich nun in
meinen Verhältnissen gegen merkantilische Vorteile nicht ganz
gleichgültig sein darf, so werden Sie mir nicht übel deuten, wenn
ich zu wissen wünsche, ob mir der Verleger Ihrer Übersetzung
ähnliche Vorteile bewilligen kann. Freilich wäre mirs angenehm,
wenn die Übersetzung meiner künftigen Stücke sowohl als des
Wallenstein in Ihre und Ihres Freundes geschickte Hand fiele
und wenn ich auf diese Art den innern wesentlichen Vorteil einer
guten Übersetzung mit jenem äußern merkantilischen Vorteil ver=
einigen könnte.

Auch habe ich erfahren, daß Herr Sheridan, unter dessen
Aufsicht das Theater zu Drurylane steht, deutsche Originalstücke
dafür annimmt und sie übersetzen läßt, um sie spielen zu lassen.
Wenn es nicht zu unbescheiden von mir ist, Sie mit einem Auf=
trage zu bemühen, so wünschte ich wohl zu wissen, ob dem wirk=
lich so ist und ob ich ins künftige solche Stücke von mir, die auf
den theatralischen Effekt berechnet sind, an ihn senden kann. Auch
die Wallensteinischen Schauspiele bin ich gesonnen in ein einziges
Theaterstück zusammenzuziehen, weil die Trennung derselben tra=
gischen Handlung in zwei verschiedene Repräsentationen auf dem
Theater etwas Ungewöhnliches hat und die erste Hälfte immer
etwas Unbefriedigendes behält. In ein Stück vereinigt bilden
beide aber ein sehr wirkungsreiches Theaterstück, wie mich die Re=
präsentation in Weimar belehrt hat. Auch dieses Stück möchte
Herrn Sheridan alsdann vielleicht brauchbar sein.

An Wolfgang von Goethe.

Jena, den 7. Juni 1799.

Nur zwei Worte für heute, da ich hoffe, Sie morgen selbst zu sehen. Wenn nichts dazwischen kommt, so habe ichs Lobern zugesagt, bei der Gesellschaft zu sein, die er in Belvedere ein= geladen.

Dohm hat uns hier seine authentische Nachricht von der Rastädter Geschichte zurückgelassen, die mir zu verschiedenen Be= merkungen Gelegenheit gegeben. Unter andern werden Sie den ganz sonderbaren Widerspruch bemerkt haben, der in Absicht auf den Tod des Roberjots darin vorkommt, wo zwei ganz entgegen= gesetzte Berichte auf die Aussage des nämlichen Kammerdieners gegründet werden. Bei einer so feierlich angekündigten Genauig= keit ist solch ein Versehen sonderbar genug, und ich weiß mirs schlechterdings nicht zu erklären.

In meiner Arbeit bin ich seit zwei Tagen nicht weiter gerückt, gestern hatte ich den ganzen Tag Besuche und heute eine gewaltige Briefexpedition.

Das Geschrei, das Wieland von Herders Buch erhebt, wird, wie ich fürchte, eine ganz andere Wirkung tun, als er damit be= absichtigt. Wir können es in aller Gelassenheit abwarten und wollen bei dieser Komödie, die bunt und lärmend genug werden wird, als ruhige Zuschauer unsre Plätze nehmen. Unterhaltung gibt sie uns gewiß. Was auch Wieland gesagt haben mag, so wünschte ich, Cotta setzte es in die Allgemeine Zeitung, oder Boettger schickte es dahin, denn es kann nicht allgemein genug bekannt werden.

Herr von Fritsch mag sich immerhin die Stelle, die er (wahr= scheinlich für irgendein Stammbuch) zu haben wünscht, aus Graffs Rolle herausschreiben lassen. Ich habe nichts dagegen.

Leben Sie recht wohl. Ich freue mich, Sie auf einige Stunden zu sehen.   Sch.

An Wolfgang von Goethe.

Jena, den 11. Juni 1799.

Wir sind neulich zwar ganz gut nach Hause gekommen, aber ich machte doch die Erfahrung, daß eine achtstündige Erschütterung im Wagen und gesellschaftliche Unruhe, in den Zeitraum von einem Dreivierteltag gedrängt, eine zu gewaltsame Veränderung für mich ist, denn ich brauchte zwei Tage, um mich ganz davon zu erholen.

Sonst genieße ich seit etlichen Tagen bei diesem schönen Wetter eine so gute, freundliche Stimmung in meinem kleinen Garten= sälchen, daß ich sie herzlich gern mit Ihnen teilen möchte. Die Arbeit geht zwar sehr langsam, weil ich den Grund zum Ganzen zu legen habe und beim Anfang alles darauf ankommt, sich nichts zu verderben, aber ich habe gute Hoffnung, daß ich auf dem rechten Wege bin.

Wenn ich nicht zuviel Zeit verlöre, so hätte ich wohl eine Ver= suchung gehabt, das Stück, welches morgen in Weimar gegeben wird, zu sehen. Bei meinem jetzigen Geschäft könnte die An= schauung eines neuen historischen Stücks auf der Bühne, wie es auch sonst beschaffen sein möchte, nützlich auf mich wirken. Die Idee, aus diesem Stoff ein Drama zu machen, gefällt mir nicht übel. Er hat schon den wesentlichen Vorteil bei sich, daß die Handlung in einen tatvollen Moment konzentriert ist und zwischen Furcht und Hoffnung rasch zum Ende eilen muß. Auch sind vortreffliche dramatische Charaktere darin schon von der Geschichte hergegeben. Das Stück mag aber nicht viel Besonderes sein, da Sie mir nichts davon sagten.

Mellish hat sich auf morgen Mittag mit seiner Gesellschaft bei uns eingeladen, da wird auch Ihrer fleißig gedacht werden. Sehen Sie nur, daß Sie bald auf einen Tag herüberkommen.

Leben Sie recht wohl für heute, ich weiß nichts mehr zu schreiben, denn ich habe in diesen Tagen nichts erfahren und nur in meiner Arbeit gelebt.

Die Frau grüßt Sie aufs beste. Sch.

An Friedrich Cotta.

Jena, den 14. Juni 1799.

Ich sende einstweilen die ersten Hefte von der Erzählung meiner Schwägerin, der Rest folgt in drei Tagen. Haben Sie nur die Güte, dem Korrektor einzuschärfen, daß er der Orthographie nachhilft, wenn etwa ein m für ein n oder dergleichen frauenzimmerliche Unrichtigkeit eingeschlichen wäre, ich habe zwar sorgfältig darauf acht gegeben.

Dieser Tage sprach ich einen Fremden, der sich, glaube ich, Jandor nennt nnd aus dem Walliser Land ist. Er rühmte mir sehr Ihre Güte gegen ihn. Es ist ein sehr verständiger, wohl unterrichteter Mann und von einem bedeutenden Äußern. Ich wünschte wohl, ihn genauer zu kennen. Es freut uns immer, von Ihnen zu hören, und ich habe noch jeden Fremden, der mir von Ihnen erzählte, mit großer Hochachtung von Ihnen sprechen hören.

Ich sitze jetzt schon ganz ernstlich in meinem neuen Stück und wenn die Stimmung und Lust so anhält, so muß ich es nach Neujahr schon auf der Bühne sehen.

Aus London habe ich indessen wieder zwei Anträge wegen einzusendender Manuskripte meiner neuen Stücke erhalten, da sie aber noch von keinen bestimmten Geldanträgen begleitet waren, so habe ich noch nichts darüber verfügen können, sondern warte noch eine Antwort von meinem ersten Korrespondenten ab. Von Carlos ist schon die dritte Übersetzung, wieder in einer sehr schönen Ausgabe, erschienen.

Leben Sie recht wohl und sagen Sie Ihrer Frau von uns beiden recht viel Freundschaftliches. Ganz der Ihrige.

Sch.

An Wolfgang von Goethe.

Jena, den 14. Juni 1799.

Sie sind, wie ich höre, vor einigen Tagen in Roßla gewesen, aber wieder nach Weimar zurück, welches Sie bei dem gestrigen schlechten Wetter nicht bereut haben werden. Mellishens haben es noch eben recht getroffen und einen sehr angenehmen Tag in Jena mit genossen. Er brachte einen Fremden aus dem Walliser Land mit, der mit deutschen gelehrten Sachen nicht unbekannt schien, und über die neuere Philosophie sogar, so weit sich darüber in französischer Sprache reden ließ, nicht unvernünftig sprach. Es mag indessen irgendeine geheime Bewandtnis mit ihm haben.

Ich hörte dieser Tage, daß Fichte dem Rudolstädter Fürsten das Ansinnen getan, ihm in Rudolstadt in einem herrschaftlichen Hause Wohnung zu geben, daß es ihm aber höflich refüsiert worden. Es ist doch unbegreiflich, wie bei diesem Freunde eine Unklugheit auf die andere folgt und wie inkorrigibel er in seinen Schiefheiten ist. Dem Fürsten von Rudolstadt, der sich den Teufel um ihn bekümmert, zuzumuten, daß er ihm durch Einräumung eines Quartiers öffentliche Protektion geben und umsonst und um nichts sich bei allen anders denkenden Höfen kompromittieren soll. Und was für eine armselige Erleichterung verschaffte ihm wohl ein freies Logis dort, wo er durchaus nicht an seinem Orte wäre.

Ich wünsche, daß Sie fleißiger sein möchten, als ich in diesen Tagen sein konnte. Mittwochs war Mellish und Donnerstag die Kalb bei uns, und so ist in diesen zwei Tagen wenig geschehen. Ich sitze noch immer bei meinen drei ersten Expositionsszenen und suche einen festen Grund für das Künftige zu legen.

Es scheint wirklich, daß ich in England mit meinen Stücken etwas werde machen können. Ich habe binnen acht Tagen zwei Anträge aus London erhalten, Stücke in Manuskript hinzuschicken, zwar nur von Buchhändlern und von Übersetzern und noch mit keinen bestimmten Geldversprechungen begleitet, aber die Nachfrage ist so stark, daß ich Aussichten darauf gründen kann.

Haben Sie doch die Güte, mir den Äschylus zu senden, mich verlangt wieder sehr nach einer griechisch-tragischen Unterhaltung.

Leben Sie recht wohl und sehen Sie, daß Sie bald auf einen Tag herkommen.

Die Frau grüßt bestens.

Sch.

An Wolfgang von Goethe.

Jena, den 18. Juni 1799.

Es war mir sehr angenehm, nach einer ungewöhnlich langen Zeit die Züge Ihrer Hand wieder zu sehen. Hier hatte man uns gesagt, Sie wären nach Weimar zurück, um dem Minister Haugwitz, den der Herzog mitgebracht, Gesellschaft zu leisten. Desto besser für Sie, daß Sie diese Zeit nützlicher habeu anwenden können. Besser Wetter hätte ich Ihnen freilich gewünscht, denn auch hier war es so rauh, daß wir zum warmen Ofen zurückkehren mußten.

Gegen meinen Fleiß verschwört sich diesen Sommer vieles. Ich erwarte in etwa acht Tagen meine Schwester mit meinem Schwager, dem Bibliothekar Reinwald aus Meiningen, hier; meiner Schwester gönne ich diese Zerstreuung gern, aber mit dem Schwager weiß ich nichts anzufangen, der wird mir wohl sechs Tage wie ein Klotz angebunden sein.

Unter diesen Umständen kann ich freilich nicht, wie ich gedacht, bis zum Ende meines ersten Akts vor Ihrer Hieherkunft gelangen. Aber vorwärts ging es doch bis jetzt immer, und nulla dies sine linea. Ich fange schon jetzt an, bei der Ausführung mich von der eigentlich tragischen Qualität meines Stoffs immer mehr zu überzeugen, und darunter gehört besonders, daß man die Katastrophe

17

gleich in den erften Szenen fieht, und indem die Handlung des Stücks fich davon wegzubewegen fcheint, ihr immer näher und näher geführt wird. An der Furcht des Ariftoteles fehlt es alfo nicht, und das Mitleiden wird fich auch fchon finden.

Meine Maria wird keine weiche Stimmung erregen, es ift meine Abficht nicht, ich will fie immer als ein phyfifches Wefen halten, und das Pathetifche muß mehr eine allgemeine tiefe Rührung als ein perfönlich und individuelles Mitgefühl fein. Sie empfindet und erregt keine Zärtlichkeit, ihr Schickfal ift nur heftige Paffionen zu erfahren und zu entzünden. Bloß die Amme fühlt Zärtlichkeit für fie.

Doch ich will lieber tun und ausführen, als Ihnen viel davon vorfagen, was ich tun will.

Man fagt hier, Vohs habe einen Ruf nach Petersburg, den er anzunehmen Luft habe. Es wäre doch fchade, wenn man ihn verlöre, obgleich feine Gefundheit nicht lang auf ihn zählen läßt. Es würde Mühe koften, ihn fogleich zu erfetzen.

Leben Sie recht wohl und fagen mir morgen, daß Sie wieder in Weimar find. Meine Frau grüßt Sie fchönftens.

Meyern bitte ich beftens zu grüßen und ihm zu fagen, daß ich auf den Sonnabend antworten und die Bilder zurückfchicken werde.

Leben Sie recht wohl.

S.

An Gottfried Körner.

Jena, den 20. Juni 1799.

Ich habe die Piccolomini, die ich verfchickte, mit jedem Poft= tage erwartet, um fie dir zurückzufenden, denn von dem erften Akt habe ich keine oftenfible Abfchrift fonft. Du mußt dich alfo noch ein paar Tage gedulden. Der Prolog folgt hier.

Für deine Rezenfion des dritten Stücks danke ich dir herzlich.

Es ist nur etwas, was mich dabei in Verlegenheit setzt, dieses nämlich, daß du immer mit den eigenen Worten des Dichters referierst. Ich hatte dir vergessen zu schreiben, daß ich, solang die Stücke ungedruckt sind, so wenig Stellen als möglich ausgezogen wünsche. Es schadet immer dem Werk, wenn das, was ins Ganze berechnet ist, zuerst als Stückwerk gelesen wird, und außerdem ist das Beste vom Stück schon verraten, ehe dies wirklich erscheint. Ich muß also sehen, wie ich diesem Umstand abhelfe; aber es ist schwer, weil die ganze Anzeige auf diese Methode kalkuliert ist. Wäre das Stück gedruckt, so würde diese Methode allerdings die bessere sein.

Sei so gut, die Einlage an meine Schwiegermutter aufs schleunigste bestellen zu lassen; sie betrifft ihre Abreise. Meiner Schwägerin habe ich aufgetragen, das Geld an dich zu bezahlen.

Nächstens weitläuftiger. Die Postzeit jagt mich. Herzliche Grüße von uns allen.

Dein

S.

An Wolfgang von Goethe.

Jena, den 20. Juni 1799.

Der Franzose, der neulich mit Mellish bei uns war und sich heut wieder einstellte, hat mir die Zeit und Stimmung genommen, um Ihnen heute so viel über das Propyläenstück zu sagen, als ich willens war.

Es hat mir in der Gestalt, worin es jetzt ist, noch viel reicher und belebter geschienen, als je vorher beim einzelnen Lesen, und es muß als das heiter und kunstlos ausgegossene Resultat eines langen Erfahrens und Reflektierens auf jeden irgend empfänglichen Menschen wundersam wirken. Der Gehalt ist nicht zu übersehen, eben weil so vieles Wichtige nur zart, nur im Vorbeigehen angedeutet ist.

Die Aufführung der Charaktere uud Kunstrepräsentanten hat dadurch noch sehr gewonnen, daß unter den Besuchsfratzen keine in das Fachwerk paßt, welches nachher aufgestellt wird. Nicht zu erwähnen, daß der kleine Roman dadurch — poetisch — an Reichtum und Wahrheit gewinnt, so wird auch dadurch philosophisch der ganze Kreis vollendet, welcher in den drei Klassen des Falschen, des Unvollkommenen und des Vollkommenen enthalten ist.

Die letztern Ausführungen, die ich noch nicht kannte, sind sehr glücklich und unterhalten die geistreiche Heiterkeit bis ans Ende.

Indes zweifle ich nicht, daß dies Propyläenstück tüchtigen Lärm machen und auch wieder an die Xenien erinnern wird.

Meine Frau, die Sie herzlich grüßt, hat sich an dem fröhlichen Humor und Leben, das darin herrscht, sehr ergötzt und besonders hat ihr der Besuch der Fremden gefallen.

Leben Sie recht wohl für heute und genießen die schöne Witterung, der auch ich eine gute und produktive Stimmung verdanke.

Sch.

An Wolfgang von Goethe.

Jena, den 25. Juni 1799.

Ich fürchte, daß Sie es diesen paar Zeilen ansehen werden, wie penibel es mir jetzt geht. Mein Schwager ist hier mit meiner Schwester, er ist ein fleißiger nicht ganz ungeschickter Philister, sechzig Jahr alt, aus einem kleinstädtischen Ort, durch Verhältnisse gedrückt und beschränkt, durch hypochondrische Kränklichkeit noch mehr darniedergebeugt; sonst in neuern Sprachen und in der deutschen Sprachforschung, auch in gewissen Literaturfächern nicht unbewandert. Sie können denken, wie wenig Konversationspunkte es da zwischen uns gibt, und wie übel mir bei den wenigen zumute sein mag. Das Schlimmste ist, daß ich in ihm eine nicht ganz kleine und nicht einmal verächtliche Klasse von Lesern und

Urteilern repräsentiert finde, denn er mag in Meinungen, wo er Bibliothekar ist, noch vorzüglich sein. Diese ganze imperfektible enge Vorstellungsweise könnte einen zur Verzweiflung bringen, wenn man etwas erwartete.

Übrigens raubt mir dieser Aufenthalt, der bis auf den Sonntag dauert, einen großen Teil meiner Zeit und alle gute Stimmung für den Überrest; ich muß diese Woche rein ausstreichen aus dem Leben.

Was der Sammler für eine Wirkung machen wird, bin ich in der Tat neugierig. Da man einmal nicht viel hoffen kann zu bauen und zu pflanzen, so ist es doch etwas, wenn man auch nur über= schwemmen und niederreißen kann. Das einzige Verhältnis gegen das Publikum, das einen nicht reuen kann, ist der Krieg, und ich bin sehr dafür, daß auch der Dilettantism mit allen Waffen an= gegriffen wird. Eine ästhetische Einkleidung, wie etwa der Sammler, würde diesem Aufsatz freilich bei einem geistreichen Publikum den größern Eingang verschaffen, aber den Deutschen muß man die Wahrheit so derb sagen als möglich, daher ich glaube, daß man wenigstens den Ernst, auch in der äußern Einkleidung, vorherrschen lassen muß. Es fänden sich vielleicht unter Swifts Satiren Formen, die hiezu passen, oder müßte man in Herders Fußtapfen treten und den Geist des Pantagruel zitieren.

Wahrscheinlich bringe ich meine Gäste auf den Sonntag selbst auf die nächste Station nach Weimar und bleibe dann wohl die zwei folgenden Tage dort, wo ich Sie, trotz des Getümmels, doch einige Stunden zu sehen hoffe. Auch ich freue mich herzlich auf unser hiesiges Zusammensein.

Die Frau grüßt Sie bestens. Leben Sie bis dahin recht wohl.

Sch.

An Wolfgang von Goethe.

Jena, den 26. Juni 1799.

Die Fahrlässigkeit meiner Botenfrau, die meinen Brief gestern liegen ließ, ist schuld daran, daß Sie heute nichts erhielten. Eben da ich Ihren Brief erhalte, bringt man mir den meinigen zurück.

Unger hat mir heute geschrieben, aber ohne mir auf den Wink, den ich ihm wegen Ihrer Gedichtsammlung neulich gab, etwas zu antworten. Vielleicht schrieb er Ihnen selbst. Aber meinen Vorschlag, eine Sammlung deutscher Schauspiele herauszugeben, und zwar so, daß des Jahrs zehn Stücke herauskämen und über jedes eine Kritik, nimmt er mit Vergnügen an und will 100 Karolin Honorar für diese zehn Stücke und deren Beurteilung zahlen, wenn das Werk von uns herausgegeben würde. Wir können sehr leicht zu diesem Verdienste kommen, wenn wir das kritische Geschäft gesprächsweise unter uns abtun, in zehn bis fünfzehn Abenden ist es abgetan, und für jeden sind 300 Reichstaler verdient.

Endlich habe ich auch nach langem Warten etwas von Berlin aus über den Wallenstein gehört. Er ist den 17. Mai zum erstenmal gespielt worden, also vier Wochen später als in Weimar. Unger lobt die Aufführung sowie die Aufnahme des Stücks bei dem Publikum gar sehr. Auch hat sich schon ein Berliner Schmierer weitläuftig in den Annalen der Preußischen Monarchie darüber herausgelassen, das Stück zwar sehr gepriesen, aber die Stellen auch recht à la Böttiger herausgezerrt und seinen Aufsatz damit gespickt.

Leben Sie recht wohl. Wir machen morgen einen Besuch bei Mellish; schade, daß Sie nicht auch da sein können. Zu den optischen Beschäftigungen wünsche ich Glück. Solang Sie dafür noch etwas tun können, ist Ihre Zeit in Weimar immer wohl angewandt.

Sch.

An Wolfgang von Goethe.

Jena, den 28. Juni 1799.

Ich sage Ihnen für heute bloß einen Gruß, ich habe Gesell=
schaft diesen Abend, auf den Sonntag sehe ich Sie vielleicht selbst.
Diese Woche ist nicht viel geschehen, wiewohl sie nicht ganz ohne
alle Frucht war. Die drei nächsten Monate sollen desto ernstlicher
benutzt werden, so wie sie auch, hoffe ich, Ihnen förderlich sein
werden. Sind Sie nur erst wieder von Weimar hinweg, so wird
der gute Geist über sie kommen, wenn sie sich auch in den dicksten
Thüringer Wald oder auf eine andere Wartburg zurückziehen
müßten.

Leben Sie recht wohl. Von meiner Frau die schönsten Grüße
an Sie.

Sch.

An Wolfgang von Goethe.

Jena, den 5. Juli 1799.

Ich fand bei meiner Ankunft in Jena einen Brief von Cotta,
worin er mir seine Unruhe über einen Brief zu erkennen gibt, den
er der Propyläen wegen an Sie geschrieben habe. Was er von
dem Absatz des Journals schreibt, ist zum Erstaunen und zeigt
das kunsttreibende und kunstliebende Publikum in Deutschland von
einer noch viel kläglichern Seite, als man bei noch so schlechten
Erwartungen je hätte denken mögen. Da man keine Ursache hat,
ein Mißtrauen in Cottas Redlichkeit zu setzen, so möchte freilich
an keine Fortsetzung zu denken sein, denn der Absatz müßte dreimal
stärker werden, als er ist, wenn Cotta aus dem Verlust kommen
sollte. Zwar ist zu hoffen, daß das neueste Stück mehr Käufer
anlocken wird, aber bei der Kälte des Publikums für das bisherige
und bei der ganz unerhörten Erbärmlichkeit desselben, die sich bei
dieser Gelegenheit manifestiert hat, läßt sich nicht erwarten, daß

selbst dieses Stück das Ganze wird retten können, welches übrigens
abzuwarten ist. Ich darf an diese Sache gar nicht denken, wenn
sie mein Blut nicht in Bewegung setzen soll, denn einen so nieder=
trächtigen Begriff hat mir noch nichts von dem deutschen Publi=
kum gegeben. Man sollte aber von nichts mehr überrascht werden,
und wenn man ruhig nachdenkt und vergleicht, so ist leiber alles
sehr begreiflich.

Ich kann und mag heute von nichts anderm mehr schreiben,
habe auch nicht viel zu berichten. Die Hitze ist hier unerträglich
und setzt mir so zu, daß ich zu jedem guten Gedanken unfähig bin,
auch habe ich zwei Nächte nicht schlafen können.

Ich vergaß neulich anzufragen, an wen ich den Zettel wegen
der Bücherpreise für die Auktion zu senden habe, und ersuche Sie,
solchen nebst den zwei Bänden von Montesquieu, die neulich zu=
rückgeblieben, an die Behörde abgeben zu lassen. Die Preise, die
ich auf dem Zettel angemerkt, sind die niedrigsten, unter denen ich
die Bücher nicht lasse, doch steht es dem Besorger frei, wenn er
ein vorhergegangenes Buch über dem von mir angesetzten Preis
angebracht hat, eins der folgenden alsdann auch etwas wohlfeiler
zu lassen, wenn nur die Summe im Ganzen herauskommt.

Morgen hoffe ich zu erfahren, wann wir Sie erwarten können.
Ich sehne mich recht nach einem längern Zusammensein. Meyern
viele Grüße. Die Frau empfiehlt sich Ihnen herzlich. Leben Sie
recht wohl und heiter.   Sch.

An Friedrich Cotta.

                                   Jena, den 5. Juli 1799.

Bei meiner Zurückkunft aus Weimar, wo ich etliche Tage ge=
wesen bin, um der Vorstellung des Wallensteins beizuwohnen, den
man in Anwesenheit des Königs und der Königin von Preußen
gab, finde ich Ihren Brief und beantworte ihn sogleich. Unsern
herzlichen Glückwunsch fürs erste zu der glücklichen Entbindung

Ihrer lieben Frau und dem jungen Stammhalter Ihres Hauses. Möchten Mutter und Kind sich nun auch recht wohl befinden. Auch meine Schwägerin, die dieser Tage von ihrer Dresdner Reise zurückgekommen, nimmt herzlichen Anteil an Ihrem Glück.

Goethe hat mir über die bewußte Sache noch kein Wort gesagt, ob ich gleich mehrere Tage in Weimar mit ihm zusammen gewesen. Auch Meyern, der bei ihm wohnt, hat er von der Sache nichts entdeckt. Vielleicht daß er Ihnen unterdessen schon selbst geantwortet, inwiefern er unwillig sein kann, sehe ich nicht, denn der Verlust ist ein viel zu großes Objekt, als daß man dazu schweigen könnte, freilich ist es eine schreckliche Erfahrung, die man hier wieder in Absicht auf den Geschmack des deutschen Publikums und insbesondere des kunsttreibenden und kunstliebenden Publikums macht. Ich habe zwar nie viel auf dasselbe gehalten, aber so höchst erbärmlich hätte ich mir die Deutschen doch nicht vorgestellt, daß eine Schrift, worin ein Kunstgenie vom ersten Rang die Resultate seines lebenslänglichen Studiums ausspricht, nicht einmal den gemeinen Absatz finden sollte.

Das neue Stück der Propyläen wird zwar einen größern Eindruck machen als die vorigen, weil es einen kleinen, auf Kunst sich beziehenden Roman von Goethe enthält, aber wenn dieses Stück nicht zum allerwenigsten tausendmal abgesetzt wird, so sehe ich nicht, wie das Journal fortgehen kann. Es ist nicht genug, daß Sie bei den folgenden Stücken nichts verlieren, Sie müssen auch den alten Verlust nachholen.

An Sheridan habe ich des Wallenstein wegen durch einen Engländer schreiben lassen und erwarte binnen vier Wochen sowohl von ihm als auch von dem andern, mit dem ich in Unterhandlung stehe, Antwort. Alsdann können wir mit Bell richtig machen oder aufheben.

Leben Sie recht wohl und empfehlen uns beide Ihrer Frau Gemahlin aufs beste. Ganz der Ihrige

Schiller.

An Wolfgang von Goethe.

Jena, den 9. Juli 1799.

Ohne Zweifel hat Ihnen der Hofkammerrat seine Not geklagt und die Bedingung notifiziert, unter welcher ich ihm die Aufführung meiner Stücke zu Lauchstädt akkordieren kann. Er wird nun schwerlich mehr Lust dazu haben, aber ich mußte auf diesem Äquivalent bestehen, da die Bequemlichkeit der Hallenser und Leipziger, die Stücke in Lauchstädt zu sehen, meiner Negoziation mit Opitz nachteilig werden kann. Die Neugier des Publikums ist das einzige, wovon was zu hoffen ist, und wenn diese abgeleitet ist, ist auf nichts mehr zu rechnen. Übrigens bestehe ich nicht gerade auf der Einnahme für die Vorstellung, mir ist jede Auskunft lieb, welche zugleich mit der Konvenienz des Theaters und der meinen bestehen kann. Ich habe noch einen Wunsch wegen Besetzung der Thekla hinzugesetzt, den Sie ohne Zweifel gut heißen werden, und die Ansprüche, die etwa eine andere daran hätte machen mögen, glaube ich dadurch entfernt zu haben.

Übrigens bin ich seit meiner Zurückkunft von Weimar nicht viel weiter vorgerückt, die große Hitze wirkte gleich nachteilig auf meine Stimmung und meine Gesundheit; soviele Anstalten zu Gewittern auch am Himmel indes gewesen, so hat uns noch kein Regen erquickt; das Gras in meinem Garten ist ganz wie verbrannt.

Ich bin begierig zu erfahren, was Sie in Absicht auf die Propyläen beschließen werden. Alles wohl erwogen und die nötige Rücksicht auf das von Cotta zugesetzte Geld genommen, hielt ich es doch fürs Beste, zu versuchen, ob man die Schrift nicht jetzt noch poussieren und dadurch die erstern Hefte zugleich flott machen kann. Bei der gehörigen Hinsicht auf dasjenige, was das Publikum vorzüglich wünscht und sucht, sollte dies, deucht mir, nicht fehlschlagen. Man macht fürs erste kleinere Auflagen, um die Unkosten zu vermindern, Sie lassen vielleicht von dem Preise nach,

man sucht dem Journal durch Zeitungen und andere Blätter
mehr Publizität zu geben. Bei der ersten Ansicht verlor ich die
Hoffnung zu balb; man muß aber doch nicht zu schnell das Feld
räumen. Wenn Sie etwas von dem Faust hineinrücken, so würde
es viel gute Folgen habeu. Gegen Ende des Jahrs, nicht früher,
erschiene das fünfte Stück, zu diesem könnte ich vielleicht auch
etwas aus der Maria hergeben, wodurch der darstellende Teil, der
immer am meisten Liebhaber findet, ein Übergewicht bekäme. Lassen
Sie uns das wohl zusammen überlegen, ein festes Beharren gewinnt endlich vielleicht doch den Prozeß. Leben Sie recht wohl.
Herzliche Grüße von meiner Frau.　　　　　　　　　　　Sch.

An Wolfgang von Goethe.

Jena, den 12. Juli 1799.

Die Vorteile, die Sie mir so freundschaftlich bewilligen, kommen
mir bei meiner kleinen Haushaltung so erquicklich und erwünscht,
wie der Regen, der seit vorgestern unser Tal erfreut und erfrischt
hat. Auch die Fazilität des Hofkammerrats erfreut mich, insofern
sie mir beweist, daß er mit meiner theatralischen Gabe nicht un-
zufrieden war. Daß uns ein schönes Geschenk von Silberarbeit
von seiten der regierenden Herzogin erwarte, haben wir auch
schon vernommen. Die Poeten sollten immer nur durch Geschenke belohnt, nicht besoldet werden; es ist eine Verwandtschaft
zwischen den glücklichen Gedanken und den Gaben des Glücks,
beide fallen vom Himmel.

Ich habe die Aufsätze über Akademien und Zeichenschulen nun
mit Aufmerksamkeit durchlesen und große Freude daran gehabt,
ja ich kounte nicht davon wegkommen, bis ich am Ende war. Außerdem, daß sie so richtig gedacht und so praktisch überzeugend sind,
sind sie auch äußerst anziehend geschrieben und müßten notwendig,
wenn man das Publikum nicht ganz und gar widerstrebend annehmen muß, für sich allein schon die Propyläen in Aufnahme

bringen. Jetzt müssen wir vorerst nur an die möglichste Verbreitung und Bekanntmachung der Propyläen denken, und es würde zu diesem Zwecke nicht übel getan sein, einige Dutzend Exemplare an die rechten Plätze zu verschenken. Auch wollen wir, wenn Sie hieher kommen, zusammen ein halbes Dutzend Anzeigen des Journals für die öffentlichen Blätter aufsetzen, Cotta wird sie schon anzubringen wissen.

Mit meiner Arbeit geht es zwar nicht sehr schnell, aber doch seit einiger Zeit ohne Stillstand fort. Die nötige Exposition des Prozesses und der Gerichtsform hat, außerdem daß solche Dinge mir nicht geläufig sind, auch eine Tendenz zur Trockenheit, die ich zwar überwunden zu haben hoffe, aber doch nicht ohne viel Zeit dabei zu verlieren, und zu umgehen war sie nicht. Die englische Geschichte von Rapin Thoyras, die ich seit dieser Arbeit lese, hat den guten Einfluß, mir das englische Lokal und Wesen immer lebhaft vor der Imagination zu erhalten.

Möchten Sie nur auch bald hier sein können. Selbst mein Garten, wo die Rosen und Lilien in der Blüte stehen, würde Sie reizen.

Leben Sie recht wohl und grüßen Sie Meyern. Von meiner Frau viel schöne Grüße.   Sch.

An Wolfgang von Goethe.

Jena, den 15. Juli 1799.

Es waltet ein unholder Geist über Ihren guten Vorsätzen und Hoffnungen für diesen Sommer, der sich, besonders nach der glücklichen Entledigung vom Musenalmanach, so gut anließ, und noch dazu läßt sichs gewissen Leuten nicht einmal begreiflich machen, welches das Opfer ist, das Sie bringen. Wenn Sie indessen nur gewiß in vierzehn Tagen loskommen und für eine längere Zeit, so ist noch immer Hoffnung, daß etwas Wesentliches noch geschehen kann.

Ihre lange Abwesenheit macht, daß auch ich keine Anregung von außen erhalte und bloß in meinem Geschäft lebe. Mit den Philosophen, wie Sie wissen, kann man jetzt nur in der Karte spielen, und mit den Poeten, wie ich höre, nur kegeln. Denn man sagt, daß Kotzebue, der aber jetzt abwesend ist, dieses einzige gesell= schaftliche Vergnügen hier genossen habe.

Senden Sie doch recht bald ein Exemplar der Propyläen nach Berlin, um dort, ehe es durch den Weg des Buchhandels dahin kommt, einen Rumor zu erregen. Man sollte wirklich suchen, Gegenschriften zu veranlassen, wenn sie nicht von selbst kommen; denn an der Schadenfreude faßt man die Menschen am sichersten. Es würde deswegen auch nicht übel sein, wenn man den Aufsatz vom Kunstsammler auch schon in der Anzeige, die man im Possel davon macht, als etwas Polemisches darstellte.

Haben Sie denn über den Dilettantism indessen nicht weiter nachgedacht? Ich sehnte mich nach einer solchen Anregung und würde gern meine Gedanken dazu beisteuern, wenn ich den aktiven Zustand des gesammelten Materials vor Augen hätte. Wenn es abgeschrieben ist und Sie es nicht brauchen, so senden Sie mirs doch.

Sie werden vielleicht davon gehört haben, daß der hiesige Post= verwalter Becker den Botenweibern ihr Postwesen legen will und diese jetzt keine Pakete, bloß Briefe, die sich verbergen lassen, mit= nehmen können. Wenn man ihnen doch ihr altes Gewerbe wieder herstellen könnte! Dieser Becker ist ein miserabler Patron und auch außer seinen Schikanen als Postmeister ein böses Mitglied des hiesigen gemeinen Wesens, da er allen Ordensunfug und andre Liederlichkeiten hegt.

Leben Sie recht wohl und lassen Sie uns diese paar Wochen vom Juli womöglich noch etwas vom Dilettantism in Ordnung bringen.

Die Frau grüßt aufs beste.

Sch.

An Wolfgang von Goethe.

Jena, den 19. Juli 1799.

Ich habe mir vor einigen Stunden durch Schlegels Lucinde den Kopf so taumelig gemacht, daß es mir noch nachgeht. Sie müssen dieses Produkt wundershalber doch ansehen. Es charakterisiert seinen Mann, sowie alles Darstellende, besser als alles, was er sonst von sich gegeben, nur daß es ihn mehr ins Fratzenhafte malt. Auch hier ist das ewig Formlose und Fragmentarische, und eine höchst seltsame Paarung des Nebulistischen mit dem Charakteristischen, die Sie nie für möglich gehalten hätten. Da er fühlt, wie schlecht er im Poetischen fortkommt, so hat er sich ein Ideal seiner selbst aus der Liebe und dem Witz zusammengesetzt. Er bildet sich ein, eine heiße unendliche Liebesfähigkeit mit einem entsetzlichen Witz zu vereinigen, und nachdem er sich so konstituiert hat, erlaubt er sich alles, und die Frechheit erklärt er selbst für seine Göttin.

Das Werk ist übrigens nicht ganz durchzulesen, weil einem das hohle Geschwätz gar zu übel macht. Nach den Rodomontaden von Griechheit und nach der Zeit, die Schlegel auf das Studium derselben gewendet, hätte ich gehofft, doch ein klein wenig an die Simplizität und Naivetät der Alten erinnert zu werden, aber diese Schrift ist der Gipfel moderner Unform und Unnatur, man glaubt ein Gemengsel aus Woldemar, aus Sternbald und aus einem frechen französischen Roman zu lesen.

Zum Aufsatz über den Dilettantism haben die weimarischen Herren und Damen gestern, wie ich höre, neuen Stoff dargereicht, da ein Privattheater dort eröffnet wurde. Man wird sich also wenig Freunde unter ihnen machen, aber die Jenenser können sich trösten, daß man eine gleiche Justiz ergehen läßt.

Von der Maria Stuart werden Sie nicht mehr als einen Akt fertig finden; dieser Akt hat mir deswegen viel Zeit gekostet und kostet mir noch acht Tage, weil ich den poetischen Kampf mit dem historischen Stoff darin bestehen mußte und Mühe brauchte, der Phantasie eine Freiheit über die Geschichte zu verschaffen, indem ich zugleich von allem, was diese Brauchbares hat, Besitz zu nehmen suchte. Die folgenden Akte sollen, wie ich hoffe, schneller gehen, auch sind sie beträchtlich kleiner.

Sie brauchen also das Unglück aus Lobeda nicht? Desto schlimmer hätte ich bald gesagt. Mir ist bei dieser Nähe der betagten Freundin schlecht zumute, da ich für alles, was drückt und einengt, gerade jetzt sehr empfindlich bin.

Beiliegendes Buch bitte ich an Vulpius abgeben zu lassen.

Leben Sie aufs beste wohl.

Die Frau grüßt Sie. Den August haben wir gestern hier gehabt. 											Sch.

An Wolfgang von Goethe.

Jena, den 24. [23.] Juli 1799.

Ich höre, daß Sie in Roßla sind, woraus ich zu meinem großen Vergnügen schließe, daß Ihre Hieherkunft nicht mehr weit entfernt ist. Es wird auch meiner Existenz einen ganz andern Schwung geben, wenn wir wieder beisammen sind, denn Sie wissen mich immer nach außen und in die Breite zu treiben, wenn ich allein bin, versinke ich in mich selbst.

Tieck aus Berlin hat Sie besucht, ich bin begierig, wie Sie mit ihm zufrieden sind, da Sie ihn länger gesprochen haben. Mir hat er gar nicht übel gefallen; sein Ausdruck, ob er gleich keine große Kraft zeigt, ist fein, verständig und bedeutend, auch hat er nichts Kokettes noch Unbescheidenes. Ich hab ihm, da er sich einmal mit dem Don Quixote eingelassen, die spanische Literatur sehr empfohlen, die ihm einen geistreichen Stoff zuführen wird und ihm, bei seiner eigenen Neigung zum Phantastischen und Romantischen, zuzusagen scheint. So müßte dieses angenehme Talent fruchtbar und gefällig wirken und in seiner Sphäre sein.

Mellish hat mir von seiner Burg einige Fragmente aus den Piccolominis in der Allgemeinen Zeitung in Jamben übersetzt zugeschickt, die, wenn sie der englischen Sprache ganz gemäß sind, die Gedanken gut ausdrücken und auch das Eigentümliche der Diktion gut nachahmen. Er hat Lust, das Ganze zu übersetzen, wenn für ihn und mich der gehörige Vorteil dabei zu gewinnen ist, und hat deswegen an Sheridan geschrieben.

Mit dem ersten Akt der Maria hoffe ich zu Ende dieser Woche ganz im reinen zu sein. Ich sollte freilich schon weiter vorwärts gekommen sein, aber dieser Monat war mir nicht so günstig als der vorige. Ich bin zufrieden, wenn ich den dritten Akt mit in die Stadt bringe.

Das Ungewitter aus Oßmannstädt scheint sich zu verziehen. Wenigstens höre ich, daß Anverwandte der La Roche, die hier wohnen, dorthin seien berufen worden, um sie zu sehen.

Wenn Sie nach Weimar zurückkommen, so haben Sie doch die Güte, das, was von dem Gedicht der Frau Imhoff fertig ist, an Gädike zu geben und ihm den Almanach von 1797 und 1798 zur Norm vorzuschreiben, nur mit dem Unterschied, daß er auf jede Seite nur neun Hexameter setzt und vor jedem Gesang ein Blatt leer läßt, worauf nichts steht, als der wievielte Gesang es ist. Leben Sie recht wohl, die Frau grüßt sie aufs allerschönste.

Sch.

An Wolfgang von Goethe.

Jena, den 30. Juli 1799.

Ich habe Sie am Sonnabend mit fester Zuversicht erwartet und deswegen auch den Philosophenklub absagen lassen, um den ersten Abend desto ungestörter mit Ihnen zuzubringen. Desto betrübter war ich, als ich aus Ihrem Brief meine Hoffnung zerrinnen und ganz ins Unbestimmte sich wieder verlieren sah.

Mir bleibt nun nichts übrig, als mich, solang es gehen will, in das Produzieren zu werfen, weil die Mitteilung mangelt. Ich bin auch schon ganz ernstlich im zweiten Akte bei meiner königlichen Heuchlerin. Der erste ist abgeschrieben und erwartet Sie bei Ihrer Ankunft.

Sie haben wohl recht, daß man sich der theoretischen Mitteilung gegen die Menschen lieber enthalten und hervorbringen muß. Das Theoretische setzt das Praktische voraus und ist also schon ein höheres Glied in der Kette. Es scheint auch, daß eine selbständigere Imagination dazu gehört, als um die wirkliche Gegenwart eines Kunstwerks zu empfinden, bei welchem der Dichter und Künstler der trägern oder schwächern Einbildungskraft des Zuhörers und Betrachters zu Hülfe kommt und den sinnlichen Stoff liefert.

Auch ist nicht zu leugnen, daß die Empfindung der meisten Menschen richtiger ist als ihr Raisonnement. Erst mit der Reflexion fängt der Irrtum an. Ich erinnre mich auch recht gut mehrerer unserer Freunde, denen ich mich nicht schämte, durch eine Arbeit zu gefallen, und mich doch sehr hüten würde, ihnen Rechenschaft von ihrem Gefühl abzufodern.

Wenn dies auch nicht wäre, wer möchte ein Werk ausstellen, mit dem er zufrieden ist? Und doch kann der Künstler und Dichter dieser Neigung nicht Herr werden.

Die zwei Damen haben mich neulich wirklich besucht und für sie zu Hause gefunden. Die kleine hat eine sehr angenehme Bildung, die selbst durch ihren Fehler am Auge nicht ganz verstellt werden konnte. Sie gaben mir den Trost, daß die Furcht vor der Schnecke die alte Großmutter wohl von der Herreise abschrecken würde. Von dem eleganten Diner bei Ihnen wußten sie viel zu erzählen. Der Relation, welche Meyer von diesen Erscheinungen machen wird, seh ich mit Begierde entgegen.

Die Frau grüßt Sie aufs beste. Sie ist auch in einer Krisis, auf ihre Weise, und wird mir um einige Monate zuvorkommen. Leben Sie recht wohl und möge ein guter Geist uns bald zusammenführen.

Ich vergaß von den neulich überschickten Sachen zu schreiben. Das Jacobische Werk habe ich noch nicht recht betrachtet, aber das Gedicht ist lustig genug und hat scharmante Einfälle.

Sch.

An Wolfgang von Goethe.

Jena, den 2. August 1799.

Ich wünsche Ihnen Glück zum Auszug in den Garten, von dem ich mir gute Folgen für die produktive Tätigkeit verspreche. Nach der langen Pause, die Sie gemacht, wird es nur der Einsamkeit und ruhigen Sammlung bedürfen, um den Geist zu entbinden.

Indem Sie Miltons Gedicht vor die Hand genommen, habe ich den Zeitraum, in dem es entstanden und durch den es eigentlich wurde, zu durchlaufen Gelegenheit gehabt. So schrecklich die Epoche war, so muß sie doch für das dichterische Genie erweckend gewesen sein, denn der Geschichtschreiber hat nicht unterlassen, mehrere in der englischen Poesie berühmte Namen unter den handelnden Personen aufzuführen. Hierin ist jene Revolutionsepoche fruchtbarer als die französische gewesen, an die sie einen sonst oft erinnert. Die Puritaner spielen so ziemlich die Rolle der Jakobiner, die Hülfsmittel sind oft dieselben und ebenso der Ausschlag des Kampfs. Solche Zeiten sind recht dazu gemacht, Poesie und Kunst zu verderben, weil sie den Geist aufregen und entzünden, ohne ihm einen Gegenstand zu geben. Er empfängt dann seine Objekte von innen, und die Mißgeburten der allegorischen, der spitzfindigen und mystischen Darstellung entstehen.

Ich erinnere mich nicht mehr, wie Milton sich bei der Materie vom freien Willen heraushilft, aber Kants Entwicklung ist mir gar zu mönchisch, ich habe nie damit versöhnt werden können. Sein ganzer Entscheidungsgrund beruht darauf, daß der Mensch einen positiven Antrieb zum Guten, sowie zum sinnlichen Wohl= sein habe; er brauche also auch, wenn er das Böse wählt, einen positiven innern Grund zum Bösen, weil das Positive nicht durch etwas bloß Negatives aufgehoben werden könne. Hier sind aber zwei unendlich heterogene Dinge, der Trieb zum Guten und der Trieb zum sinnlichen Wohl, völlig als gleiche Potenzen und Quanti= täten behandelt, weil die freie Persönlichkeit ganz gleich gegen und zwischen beide Triebe gestellt wird.

Gottlob, daß wir nicht berufen sind, das Menschengeschlecht über diese Frage zu beruhigen, und immer im Reich der Erscheinung bleiben dürfen. Übrigens sind diese dunkle Stellen in der Natur des Menschen für den Dichter und den tragischen insbesondere nicht leer, und noch weniger für den Redner, und in der Dar= stellung der Leidenschaften machen sie kein kleines Moment aus.

Sagen Sie mir doch in Ihrem nächsten Brief, wann man ohngefähr den Herzog in Weimar zurück erwartet und also Ihre eigene Hieherkunft in Jena bestimmen kann. Ich wünschte es darum zu wissen, weil eine kleine Reise davon abhängen könnte, die ich vielleicht mit meiner Frau auf ein paar Tage mache, und um derentwillen ich nicht gern einen Tag Ihres Hierseins ver= säumen möchte.

Die Frau dankt Ihnen herzlich für Ihren Anteil.

Leben Sie recht wohl und erfreuen Sie mich bald mit der Nachricht, daß die poetische Stunde geschlagen hat.

Sch.

An Wolfgang von Goethe.

Jena, den 6. August 1799.

Ich habe mich heut in meiner Arbeit verspätet und habe nur noch Zeit, Ihnen einen freundlichen Gruß zu sagen. Es freut mich zu hören, daß Sie an Ihre Gedichte gegangen sind und daß diese Sammlung nun gedruckt wird. Das Fach der Episteln und

Balladen ists allein, soviel ich weiß, worin Sie noch keine Masse haben, wenn Sie nicht etwa noch die Idyllen zu vermehren wünschen. Die Elegien, Epigramme und Lieder sind aber desto reicher besetzt. Hoffentlich bleiben Sie bei Ihrem Vorsatz, jedes Ihrer Lieder, wo es auch in größern Werken vorkommt, in die Sammlung aufzunehmen. Es wird eine reiche und erfreuliche Sammlung werden, wenn sie auch nicht nach Ihrer eignen höhern Foderung ausgeführt wird, und was jetzt nicht geschieht, kann ein andermal geschehen, da ein solches Werk ohnehin in drei bis vier Jahren vergriffen ist.

Ich hätte gern diesen neuen Almanach auch noch mit einigen Kleinigkeiten begabt, aber es fehlt mir an aller Stimmung dazu, weil die dramatische Arbeit jede andre ableitet. In dieser geht es bis jetzt in seiner Ordnung fort, und wenn meine kleine Reise nach Rudolstadt, die ich projektiert habe, mir keine zu starke Diversion macht, so kann ich den zweiten Akt noch in diesem Monat beschließen.

Leben Sie bestens wohl in Ihrer Einsamkeit. August hat vorgestern meinen Kleinen eine recht große Freude mit seinem Besuch gemacht. Die Frau grüßt Sie schönstens. Parny folgt hier mit vielem Dank zurück.   Sch.

An Gottfried Körner.

Jena, den 9. August 1799.

Mein langes Stillschweigen wird dir ohne Zweifel schon bewiesen haben, daß ich über die Ohren in meiner neuen Arbeit stecke, und so ists auch. Ich habe mich in den zwei letzten Monaten von allen andern Dingen abgezogen, um so rasch als möglich in das Innerste meines Geschäfts zu kommen; und ich bin auch auf gutem Wege dazu. Ein Dritteil der neuen Tragödie habe ich schon hinter mir, und das schwerste vom Ganzen. Ich bin nun sicher, daß ich mich im Stoff nicht vergriffen habe, ob man gleich glauben sollte, daß ein so allgemein bekannter und tragischer Stoff, eben weil er noch von keinem guten Poeten benutzt worden, einen geheimen Fehler haben müsse. Meine Gesundheit und der Aufenthalt im Garten kommen mir gut zustatten, auch die Einsamkeit, die ich seit mehreren Monaten genieße; denn auch Goethe ist diesen Sommer nicht hier gewesen, weil der Schloßbau in Weimar ihn nicht wegläßt. Ich erwarte ihn aber in einigen Wochen.

In Weimar war ich bei des Königs von Preußen Anwesenheit und habe mich dem Königlichen Paar auch präsentieren müssen. Die Königin ist sehr graziös und von dem verbindlichsten Betragen. Der Wallenstein wurde gespielt und mit großer Wirkung. Was mich bei allen Vorstellungen, die ich von diesem Stück seitdem gesehen habe, verwunderte und erfreute, ist, daß das eigentlich Poetische, selbst da, wo es von dem Dramatischen ins Lyrische übergeht, immer den sichersten und tiefsten Eindruck allgemein hervorbrachte.

Weil ich mich für die nächsten sechs Jahre ganz ausschließend an das Dramatische halten werde, so kann ich es nicht umgehen, den Winter in Weimar zuzubringen, um die Anschauung des Theaters zu haben. Dadurch wird meine Arbeit um vieles erleichtert werden, und die Phantasie erhält eine zweckmäßige Anregung von außen, da ich in meiner bisherigen isolierten Existenz alles, was ins Leben und in die sinnliche Welt treten sollte, nur durch die höchste innere Anstrengung und nicht ohne große faux frais zustande brachte. Ich werde meinem Herzog zu Leibe rücken, daß er mir Zulage gibt, um eine doppelte Wohnung und Einrichtung und den teurern Aufenthalt in Weimar mir zu erleichtern.

Übrigens aber sind die dramatischen Arbeiten auch die lukrativsten für mich, weil ich jedes Stück von mehreren Bühnen bezahlt bekomme und der Verleger mir auch mehr als für jede andre Arbeit dafür geben kann. Außerdem sind mir von einem Londoner Buchhändler Anträge geschehen, mir für jedes Manuskript, das ich noch ungedruckt nach England zum Übersetzen schicke, 60 Pfund

zu bezahlen unter der einzigen Bedingung, daß das englische vierzehn Tage früher erscheint als das Original in Deutschland.

Du ersiehst daraus, daß ich auch nicht einmal mehr den Sporn
der Finanzen habe, um den Almanach fortzusetzen. Wenn du
wüßtest, welch unendliche Sekaden mich dieser Berührungspunkt
mit zwanzig oder dreißig Versenmachern in Deutschland aussetzte,
und wie schwer es hält, bei dem ungeheuren Zuströmen des Mittel-
mäßigen und Schlechten auch nur ein paar Bogen leibliche Arbeit
zu halten, du würdest mir Glück wünschen, daß ich diese Bürde
abgeworfen. Von jetzt an gottlob habe ich mit keinem schlechtern
Poeten mehr zu tun, als ich selbst bin, und selbst um das Publikum
werde ich mich nicht sonderlich mehr zu bekümmern brauchen.

Lottchen hat vielleicht schon geschrieben, daß unsrer kleinen
Familie gegen Ende des Herbsts ein Zuwachs bevorsteht. — Möge
nur alles glücklich vonstatten gehen. — Während der Schwangerschaft hat die arme Lotte immer viel von Krämpfen zu leiden.

Minna ist, wie wir hoffen, wieder ganz wohl, und ihr werdet
die schöne Jahrszeit nun auch zuweilen im Garten genießen.

Herzlich grüßen wir euch alle.   Dein Sch.

An Wolfgang von Goethe.

Jena, den 9. August 1799.

Zu den prosodischen Verbesserungen in den Gedichten gratuliere
ich. Zu dem letzten Artikel in unserm Schema, zur Vollendung,
gehört unstreitig auch diese Tugend, und der Künstler muß hierin
etwas vom Punktierer lernen. Es hat mit der Reinheit des
Silbenmaßes die eigene Bewandtnis, daß sie zu einer sinnlichen
Darstellung der innern Notwendigkeit des Gedankens dient, da im
Gegenteil eine Lizenz gegen das Silbenmaß eine gewisse Willkür-
lichkeit fühlbar macht. Aus diesem Gesichtspunkt ist sie ein großes
Moment und berührt sich mit den innersten Kunstgesetzen.

In Rücksicht auf den jetzigen Zeitmoment muß es jeden, der für

den guten Geschmack interessiert ist, freuen, daß Gedichte, welche
einen entschiednen Kunstwert haben, sich auch noch diesem Maß=
stab unterwerfen. So wird die Mittelmäßigkeit am besten bekämpft,
denn sowohl der, welcher kein Talent hat, als korrekte Verse zu
machen, und bloß für das Ohr arbeitet, als auch der andre, welcher
sich für zu original hält, um auf das Metrum den gehörigen Fleiß
zu wenden, werden dadurch zum Schweigen gebracht.

Weil aber die prosodische Gesetzgebung selbst noch nicht durch=
aus im klaren ist, so werden immer bei dem besten Willen streitige
Punkte in der Ausführung übrig bleiben, und da Sie einmal über
die Sache so viel nachgedacht, so täten Sie vielleicht nicht übel,
wenn Sie in einer Vorrede, oder wo es schicklich ist, Ihre Grund=
sätze darüber aussprächen, daß man das für keine bloße Lizenz oder
Übertretung halte, was aus Prinzipien geschieht.

Der Gedanke, einige Kupfer zu dem Werk zu geben, ist recht
gut. Sie können gut bezahlt und folglich auch gut gemacht werden;
aber ich wäre dafür, daß Sie der allgemeinen Neigung soweit
nachgäben und keine andre als individuelle Darstellungen wählten.
Die Katastrophe der Braut ist sehr passend, auch aus Alexis und
Dora, aus den Römischen Elegien und den Venezianischen Epi=
grammen ließen sich Gegenstände wählen, wofür unser Freund
Meyer vorzüglich berufen wäre.

Ich bin recht verlangend zu erfahren, wie weit Sie, wenn Sie
hieher kommen, in diesem Redaktionsgeschäft gelangt sind. Ein=
zelne Streitfragen in Absicht auf das Metrische werden uns an=
genehm und lehrreich beschäftigen.

Nicht weniger verlangend bin ich, Ihnen alsdann auch meine
bisherigen Akta vorzulegen, worüber ich selbst noch keine gültige
Stimme habe. Lebhaft aber fühle ich mit jedem Tage das Be=
dürfnis theatralischer Anschauungen und werde mich schlechter=
dings entschließen müssen, die Wintermonate in Weimar zuzu=
bringen. Die ökonomischen Mittel zu Realisierung dieser Sache
sollen mich zunächst beschäftigen.

Leben Sie nun recht wohl in Ihrer Einsamkeit. Ob und wann ich meine kleine Reise antrete, kann ich heut noch nicht bestimmen. Die Frau grüßt Sie aufs beste.

Sch.

An Friedrich Cotta.

Jena, den 10. August 1799.

Meine Frau und ich nehmen herzlichen Anteil an der Wieder=herstellung Ihrer Frau Gemahlin und wünschen, daß Kind und Mutter sich immer zunehmend besser befinden mögen. Meine Frau sieht jetzt gleichfalls binnen zwei bis drei Monaten ihrer Entbindung entgegen und ist deswegen auch nicht ganz wohl. Ich gottlob be=finde mich wohlauf und benuße diese gute Jahrszeit, auch schreite ich in meiner Arbeit fleißig fort, die ich mit Ende dieses Jahrs, wenn nichts dazwischen kommt, zu endigen hoffe.

Mit Goethen habe ich der Propyläen wegen Konferenzen ge=halten, und es ist auf meinen Rat geschehen, daß er dieses Journal für ein mäßiges Honorar, in einer kleinern Auflage und nach längern Zwischenzeiten noch eine Zeitlang fortsetzen will. Es so=gleich aufzugeben, schien mir auch darum nicht zu raten, weil Sie dadurch die Hoffnung ganz verlören, von den ersten Stücken noch etwas abzusetzen.

Aus London habe ich nun endlich von Einer Seite Antwort wegen des Wallenstein. Weil man mir aber darin zur Bedingung machte, daß die englische Übersetzung vierzehn Tage früher als das deutsche Original im Druck erscheinen sollte, so will ich bei Bell bleiben, der uns keine solche Bedingung gemacht hat. Senden Sie ihm also mit erster Post das Vorspiel; in vier Wochen, höchstens sechs, sollen die Piccolomini und der Wallenstein nachfolgen. Machen Sie ihm aber die Bedingung, daß die sechzig Pfund unmittelbar nach Empfang des ganzen Manuskripts ausbezahlt werden. Denn es sollte mir doppelt leid tun, die Stücke umsonst hingegeben zu haben, da ich bei dem andern Buchhändler Miller in London wegen der Zahlung ziemlich sicher sein könnte.

Den Druck des Wallensteins, dächte ich, brauchten wir nicht eher als im Februar anzufangen, wo ich mich in Weimar bis Ostern aufhalten werde, und wo Gädike ihn drucken könnte, wenn es Ihnen recht ist. Allenfalls könnte man das Vorspiel früher drucken. Wenn alsdann jede Woche zwei Bogen fertig werden oder nur alle drei Wochen fünf Bogen, so sind wir zu rechter Zeit fertig. Alles zusammen, mit dem Prolog, schätze ich auf sechsundzwanzig Bogen.

Leben Sie recht wohl, lieber Freund, und behalten mich in freundschaftlichem Andenken. Ganz der Ihrige

Schiller.

An Wolfgang von Goethe.

Jena, den 12. August 1799.

Sie hätten mich durch Ihre Beschreibung des lebhaften Baugeschäfts bald verführt, auf einen Tag hinüber zu reisen und die Einförmigkeit meiner bisherigen Lebensweise wieder einmal durch etwas ganz Heterogenes zu unterbrechen. Aber so not es mir auch vielleicht täte, mir eine Zerstreuung zu machen, so sitze ich doch jetzt zu fest in meiner Arbeit und muß mich doppelt zusammennehmen, weil darin vorwärts zu kommen, weil ich nicht weiß, wieviel Zeit und Stimmung das häusliche Evenement im Herbst mir rauben kann. Die Reise, welche ich, um meiner Frau und mir selbst eine Veränderung zu machen, nach Rudolstadt vorhatte, bleibt auch auf einige Wochen verschoben, weil das Vogelschießen dort jetzt gerade einfällt und meine Schwiegermutter mit dem Hofe bisher entfernt gewesen. Wenn Sie also jetzt kommen können und wollen, so finden Sie uns zu Ihrem Empfange bereit. Wir haben hier die schönen Tage recht genossen und benutzt.

Daß ich die Wintermonate künftighin in Weimar zubringe, ist

bei mir nun eine beschlossene Sache. Die sinnliche Gegenwart des
Theaters muß mir eine Menge faux frais ersparen, die mir jetzt
unvermeidlich sind, weil ich die Vorstellung der lebendigen Masse
nicht habe, und auch der Stoff soll mir alsdann reichlicher zu=
fließen. Diesen Winter werde ich zwar später dazu kommen, viel=
leicht erst mit Ende Januars, wegen der Frau und dem Kleinen.
Vor der Hand hoffe ich mit der Charlotte wegen des Logis eine
Übereinkunft treffen zu können, will mich aber doch auch wegen
des Wertherischen Hauses erkundigen, weil es nicht übel für die
Komödie gelegen ist. Auf dem Markte wohnte ich am liebsten,
so wär ich Ihnen und meinem Schwager gleich nah.

Der Herzog hat mir in diesem Frühjahr seinen Wunsch zu
erkennen gegeben, daß ich öfters nach Weimar käme und länger
dabliebe. Da ich ihm nun zugleich sehr leicht begreiflich machen
kann, wie sehr ich mich selbst dabei besser befinden würde, so will
ich mich mit geradem Vertrauen an ihn wenden und ihn bitten,
daß er mir für die daburch zuwachsende größere Kosten etwas
zulegen möchte. Das Versprechen einer Zulage habe ich ohnehin
seit fünf Jahren her von ihm, und er ist immer gnädig gegen mich
gewesen. Könnte ich übrigens durch meine Gegenwart in Weimar
dem Theater Nutzen schaffen, wozu ich mich von ganzem Herzen
erbiete, so würde die Sache sich noch einfacher abtun lassen.

Ich wünschte nur ein Wort von dem Gange des Druckes, den
Almanach betreffend, zu erfahren, denn die Zeit bis Michaelis geht
nun schon klein zusammen. Auch ist Meyer wohl so gut und läßt
die Hexameter des ganzen Gedichtes zählen, daß ich bestimmt
weiß, wieviel Bogen es gibt. Etwas werde ich wohl für den
Almanach geben müssen, um Cotta mein Wort zu halten, wenn
auch die Glocke daran müßte.

Leben Sie recht wohl. Die Frau grüßt Sie bestens und sehnt
sich auf Ihre Wiederkunft so wie ich.

					Sch.

An Wolfgang von Goethe.

Jena, den 16. August 1799.

Die Schlegels haben, wie ich heute fand, ihr Athenäum mit
einer Zugabe von Stacheln vermehrt und suchen durch dieses
Mittel, welches nicht übel gewählt ist, ihr Fahrzeug flott zu er=
halten. Die Xenien haben ein beliebtes Muster gegeben. Es sind
in diesem literarischen Reichsanzeiger gute Einfälle, freilich auch
mit solchen, die bloß naseweis sind, stark versetzt. Bei dem Artikel
über Böttigern, sieht man, hat der bittre Ernst den Humor nicht
aufkommen lassen. Gegen Humboldt ist der Ausfall unartig und
undankbar, da dieser immer ein gutes Verhältnis mit den Schlegeln
gehabt hat, und man sieht aufs neue daraus, daß sie im Grunde
doch nichts taugen.

Übrigens ist die an Sie gerichtete Elegie, ihre große Länge ab=
gerechnet, eine gute Arbeit, worin viel Schönes ist. Ich glaubte
auch eine größere Wärme darin zu finden, als man von Schlegels
Werken gewohnt ist, und mehreres ist ganz vortrefflich gesagt.
Sonst habe ich noch nichts in diesem Hefte gelesen. Ich zweifle
nicht, daß es auf dem nunmehr eingeschlagenen Weg Leser genug
finden wird, aber Freunde werden sich die Herausgeber eben nicht
erwerben, und ich fürchte, es wird bald auch der Stoff versiegen,
wie sie in den Aphoristischen Sätzen auch auf einmal und für
immer ihre Barschaft ausgegeben haben.

Wenn es möglich wäre, daß Sie noch einiges in den Almanach
stiften könnten und ich auch meinen Beitrag geben kann, so würde
ich auch Matthissons, Steigenteschs und noch einige andre Beiträge
darin aufnehmen und so dem Almanach seine gewöhnliche Gestalt
verschaffen. Um Cottas willen wäre mirs lieb, daß ihm nicht auch
hier ein Unglück begegne, wiewohl ich von den Kupferstichen das
Beste hoffe.

Bei Gelegenheit Ihrer Gedichtsammlung ist mir eingefallen,
ob Sie nicht etwa das Fach didaktischer Gedichte, wozu die

Metamorphose der Pflanzen gehört, noch zu bereichern hätten, und vielleicht fände sich zu solchen Gedichten am schnellsten die Stimmung, da die Anregung von dem Verstande kommt. Wenn Sie hieher kommen und wir uns darüber unterhalten, so entsteht vielleicht schnell etwas, wie das Gedicht von der Metamorphose auch schnell da war. Es gäbe zugleich einen Beitrag für den Almanach.

In meiner dramatischen Arbeit geht es noch immer frisch fort, und wenn nichts dazwischen kommt, so kann ich vor Ende Augusts den zweiten Akt zurückgelegt haben. Im Brouillon liegt er schon da. Ich hoffe, daß in dieser Tragödie alles theatralisch sein soll, ob ich sie gleich für den Zweck der Repräsentation in etwas enger zusammenziehe. Weil es auch historisch betrachtet ein reichhaltiger Stoff ist, so habe ich ihn in historischer Hinsicht auch etwas reicher behandelt und Motive aufgenommen, die den nachdenkenden und instruierten Leser freuen können, die aber bei der Vorstellung, wo ohnehin der Gegenstand sinnlich dasteht, nicht nötig und wegen historischer Unkenntnis des großen Haufens auch ohne Interesse sind. Übrigens ist bei der Arbeit selbst schon auf alles gerechnet, was für den theatralischen Gebrauch wegbleibt, und es ist durchaus keine eigne Mühe dazu nötig wie beim Wallenstein.

Leben Sie recht wohl und machen Sie uns bald Hoffnung Sie hier zu sehen. Die Frau grüßt Sie, sie hofft, unsre Verpflanzung nach Weimar soll nicht länger als bis in die Mitte Januars aufgehalten werden. Vielleicht kann ich für meine Person früher kommen. Leben Sie recht wohl. Viele Grüße an Meyern.

Sch.

An Wolfgang von Goethe.

Jena, den 20. August 1799.

Ich bin dieser Tage auf die Spur einer neuen möglichen Tragödie geraten, die zwar erst noch ganz zu erfinden ist, aber, wie mir dünkt, aus diesem Stoff erfunden werden kann. Unter der Regierung Heinrichs VII. in England stand ein Betrüger, Warbeck, auf, der sich für einen der Prinzen Eduards V. ausgab, welche Richard III. im Tower hatte ermorden lassen. Er wußte scheinbare Gründe anzuführen, wie er gerettet worden, fand eine Partei, die ihn anerkannte und auf den Thron setzen wollte; eine Prinzessin desselben Hauses York, aus dem Eduard abstammte und welche Heinrich dem VIIten Händel erregen wollte, wußte und unterstützte den Betrug, sie war es vorzüglich, welche den Warbeck auf die Bühne gestellt hatte. Nachdem er als Fürst an ihrem Hof in Burgund gelebt und seine Rolle eine Zeitlang gespielt hatte, mankierte die Unternehmung, er wurde überwunden, entlarvt und hingerichtet.

Nun ist zwar von der Geschichte selbst so gut als gar nichts zu brauchen, aber die Situation im Ganzen ist sehr fruchtbar, und die beiden Figuren des Betrügers und der Herzogin von York können zur Grundlage einer tragischen Handlung dienen, welche mit völliger Freiheit erfunden werden müßte. Überhaupt glaube ich, daß man wohl tun würde, immer nur die allgemeine Situation, die Zeit und die Personen aus der Geschichte zu nehmen und alles übrige poetisch frei zu erfinden, wodurch eine mittlere Gattung von Stoffen entstünde, welche die Vorteile des historischen Dramas mit dem erdichteten vereinigte.

Was die Behandlung des erwähnten Stoffs betrifft, so müßte man, deucht mir, das Gegenteil von dem tun, was der Komödiendichter daraus machen würde. Dieser würde durch den Kontrast des Betrügers mit seiner großen Rolle und seine Inkompetenz zu derselben das Lächerliche hervorbringen. In der Tragödie müßte

er als zu seiner Rolle geboren erscheinen, und er müßte sie sich so
sehr zu eigen machen, daß mit denen, die ihn zu ihrem Werkzeug
gebrauchen und als ihr Geschöpf behandeln wollten, interessante
Kämpfe entstünden. Es müßte ganz so aussehen, daß der Betrug
ihm nur den Platz angewiesen, zu dem die Natur selbst ihn bestimmt hatte. Die Katastrophe müßte durch seine Anhänger und
Beschützer, nicht durch seine Feinde, und durch Liebeshändel, durch
Eifersucht und dergleichen herbeigeführt werden.

Wenn Sie diesem Stoff im ganzen etwas Gutes absehen und
ihn zur Grundlage einer tragischen Fabel brauchbar glauben, so
soll er mich zuweilen beschäftigen, denn wenn ich in der Mitte
eines Stücks bin, so muß ich in gewissen Stunden an ein neues
denken können.

Für den Almanach geben Sie mir keine tröstlichen Aussichten.
Was die Kupfer betrifft, so habe ich meine Hoffnung nicht auf die
Güte des Kupferstichs gebaut, man ist ja hierin gar nicht verwöhnt,
und da diese Manier im ganzen gefällt, die Zeichnung zugleich
verständig entworfen ist, so werden wir uns doch damit sehen lassen
dürfen. Die Bemerkung, die Sie über das Gedicht selbst machen,
ist mir bedenklicher, besonders da mir etwas Ähnliches selbst dabei
geschwant hat. Noch weiß ich nicht, wie Rat geschafft werden soll,
denn meine Gedanken wollen sich noch gar nicht auf etwas Lyrisches
wenden. Auch ist es ein schlimmer Umstand, daß wir zu den an-
zuhängenden kleinen Gedichten einen sehr kleinen Raum übrig
behalten, der also notwendig mit bedeutenden Sachen muß ausgefüllt werden. Sobald ich meinen zweiten Akt fertig habe, werde
ich ernstlich an diese Sache denken.

Leben Sie wohl, meine Frau grüßt Sie aufs beste.

Sch.

An Friedrich Hölderlin.

Jena, den 24. August 1799.

Gern, mein wertester Freund, würde ich Ihr Verlangen wegen der Beiträge zu Ihrer Zeitschrift erfüllen, wenn ich nicht so arm an Zeit und so eng an mein gegenwärtiges Geschäft gebunden wäre, daß ich selbst meinen Musenalmanach dieses Jahr ohne Beiträge lassen oder doch sehr mager damit ausstatten werde und ihn für die Zukunft vielleicht ganz aufgebe, weil ich mich von jedem Geschäfte, das sich mit meiner absoluten Unabhängigkeit nicht verträgt, lossagen muß. Die Erfahrungen, die ich als Herausgeber periodischer Schriften seit sechzehn Jahren gemacht, da ich nicht weniger als fünf verschiedene Fahrzeuge auf die klippenvollen Meere der Literatur geführt habe, sind so wenig günstig, tröstlich, daß ich Ihnen als ein aufrichtiger Freund nicht raten kann, ein Ähnliches zu tun. Vielmehr komme ich auf meinen alten Rat zurück, daß Sie sich ruhig und unabhängig auf einen bestimmten Kreis des Wirkens konzentrieren möchten. Auch selbst in Rücksicht auf das Lukrative, die wir Poeten oft nicht umgehen können, ist der Weg periodischer Werke nur scheinbar vorteilhaft, und bei einem unbedeutenden Anfänger von Verleger ohne einen gewissen Rückhalt von eigenem Vermögen, der ihm verstattet einen kleinen Stoß zu verschmerzen, ist es vollends nicht zu wagen.

Wie sehr wünschte ich, daß ich Ihnen nicht bloß meinen Rat erteilen, sondern auch die Mittel erleichtern könnte, denselben auszuführen. Wenn Sie mich mit Ihrer jetzigen Lage bekannter machen wollen, so bin ich vielleicht eher imstande etwas vorzuschlagen, was Ihrem Wunsche gemäß ist.

Leben Sie wohl und seien Sie meiner treuen Ergebenheit versichert.

Der Ihrige

Schiller.

An Georg Heinrich Nöhden.

Jena, den 24. August 1799.

Empfangen Sie meinen verbindlichsten Dank für die freund=
schaftlichen Bemühungen, die Sie meinetwegen zu übernehmen
die Güte hatten. Ich würde die Vorschläge des Herru Miller
mit vielem Vergnügen annehmen, wenn mein Engagement gegen
meinen Verleger Cotta in Tübingen mir erlaubte, die Erscheinung
des Wallenstein in Deutschland noch länger zu verzögern. Diese
ist aber auf Ostern 1800 festgesetzt, und ich kann mein Wort nicht
zurücknehmen. Sonst aber wäre es mir sehr angenehm, denselben
Kontrakt, welchen Herr Miller in Absicht auf den Wallenstein
eingehen wollte, auf meine künftigen Stücke und zunächst auf mein
neuestes Stück, Maria Stuart, das mit Ende dieses Jahrs fertig
wird, zu übertragen. Zugleich wollte ich Herrn Miller vorschlagen,
im Fall Ihre Zeit und Neigung Ihnen selbst dieses Geschäft nicht
erlaubte, die Übersetzung der Maria dem Herrn Mellish aufzu=
tragen, der das Goethesche Gedicht Hermann und Dorothea neuer=
dings übersetzt und Herrn Bell zum Verlag gegeben hat. Dieser
Herr Mellish, ein sehr gebildeter, in alter und neuer Literatur voll=
kommen erfahrener Mann, wohnt seit einigen Jahren ohnweit
Jena, und wir hätten den Vorteil einer schnellen und leichten
Kommunikation. Er hat auch schon verschiedenes aus Wallenstein
übersetzt, das nach meinem Urteil vollkommen genau und nach
dem Urteil der Kenner des englischen Sprachgeistes auch sehr
schön gelungen ist. Wir würden auch den Vorteil haben, daß das
Stück viel früher übersetzt werden könnte, und ich könnte das eng=
lische Manuskript Herrn Miller mit Anfang des März versprechen,
weil ich das deutsche Original aktweise zum Übersetzen geben kann.
Wenn Herr Miller es verlangte, so würde ich mich, mit Herrn
Mellish, auch in der englischen Ausgabe als Mitherausgeber
nennen und in der Vorrede dem Publikum von dem Werk und
von der Übersetzung Rechenschaft geben.

Sollte Herr Miller meine Proposition annehmen, so wird er die Güte haben zu erklären, was er für die Übersetzung zu bezahlen geneigt ist. Um Ihre Gefälligkeit nicht zu mißbrauchen, ersuche ich denselben, sich persönlich und in englischer Sprache nur an mich selbst zu wenden, worauf ich ihm unsern Kontrakt gleichfalls englisch und von Herrn Mellish aufgesetzt, sogleich zufertigen will. Den Wallenstein habe ich an Herrn Bell überlassen, da dieser nichts dagegen hat, wenn das Original früher herauskommt.

F. Schiller.

An Wolfgang von Goethe.

Jena, den 24. August 1799.

Aus allen Umständen fange ich an zu schließen, daß wir vor Eintritt des Herbsts kaum auf Ihre Hieherkunft hoffen können. So geht dieser Sommer ganz anders hin, als ich mir versprochen hatte, und ob ich mich gleich ernstlich zu meinem Geschäft halte und darin vorwärts komme, so fühle ich doch im Ganzen meines innern Zustands diese Beraubung sehr, und sie verstärkt mein Verlangen nicht wenig, den Winter in Weimar zuzubringen. Zwar verberge ich mir nicht, daß sich von dem Einfluß der dortigen Sozietät eben nicht viel Ersprießliches erwarten läßt, aber der Umgang mit Ihnen, einige Berührungen mit Meyern, das Theater und eine gewisse Lebenswirklichkeit, welche die übrige Menschenmasse mir vor die Augen bringen muß, werden gut auf mich und meine Beschäftigung wirken. Meine hiesige Existenz ist eine absolute Einsamkeit, und das ist doch zuviel.

Ich erwarte mit jedem Tag Antwort von der Frau von Kalb des Quartiers wegen, das ich, wenn es zu haben, ohne Anstand gleich von Michaelis an auf ein Jahr mieten werde. Kann ich es machen, mit meiner Familie bequem zusammen zu wohnen, so werde ich das immer vorziehen; ging es nicht an, so ist mir das Anerbieten wegen des Thouretischen Logis willkommen. Wenn meine Frau mit ihren Wochen glücklich ist, so wäre ich geneigt, Ende Novembers hinüberzugehen, anfangs allein, bis die Familie nachkommen kann. Es läge mir auch deswegen viel daran, daß ich die zwei letzten Akte meines Stücks unter dem Einfluß der theatralischen Anschauungen ausarbeiten könnte.

Wenn Sie binnen zehn Tagen nicht, wenigstens auf einige Tage, hieher kommen können, so hätte ich große Lust, auf einen Tag zu Ihnen hinüber zu kommen und meine zwei Akte mitzubringen. Denn jetzt wünschte ich doch Ihr Urteil darüber, daß ich mich überzeugt halten kann, ob ich auf dem rechten Wege bin.

An Ihren Mondbetrachtungen wünschte ich wohl auch teilzunehmen. Mir hat dieser Gegenstand immer einen gewissen Respekt abgenötigt und mich nie ohne eine sehr ernste Stimmung entlassen. Bei einem guten Teleskop wird das Körperliche der Oberfläche sehr deutlich, und es hatte mir immer etwas Furchtbares, daß ich diesen entfernten Fremdling auch mit einem andern Sinn als dem Aug zu erfassen glaubte. Es sind auch schon einige Distichen darüber entstanden, die vielleicht das Bedürfnis für den Almanach zur Reife bringen hilft.

Gelegentlich wünscht ich doch zu wissen, ob mir von den zur Auktion geschickten Büchern viele liegen geblieben, denn es sagte neulich jemand in Weimar, daß ich soviele Bücher erstanden hätte, welches kein gutes Zeichen wäre.

Leben Sie recht wohl in Ihrer geschäftigen Einsamkeit. Ihre Genauigkeit in der Metrik wird die Herru Humboldt und Brinkmann nicht wenig erbauen.

Die Frau grüßt Sie freundlich und hat auch ein groß Verlangen Sie wieder zu sehen.

An Meyern viele Grüße.

Sch.

An Wolfgang von Goethe.

Jena, den 27. August 1799.

Ich bin heute früh bei meinem Aufstehen durch ein schweres Paket vom Herrn Hofkammerrat sehr angenehm überrascht worden und wiederhole Ihnen meinen besten Dank dafür, daß Sie diesen Geldstrom in meine Besitzungen geleitet haben. Der Geist des alten Feldherrn führt sich nun als ein würdiges Gespenst auf, er hilft Schätze heben. Auch in Rudolstadt, schreibt man mir, ist viel Zulauf zum Wallenstein gewesen. Ich wünschte zu wissen, wie sich das artige Weibchen, die Vohs, aus dem Handel gezogen hat.

Meinen zweiten Akt habe ich gestern geendigt, aber nach einem wohlgemeinten und dennoch vergeblichen Bemühen, mir eine lyrische Stimmung für den Almanach zu verschaffen, habe ich heute den dritten angefangen. Das einzige Mittel, mich jetzt von der Maria weg und zu einer lyrischen Arbeit zu bringen, ist, daß ich mir eine äußere Zerstreuung mache. Dazu ist die achttägige Reise nach Rudolstadt gut. Sobald ich von Ihnen bestimmt weiß, ob ich Sie hier oder in Weimar sehen kann und wann, so werde ich meinen Plan machen. Vor dem 8. September aber gehe ich nicht, weil die fremden Gäste dort nicht früher wegreisen.

Über dem vielen Nachdenken, welche neue Form von Beiträgen man zu dem Almanach brauchen könnte, ist mir der Gedanke an eine neue Art Xenien, für Freunde und würdige Zeitgenossen, gekommen. Der Jahrhundertswechsel gäbe einen nicht unschicklichen Anlaß, allen denen, mit welchen man gewandelt und sich verbessert gefühlt hat, und auch denen, die man nicht von Person kennt, aber deren Einfluß man auf eine nützliche Art empfunden, ein Denkmal zu setzen. Freilich vestigia terrent. Das Tadeln ist immer ein dankbarerer Stoff als das Loben, das wiedergefundene Paradies ist nicht so gut geraten als das verlorene, und Dantes Himmel ist auch viel langweiliger als seine Hölle. Außerdem ist der Termin gar zu kurz für einen so lobenswürdigen Vorsatz.

Leben Sie für heute wohl. Ich habe mich bei meinem Ge=
schäfte verspätet. Die Frau grüßt Sie aufs beste. Alles wartet
auf Sie, auch die Kinder.

Sch.

An Wolfgang von Goethe.

Jena, den 28. August 1799.

Charlotte Kalb hat nun auch geschrieben und erklärt, daß das
Quartier zu unserer Disposition sei, wenn wir in ihren Kontrakt
treten wollten. Sie hat Scherern noch nichts zugesagt.

Leider kann ich wegen Zahnweh und geschwollnem Backen
nicht sogleich hinüberkommen, dies hat indessen des Quartiers
wegen nichts auf sich. Meine Frau hat das ganze Quartier schon
einmal gemustert, und die vordern Zimmer des Herrn und der
Dame kenn ich auch. Die Einrichtung ist ganz nach unserm Be=
dürfnis, und ich nehme keinen Anstand, gleich zuzusagen. Wollen
Sie also die Gütigkeit haben und Millern sagen, daß er nur den
Kontrakt aufsetzt. Wenn er nur auf zwei Jahre geht, ist mirs
freilich lieber als auf längere Zeit, doch ein Jahr auf oder ab
macht nichts, da das Quartier immer Liebhaber finden wird.
Übrigens setze ich voraus, daß die Miete bleibt wie bei der
Frau v. Kalb, 122 Reichstaler, den Laubtaler à 1 Reichstaler
14 Groschen.

Wenn ich alsdann hinüberkomme, so werden Sie mir erlauben,
Ihnen meine Wünsche und Kalkuls in Absicht dieser neuen Ein=
richtung vorzutragen.

Mein Zahnübel sollte mich nicht abhalten, gleich morgen zu
kommen, wenn es nicht unglücklicherweise beim Sprechen und
Lesen zunähme, denn sonst ist es wohl zu ertragen.

Ich bin recht verlangend auf das, was Sie mir zu zeigen und
zu sagen haben, und überhaupt sehne ich mich herzlich nach dieser
so lang entbehrten Kommunikation.

Die Frau wird sich nicht abhalten lassen mitzukommen. Ich nehme die Erlaubnis, bei Ihnen zu logieren, mit großem Vergnügen an, und wenn es irgend möglich, komme ich auf den Sonnabend.

Leben Sie recht wohl.

S.

An den Herzog Carl August.

Jena, den 1. September 1799.

Durchlauchtigster Herzog,

Gnädigster Fürst und Herr,

Die wenigen Wochen meines Aufenthalts zu Weimar und in der größern Nähe Eurer Durchlaucht im letzten Winter und Frühjahr haben einen so belebenden Einfluß auf meine Geistesstimmung geäußert, daß ich die Leere und den Mangel jedes Kunstgenusses und jeder Mitteilung, die hier in Jena mein Los sind, doppelt lebhaft empfinde. Solange ich mich mit Philosophie beschäftigte, fand ich mich hier vollkommen an meinem Platz; nunmehr aber, da meine Neigung und meine verbesserte Gesundheit mich mit neuem Eifer zur Poesie zurückgeführt haben, finde ich mich hier wie in eine Wüste versetzt. Ein Platz, wo nur die Gelehrsamkeit und vorzüglich die metaphysische im Schwange gehen, ist den Dichtern nicht günstig: diese haben von jeher nur unter dem Einfluß der Künste und eines geistreichen Umgangs gedeihen können. Da zugleich meine dramatische Beschäftigungen mir die Anschauung des Theaters zum nächsten Bedürfnis machen und ich von dem glücklichen Einfluß desselben auf meine Arbeiten vollkommen überzeugt bin, so hat alles dies ein lebhaftes Verlangen in mir erweckt, künftighin die Wintermonate in Weimar zuzubringen.

Indem ich aber dieses Vorhaben mit meinen ökonomischen Mitteln vergleiche, finde ich, daß es über meine Kräfte geht, die

Koſten einer doppelten Einrichtung und den erhöhten Preis der
meiſten Notwendigkeiten in Weimar zu erſchwingen. In dieſer
Verlegenheit wage ich es, meine Zuflucht unmittelbar zu der
Gnade Eurer Durchlaucht zu nehmen, und ich wage es mit um
ſo größerem Vertrauen, da ich mich, in Anſehung der Gründe,
die mich zu dieſer Ortsveränderung antreiben, Ihrer höchſt eigenen
gnädigſten Beiſtimmung verſichert halten darf. Es iſt der Wunſch,
der mich antreibt, Ihnen ſelbſt, gnädigſter Herr, und den durch=
lauchtigſten Herzoginnen näher zu ſein und mich durch das leb=
hafte Streben nach Ihrem Beifall in meiner Kunſt ſelbſt voll=
kommener zu machen, ja vielleicht etwas weniges zu Ihrer eigenen
Erheiterung dadurch beizutragen.

　　Da ich mich in der Hauptſache auf die Früchte meines Fleißes
verlaſſen kann und meine Abſicht keineswegs iſt, darm nachzulaſſen,
ſondern meine Tätigkeit vielmehr zu verdoppeln, ſo wage ich die
untertänigſte Bitte an Eure Durchlaucht, mir die Koſtenver=
mehrung, welche mir durch die Translokation nach Weimar und
eine zweifache Einrichtung jährlich zuwächſt, durch eine Ver=
mehrung meines Gehalts gnädigſt zu erleichtern.

　　　　　　　Der ich in tiefſter Devotion erſterbe
　　　　　　　　Eurer Herzoglichen Durchlaucht
　　　　　　　　　meines gnädigſten Herrn
　　　　　　　　　　　untertänigſt treugehorſamſter
　　　　　　　　　　　　Fr. Schiller.

An Wolfgang von Goethe.

　　　　　　　　Jena, den 3. September 1799.

　　Ich habe keine weitere Nachricht des Quartiers wegen von
Ihnen erhalten und rechne nun ganz darauf, daß es für mich ge=
mietet iſt. Die Umſtände nötigen mich, die Rudolſtädter Reiſe
acht Tage früher anzutreten, wir gehen morgen von hier, und ich
denke auf den Dienstag oder Mittwoch in Weimar ſein zu können.

Ihr Brief fände mich also morgen nicht mehr hier. Leider werde ich also in den nächsten acht Tagen nichts von Ihnen hören, wenn mir nicht die Theaterdepeschen von Weimar nach Rudolstadt ein paar Zeilen bringen.

Ich werde nun in meiner dramatischen Arbeit eine Zeitlang pausieren müssen, wenn noch an den Almanach gedacht werden soll. Der Abschnitt ist auch schicklich, ich habe die Handlung bis zu der Szene geführt, wo die beiden Königinnen zusammen= kommen. Die Situation ist an sich selbst moralisch unmöglich; ich bin sehr verlangend, wie es mir gelungen ist, sie möglich zu machen. Die Frage geht zugleich die Poesie überhaupt an, und darum bin ich doppelt begierig, sie mit Ihnen zu verhandeln.

Ich fange in der Maria Stuart an, mich einer größern Frei= heit oder vielmehr Mannigfaltigkeit im Silbenmaß zu bedienen, wo die Gelegenheit es rechtfertigt. Diese Abwechslung ist ja auch in den griechischen Stücken, und man muß das Publikum an alles gewöhnen.

Sehr freue ich mich, Ihnen nun, obgleich durch einen großen Umweg, mich wieder zu nähern, denn ich werde unmittelbar von Rudolstadt nach Weimar gehen.

Leben Sie recht wohl für diese acht Tage.

Die Frau grüßt aufs beste.

Sch.

An Charlotte von Kalb.

Jena, den 4. September 1799.

Ich habe nun Hoffnung, Ihr Quartier zu bekommen, und wir danken Ihnen sehr, daß Sie uns auf diesen Fall einige Gerät= schaften noch im Hause wollen stehen lassen. Sie sollen Ihnen sorgfältig in acht genommen werden.

Es tut mir aber sehr leid, daß Sie selbst diesen Winter nicht in Weimar sein werden, welches uns diesen Aufenthalt noch werter gemacht haben würde. Trennen Sie sich ja nicht ganz von unserer Nachbarschaft, das würde uns betrüben. Bleiben Sie den alten Freunden getreu, die kennt man einmal mit allen ihren Schwächen und Tugenden.

Meine Frau empfiehlt sich Ihnen aufs freundschaftlichste. Sie leidet seit einiger Zeit etwas weniger an Ihren Krämpfen; zu ihrer Erheiterung und Bewegung machen wir jetzt eine kleine Reise nach Rudolstadt.

Versichern Sie Herrn von Kalb meine Hochachtung, ich werde mit herzlichem Anteil hören, daß er eine angenehme Sphäre für seine Tätigkeit und die Erfüllung seiner Wünsche gefunden.

Leben Sie selbst heiter und glücklich und lassen bald wieder von sich hören.

Mit herzlicher Verehrung der

der Ihrige

Schiller.

An Wolfgang von Goethe.

Jena, den 21. September 1799.

Das Paket überrascht mich nicht wenig, und ob es gleich meine alte Unentschlossenheit wieder zurückruft (denn ich habe mich heute schon ernstlich entschlossen gehabt, den Beitrag zum Almanach aufzugeben und mich deswegen schon wieder an die Maria gemacht), so belebt es doch auch wieder meinen Mut, vielleicht hat es diese Wirkung auch bei Ihnen. Leben Sie recht wohl, ich hoffe, Sie heute bald zu sehen, wenngleich das Wetter die vorgehabte Gartenpartie aufhebt.

S.

An J. C. Gädicke.

Jena, den 24. September 1799.

Hier erhalten Sie den Anfang der kleinen Gedichte, die noch zum Almanach kommen.   Der Rest kommt noch diese Woche. Es ist darauf gerechnet, daß gerade drei Bogen davon voll werden, wenn man sie enger druckt als das große Gedicht, womöglich vier= undzwanzig Zeilen auf die Seite gerechnet.   Diese kleinen Ge= dichte erhalten eine eigene Pagina, wozu römische Zahlen ge= nommen werden, und der Druck kann also sogleich angefangen werden, ehe das große Gedicht gesetzt ist. — Es ist die allerhöchste Zeit, wenn wir den Almanach nicht zu spät auf die Messe bringen wollen.   Sollten Sie nicht gleich einen zweiten Setzer einstellen können, so würde ich gezwungen sein, den Anhang der kleinen Gedichte hier drucken zu lassen, welches mir gar nicht lieb wäre. Ich zähle aber auf Ihre Sorgfalt und Tätigkeit, daß Sie das Mögliche tun werden, um Herrn Cotta zu kontentieren.

Der Kalender mit den Sonnen= und Mondfinsternissen, das Titelblatt und das Inhaltsverzeichnis machen zusammen einen Bogen.   Wenn also zwei Setzer oder drei zusammen wirken, so könnte das Ganze, wenn Sie alles daransetzen, in zwölf Tagen dem Buchbinder übergeben werden, und wenn dieser fleißig ist, so brächten wir eintausend Exemplarien auf den Anfang der zweiten Meßwoche nach Leipzig.

Die letzte Korrektur der kleinen Gedichte wird jedesmal an Herrn Vizepräsident Herder geschickt.

Der Rest des ganzen Manuskripts sowohl von dem großen Gedicht als von den kleinen soll zu Ende dieser Woche in Ihren Händen sein.

Wenn die weimarischen Buchbinder nicht schnell genug sollten arbeiten können, so senden Sie allenfalls ein halbes Tausend Exemplare hieher, wo ich es schnell kann heften lassen.

Noch einmal, ich verlasse mich drauf, daß Sie durch mög-
lichst schleunige Beförderung des Drucks ein Meisterstück machen
werden.

Ihr ganz ergebener
F. Schiller.

N. S. Die Gedichte werden in der Ordnung gedruckt, wie
ich sie mit Bleistift numeriert. Die beiliegenden kleinen Gedichte
Nr. X verteilen Sie selbst an diejenigen Stellen, wo noch leerer
Platz übrig ist, weil ich dies nicht vorher bestimmen kann, und
befolgen dabei die Ordnung, die ich mit Zahlen angegeben.

An Gottfried Körner.

Jena, 26. September 1799.

Es ist nun ausgemacht, daß ich die nächsten Winterhalbjahre
in Weimar zubringe; der Herzog hat mir 200 Taler Zulage gegeben, und ich erhalte auch etwas Holz in natura, welches mir
bei dem teuren Holzpreise in Weimar sehr zustatten kommt. Ich
werde also verschiedene Veränderungen in meiner Lebensweise erleiden und besonders mehr als bisher in Gesellschaft leben. Obgleich Weimar ein teurerer Ort ist als Jena, so kann ich von dem,
was mich der dortige Aufenthalt auf sechs Monate jährlich mehr
kostet, doch alles das abrechnen, was es mich in Jena kostete, ein
kleines Haus zu machen. Denn da ich nicht ausgehe, so sah ich
alles bei mir und mußte oft bewirten. Dies fällt in Weimar
weg, und ich gewinne mithin die zugelegten 200 Taler ganz.

Der Wallenstein hat uns auch noch ein ansehnliches Präsent
in einem silbernen Kaffeeservice eingetragen, von der regierenden
Herzogin; und so haben sich die Musen diesmal gut aufgeführt.

Der Almanach ist jetzt bald gedruckt, und die Umstände haben
mich genötigt, gegen meine Neigung, eine Pause in meiner dramatischen Arbeit zu machen und einige Gedichte auszuführen.

Morgen aber hoffe ich zu der theatralischen Muse wieder zurück= zukehren. Leider erscheint diesmal von Goethe gar nichts im Almanach; alle Produktivität hat ihn diesen Sommer verlassen. Er ist seit etlichen Wochen hier und läßt euch grüßen.

Es wäre recht schön, wenn du mir Stoffe für dramatische Ar= beiten zuführen könntest, denn an Stoffen fehlt mirs am meisten. Vor der Hand bin ich aber die historischen Sujets überdrüssig, weil sie der Phantasie gar zu sehr die Freiheit nehmen und mit einer fast unausrottbaren prosaischen Trockenheit behaftet sind.

Hast du denn die Reden über die Religion, die in Berlin herausgekommen sind, und Tiecks romantische Dichtungen ge= lesen? Beide Schriften las ich vor kurzem, weil man mich darauf neugierig machte, und ich fasse sie hier zusammen, weil es Berliner Produkte sind und gewissermaßen aus der nämlichen Koterie her= vorgingen. Die erste ist, bei allem Anspruch auf Wärme und Innig= keit, noch sehr trocken im ganzen und oft prätensioniert geschrieben; auch enthält sie wenig neue Ausbeute. Tiecks Manier kennst du aus dem Gestiefelten Kater; er hat einen angenehmen romantischen Ton und viele gute Einfälle, ist aber doch viel zu hohl und zu dürftig. — Ihm hat die Relation zu Schlegels viel geschadet.

Die Überbringerin dieses Briefs, eine Mademoiselle Blasch aus Rudolstadt, welche die fürstlichen Kinder erzieht, wünscht eure Bekanntschaft zu machen. Sie ist eine verständige sehr schätzbare Person und wird den Frauen gewiß nicht mißfallen.

Herzliche Grüße von Lotten an euch alle. Sie befindet sich bei ihrer Schwangerschaft leidlich, ich habe vor drei Wochen eine Reise mit ihr nach Rudolstadt und Weimar gemacht; wir sind erst seit zehn Tagen wieder hier. Lebe recht wohl und grüße Minna und Dorchen herzlich von mir.

Dein

Sch.

An J. C. Gädicke.

Jena, den 27. September 1799.

Ich vergaß bei meiner vorhergehenden Sendung die kleinen, mit X bezeichneten Epigramme beizulegen, welche hier mit dem ganzen Überrest der Gedichte folgen. Ich berufe mich übrigens auf meinen vorigen Brief und setze nichts hinzu, als daß ich Ihnen die baldmöglichste Beschleunigung des Werks dringend empfehle.

Mit Hochachtung verharrend

Ew. Wohlgeboren
ergebenster Diener
Schiller.

N. S. Das Schlußgedicht Nr. Q — ohngefähr 16 gedruckte Seiten stark — kann ich heute nicht mitsenden, es folgt auf den Montag.

An J. C. Gädicke.

Jena, den 29. September 1799.

Die Versicherung, welche Sie mir wegen des Almanachs geben, hat mich sehr getröstet, und ich kann Ihnen nicht genug danken, daß Sie sich dieses Geschäfts so ernstlich annehmen. Auch freue ich mich, daß Herr Cotta die Spedition des Almanachs in so gute Hände gegeben hat.

Der Schluß der Gedichte folgt hier. Ich überlasse Ihnen selbst ganz die Art, wie Sie den Raum, der uns auf den bestimmten zwölf Bogen noch übrig bleibt, ausfüllen wollen. Ist Platz genug da, so wäre es wohl schicklich, zwischen dem großen Gedicht und den kleineren ein Blatt leer zu lassen, worauf man setzen könnte: Vermischte Gedichte.

Eine Vorrede kommt nicht dazu. Das Inhaltsverzeichnis wird ein Blatt füllen, ich ersuche Sie, da ich die Pagina der einzelnen

Gedichte nicht weiß, es in Weimar aufsetzen zu lassen und dabei
die Observanz der vorhergehenden Musenalmanache zu beobachten.
Das große Gedicht heißt in dem Verzeichnis:

Die Schwestern von Lesbos

In sechs Gesängen von A. v. J.

Ich verharre hochachtungsvoll

Ew. Wohlgeboren

ergebenster Diener

Schiller.

An Dorothea Schiller.

Jena, den 8. Oktober 1799.

Mit großer Freude, liebste Mutter, haben wir die guten Aus=
sichten, die sich unsrer lieben Luise endlich geöffnet haben, ver=
nommen und wünschen ihr herzlich dazu Glück. Da Sie Ge=
legenheit gehabt hat, den Mann, mit dem sie sich entschließt,
ihr Leben künftig zuzubringen, genau kennen zu lernen, so wird sie
in diesen Stand keine andern Erwartungen mitbringen, als die
auch erfüllt werden können, sie wird sich in seine Gemütsart zu
schicken und alles, was an diesen Stand anhängig ist, zu ertragen
wissen. Ein eigener Herd und die hausfräuliche Würde werden
ihr viel Freude machen, wie ich nicht zweifle, und auch das wird
ihr kein geringes Vergnügen sein, daß sie ihre liebe gute Mutter
im eigenen wohlbestellten Hause bewirten und pflegen kann. Ihnen,
liebste Mutter, muß es zu großem Trost gereichen, alle Ihre
Kinder jetzt versorgt zu sehen und in einem jungen Geschlecht
wieder aufzuleben. Meine zwei Kleinen sind gottlob bisher immer
gesund geblieben und dem neuen Ankömmling, der nicht über drei
Wochen mehr ausbleiben kann, sehen wir mit froher Hoffnung
entgegen. Wir haben eine gute Amme ausfindig gemacht; ohne
eine solche hätten wir das Kind nicht mehr aufzuziehen gewagt,

denn der kleine Ernst hat zwei ganze Jahr gebraucht, um sich von seiner Schwächlichkeit zu erholen, und hat uns mehrmal durch gefährliche Zufälle in Schrecken gesetzt. Wir werden nach über= standenen Wochen meiner Frau nach Weimar ziehen und den Winter dort zubringen. Ich habe Geschäfte dort, und der Herzog will mich dort haben; er hat mir deswegen auf eine sehr schmeichel= hafte Weise meine Besoldung verdoppelt, so daß ich jetzt 400 Taler von ihm habe, jährlichen Gehalt. Es ist freilich noch ein kleiner Teil dessen, was unsere Wirtschaft jährlich braucht, indessen ist es doch eine große Erleichterung, und das übrige kann ich durch meinen Fleiß, der mir wohl bezahlt wird, recht gut verdienen. Wir stehen uns jetzt doch mit dem, was uns meine Schwiegermutter jährlich gibt, auf etwas über 1000 Gulden Reichsgeld, dieses nehme ich ein, ohne etwas dafür zu tun, und 1400 Gulden, die ich noch außerdem brauche, habe ich noch alle Jahre durch meine Bücher verdient. Weil das Holz in Weimar teurer ist als hier, so sind mir noch vier Meß Holz für diesen Winter unentgeltlich angewiesen worden, und ich habe noch allerlei kleine Vorteile zu hoffen, denn ich stehe sehr gut beim Herzog und der Herzogin.

Das Präsent in Silber, von dem ich diesen Sommer schrieb, ist auch angekommen und sehr prächtig. Es wird auf 25 Louisdor geschätzt. Weil wir künftig nur den Sommer in Jena zubringen und im Garten wohnen, so habe ich nun kein Quartier in der Stadt mehr und dafür eines in Weimar, welches sehr geräumig und hübsch ist. Binnen einem Jahr hoffe ich mich doppelt möbliert zu haben, daß ich des Herumziehens mit meinen Sachen nicht bedarf. Lottchen und Karl grüßen Sie herzlich, liebste Mutter. Ich hoffe, im nächsten Brief das Nähere zu erfahren, wann Luise Hochzeit macht. Tausendmal umarme ich Sie, ewig mit der herz= lichsten Liebe

Ihr
dankbarer Sohn
Schiller.

Herr Profeſſor Abel ſchrieb mir kürzlich und erzählte mir, daß er Sie in Leonberg geſprochen. Grüßen Sie ihn aufs beſte von mir.

An Luiſe von Lengefeld.

Jena, den 11. Oktober, nachts um 12 Uhr, 1799.

Ich melde nur in zwei Worten, beſte chère mère, daß Lolo dieſe Nacht (den 11. Oktober) gegen eilf Uhr glücklich mit einem Mädchen niedergekommen iſt. Es hat etwas lange gedauert, weil die Krämpfe ſtark waren und ſtarke Kolikſchmerzen eintraten; auch iſt die gute Lolo durch vielen Blutverluſt ſehr geſchwächt worden. Sie fängt aber jetzt an, ſich zu erholen, und grüßt chère mère herzlich. Das Kind iſt ſtark und geſund. Wir erwarten Sie nun aufs bäldeſte, chère mère. Herzliche Grüße an die Freunde.

Ihr
gehorſamſter Sohn
Schiller.

An Friedrich Cotta.

Jena, den 12. Oktober 1799.

Wundern Sie ſich nicht, werteſter Freund, daß ich das Paket für Bell, welches ich nach Ihrer Anweiſung unmittelbar an Lüdger ſollte gelangen laſſen, Ihnen zuſende. Herr Lüdger hat vor einiger Zeit an mich geſchrieben, daß er das erſte Paket zurückbehalten, und mir Anträge getan, meinen Kontrakt mit Bell aufzuheben und einen andern mit ihm ſelbſt einzugehen, weil er auf Bell böſe geworden, der ihm ein kränkendes Mißtrauen bezeugt. Weil ich aber bei meinem einmal gegebenen Worte bleiben wollte, ſo ſchrieb ich ihm, das Paket unverzüglich an Bell abzuſchicken, hielt aber fürs Sicherſte, ihm das übrige Manuſkript nicht anzuvertrauen, da er aus Bosheit gegen Bell es leicht zu lang könnte liegen laſſen.

Haben Sie nun die Güte, es aufs schleunigste zu befördern und mit einem Briefe zu begleiten.

Mein neues Stück, die Maria Stuart von Schottland, ist schon sehr weit gediehen, und ich lebe schon wieder in zwei neuen Planen, die nächstes Jahr noch sollen ausgeführt werden. Alles ist jetzt meinen theatralischen Beschäftigungen günstig, denn ich werde ins künftige die Wintermonate förmlich in Weimar wohnen mit meiner ganzen Familie, der Herzog hat mir, um es zu be= fördern, 200 Reichstaler Zulage gegeben. Die Nähe des Theaters wird begeisternd auf mich wirken und meine Phantasie lebhaft anregen. Auch kann ich auf diese Art mehr mit Goethen zu= sammen sein.

Meine Familie ist gestern auch mit einem neuen Bürger ver= mehrt worden, meine Frau hat mir eine Tochter geschenkt. Kind und Mutter befinden sich recht wohl, letztere läßt Ihnen aufs schönste für den Damenkalender danken und sich Ihnen und Ma= dame Cotta bestens empfehlen.

Der Musenalmanach wird heut oder morgen, hoffe ich, zum Abschreiben fertig sein, Gaedike scheint ein sehr gutes Subjekt zur Besorgung zu sein, und ich muß seine Geschwindigkeit und Sorg= falt loben. Für den Almanach habe ich glücklicherweise selbst noch etwas Bedeutendes tun können; ich wünsche, daß Sie mit meinem guten Willen möchten zufrieden sein. Auch Herber hat unter den Chiffern E, D und F sich diesmal wieder darin hören lassen, Goethe selbst hat zwar nichts beigesteuert, er hat aber das große Gedicht von Fräulein Imhof, das den Hauptteil des Almanachs ausmacht, zur Redaktion übernommen und einen recht glücklichen Einfluß darauf gehabt. Und so, hoffe ich, soll dem Almanach auch dieses Jahr der gute Absatz nicht fehlen.

Nun werden Sie doch wohl tun, das Papier zum Wallenstein zu besorgen. Eine Anzahl von 300 Exemplaren auf Velin möchte wohl nötig sein, und weil die velinpapiernen Exemplarien so er= staunlich dick werden, so bin ich gesonnen, das Werk in zwei

Teile zu trennen. Im I. Teil a) der Prolog aus dem vorigen Almanach zu Wallensteins Lager, b) Wallensteins Lager, 3. die Piccolomini. Im II. Teil a) eine Abhandlung über die Wallensteinischen Schauspiele, b) Wallenstein selbst, c) historische Anmerkungen. So entstehen zwei mäßige Bände, jeder zu 14 Bogen etwa, wozu man, wenn es Ihnen gefällt, zwei Kupfer könnte stechen lassen.

Ich frage nun noch bei Ihnen an, ob ich Ihnen die sechs Erzählungen für die Flora, wovon ich bei Ihrem Hiersein sprach, zusenden soll, und ob Sie auf solche abschläglicherweise gleich etwas bezahlen wollen, den Bogen 1 Carolin gerechnet, denn jetzt muß ich sie weggeben, um sie zu Gelde zu machen an Sie oder an Unger, denn der Übersetzer hat bisher aus meinem Beutel gelebt.

Wenn Bell bald bezahlen wollte, wäre mirs sehr lieb, oder wenn Sie, ohne sich zu beschweren, mir etwas darauf bezahlen könnten, denn meine neue Einrichtung in Weimar kostet mir viel, und ich kann die Maria erst im Jannar auf die Theater bringen. Haben Sie die Güte, mir darüber bald eine Auskunft zu geben.

Auch schreiben Sie mir doch beiläufig, ob es sich mit dem Absatz der Propyläen nicht gebessert hat, da das vierte Stück einen so vortrefflichen Aufsatz von Goethen enthält.

An Herrn Professor Abel bitte ich mich bestens zu empfehlen. Ich habe seinen Brief erhalten und freue mich sehr seines Andenkens, ich werde ihm nächstens selbst schreiben.

Noch habe ich vergessen, wegen der Kupfer von Wallenstein, die, wie Sie schrieben, in einem Taschenbuch, welches Steinkopf verlegt, sich befinden sollen, Ihnen zu schreiben. Von diesen Kupfern weiß ich nichts, wohl aber hat dieser Steinkopf an mich geschrieben und um Beiträge für sein Journal gebeten. Ich habe ihm aber nicht geantwortet.

Leben Sie bestens wohl. Ganz der Ihrige

Schiller.

An Wolfgang von Goethe.

Jena, den 15. Oktober 1799.

Unsre kleine Karoline ist diesen Vormittag getauft, und ich fange wieder an, in eine Ruhe zu kommen. Meine Frau befindet sich für die Umstände recht leiblich, und mit dem Kind ist es diese zwei Tage auch recht gut gegangen.

Ich habe nun auch den Anfang gemacht, den Mahomet zu durchgehen und einiges dabei anzumerken, was ich auf den Freitag schicken will. So viel ist gewiß, wenn mit einem französischen und besonders Voltairischen Stück der Versuch gemacht werden sollte, so ist Mahomet am besten dazu gewählt worden. Durch seinen Stoff ist das Stück schon vor der Gleichgültigkeit bewahrt, und die Behandlung hat weit weniger von der französischen Manier als die übrigen Stücke, die mir einfallen. Sie selbst haben schon viel dafür getan und werden ohne große Mühe noch einiges Bedeutende tun können. Ich zweifle daher nicht, der Erfolg wird der Mühe des Experiments wert sein. Demohngeachtet würde ich Bedenken tragen, ähnliche Versuche mit andern französischen Stücken vorzunehmen, denn es gibt schwerlich noch ein zweites, das dazu tüchtig ist. Wenn man in der Übersetzung die Manier zerstört, so bleibt zu wenig poetisch Menschliches übrig, und behält man die Manier bei und sucht die Vorzüge derselben auch in der Übersetzung geltend zu machen, so wird man das Publikum verscheuchen.

Die Eigenschaft des Alexandriners, sich in zwei gleiche Hälften zu trennen, und die Natur des Reims, aus zwei Alexandrinern ein Couplet zu machen, bestimmen nicht bloß die ganze Sprache, sie bestimmen auch den ganzen innern Geist dieser Stücke, die Charaktere, die Gesinnungen, das Betragen der Personen. Alles stellt sich dadurch unter die Regel des Gegensatzes, und wie die Geige des Musikanten die Bewegungen der Tänzer leitet, so auch die zweischenklichte Natur des Alexandriners die Bewegungen des

Gemüts und die Gedanken. Der Verstand wird ununterbrochen aufgefodert und jedes Gefühl, jeder Gedanke in diese Form wie in das Bette des Prokrustes gezwängt.

Da nun in der Übersetzung mit Aufhebung des alexandrinischen Reims die ganze Basis weggenommen wird, worauf diese Stücke erbaut wurden, so können nur Trümmer übrig bleiben. Man begreift die Wirkung nicht mehr, da die Ursache weggefallen ist.

Ich fürchte also, wir werden in dieser Quelle wenig Neues für unsre deutsche Bühne schöpfen können, wenn es nicht etwa die bloßen Stoffe sind.

In diesen zwei Tagen seit Ihrer Abreise habe ich noch nichts gearbeitet, hoffe aber, morgen wieder dazu zu kommen.

Haben Sie doch die Güte, mir mit der Botenfrau die sämt= lichen Bogen des Almanachs oder, wenn er zu haben ist, einen gehefteten Almanach zu überschicken.

Meyern viele Grüße. Leben Sie recht wohl.

Sch.

An Friederike von Gleichen.

Jena, den 15. Oktober 1799.

Ein kleines Töchterchen ist angekommen und hat uns alle in große Freude versetzt. —

Damit es nun recht gut und sanft und liebenswürdig werde, so haben wir ihm eine Pate ausgesucht, die es in allen Stücken zu seinem Muster nehmen kann. — Sie sind also, meine teure Freundin, auch künftig meine Frau Gevatterin, und ob wir uns Ihrer gleich von selbst mit herzlicher Liebe fleißig erinnern, so werden Sie jetzt noch mehr in Andenken unter uns leben.

Unvergeßlich sind mir die fröhlichen Tage, die wir vor sechs Wochen bei Ihnen zubrachten. Nehmen Sie nochmals meinen herzlichen Dank dafür an. — Unsern Freund umarme ich tausend= mal. — Lolo, die mit dem kleinen Karolinchen sich recht wohl

20*

befindet, und auch chère mère lassen Sie beide aufs herzlichste grüßen und empfehlen sich allen übrigen Freunden.

Mit vollkommenster Verehrung

Der

Ihrige

Schiller.

An Siegfried Lebrecht Crusius.

Jena, den 15. Oktober 1799.

Mit der Edition meiner Gedichte, sowie auch des Zweiten Teils meiner prosaischen Schriften wollen wir endlich Ernst machen. Das Manuskript für beides ist eben in der Hand des Abschreibers, und in vierzehn Tagen wird Ihnen solches geliefert. Die Gedichte betragen zwanzig gedruckte Bogen und die prosaischen Schriften fünfundzwanzig Bogen. Göpfert kann beides drucken, wenn es Ihnen recht ist, doch wünschte ich, daß die Gedichte ein vorzüglich schönes Äußere bekämen, sowohl an Papier als an Schrift. Übrigens bleibt es bei dem klein Oktavformat, wie es bei dem Ersten Teil meiner prosaischen Schriften war. Sie haben die Güte, mit Göpfert darüber Abrede zu nehmen und ihn das Versprechen ablegen zu lassen, daß er für die Schönheit des Drucks alle Sorge tragen und zur rechten Zeit auf Ostern fertig werden wolle.

Die einzige Bedingung muß ich bei dieser Sache machen, daß Sie die Güte haben möchten, mir gleich nach Ablieferung des Manuskripts an Sie 25 Karolin und ebensoviel auf Weihnachten abschläglich zu bezahlen. Über den Rest können wir dann nach Ostern Abrechnung miteinander halten.

Auch frage ich an, ob Sie vielleicht geneigt sind, eine neue, von mir verbesserte Auflage meiner niederländischen Geschichte zu veranstalten. Meine Intention dabei ist, das Werk, welches für einen Band ohnehin zu dick ist, in zwei Bände zu trennen und

zwei Erzählungen, welche Begebenheiten aus jenem Kriege ab=
handeln, nämlich den Prozeß des Grafen Egmont und die be=
rühmte Belagerung von Antwerpen daran anzuschließen. Diese
beiden Erzählungen sind fertig, und ich hätte wohl Lust, etwa noch
zwei andere Ereignisse aus demselben Kriege eben so abzuhandeln
und damit zu verbinden. Lassen Sie mich Ihre Entschließung
bald wissen, daß ich meine Maßregeln nehmen kann.

Der ich hochachtungsvoll verharre

Ew. Hochwohlgeboren

ergebenster Diener

Schiller.

An Wolfgang von Goethe.

Jena, den 18. Oktober 1799.

Meine Frau fängt nun an, sich von ihrer großen Schwäche
wieder zu erholen, und ist nach den Umständen recht leidlich, das
Kleine befindet sich sehr wohl. Sie dankt Ihnen herzlich für Ihr
Andenken und für die Herzstärkung, die Sie ihr geschickt.

Hier folgt der Mahomet nebst einigen Bemerkungen, die ich
im Durchlesen gemacht. Sie betreffen größtenteils das Original
selbst und nicht die Übersetzung, ich glaubte aber, daß man dem
Original hierin notwendig nachhelfen müsse.

Was die Anordnung des Ganzen betrifft, so scheint es mir
durchaus nötig, diesen Ammon handelnd einzuführen und die Er=
wartung des Zuschauers immer in Atem zu erhalten, daß derselbe
das Geheimnis mit den Kindern dem Sopir offenbaren werde.
Er muß mehrmal an ihn zu kommen suchen, er muß ihm Winke
geben u. dgl., so daß diese Sache dem Zuschauer niemals aus dem
Gedächtnis kommt und daß die Furcht genährt wird, worauf doch
alles beruht. Man muß diesen Ammon mit seiner Entdeckung
bei den Haaren herbeizuziehen wünschen, alle Hoffnung auf seine
zeitige Erscheinung setzen u. s. f.

Die Szene, worin Seïde dem Ammon den vorhabenden Mord entdeckt, und welche im Stück bloß erzählt wird, sollte auf dem Theater wirklich vorkommen. Sie ist fürs Ganze zu wichtig und dabei ein großer Gewinn für den theatralischen Effekt. Ammon braucht darum nicht sogleich mit seinem Geheimnis gegen den Seïde herauszugehen, er hat andre Mittel, die Tat zu hindern, ohne sich in Gefahr zu setzen. Mahomet erführe von Omar bloß, daß dieser den Seïde mit dem Ammon bei einer leidenschaftlichen Unterredung überrascht und letztern sehr konsterniert gefunden habe. Auch könnte er einen Versuch Ammons, den Sopir geheim zu sprechen, erfahren. Dies reichte hin, ihn zu Hinwegschaffung des Ammon zu bewegen, dieser entdeckte dann sterbend dem Phanor alles, und es erfolgte so, wie es im Stück schon ist.

Meine Idee wäre ohngefähr diese. Wenn Mahomet (im zweiten Aufzug, vierte Szene) dem Omar seine Liebe zu Palmire entdeckt hat, träte Ammon auf, Omar würde schicklich entfernt, und nun brächte Ammon das Anliegen vor, daß Mahomet endlich die Kinder ihrem Vater wieder geben und dadurch Friede mit Sopir und mit Mekka machen möchte. Die entdeckte Liebe beider zueinander und die Furcht vor einem Inzest könnte ein neuer Antrieb für ihn sein. Mahomet müßte ihn nicht geradezu refüsieren und ihm bloß das strengste Schweigen auferlegen.

Zum zweitenmal würde ich den Ammon auftreten lassen am Anfang des dritten Akts zwischen den beiden Kindern. Sie müßten ihm ihre Liebe zueinander zeigen, er müßte einen gewissen Schauer dabei zeigen. Auch könnte ihm hier Seïde schon die Entdeckung machen, daß Mahomet ihn zu einer blutigen Tat berufen. Ammon würde von Furcht erfüllt, Mohomets Eintritt müßte ihn verscheuchen.

Das drittemal würde ich den Ammon mit Vater und Sohn zusammen bringen, aber eh er sich erklärte, trät Omar ein und entfernte den Seïde. Ammon blieb mit Zopiren, ein Teil der Entdeckung, die jetzt durch des Arabers Brief gemacht wird, geschähe durch ihn selbst, Sopir erführe, daß seine Kinder noch leben, aber nicht, wer sie sind, weil Ammon verhindert würde seine Entdeckung zu beendigen. Er hätte bloß Zeit, ihm die nächtliche Zusammenkunft vorzuschlagen.

Unterdessen hätte Mahomet die Untreue des Ammon geargwohnt, und alles erfolgte wie im Stück.

Ich muß abbrechen, man unterbricht mich. Leben Sie recht wohl, ich wünschte sehr, daß Sie in den nächsten acht Tagen über die Veränderungen, welche in dem Mahomet noch nötig sind, vollkommen sich entscheiden möchten, um hier gleich an die Ausführung zu gehen.

Von den Schwestern zu Lesbos fehlt mir der sechste und siebente Bogen. Sie habeu vielleicht vergessen sie zu senden.

Leben Sie recht wohl.

Sch.

An Wolfgang von Goethe.

Jena, den 22. Oktober 1799.

Es geht mit der Erholung der kleinen Frau etwas langsam, doch ist sie von übeln Zufällen verschont geblieben, und das Kleine nimmt täglich zu und zeigt sich als einen frommen ruhigen Bürger des Hauses. Unter diesen Umständen habe ich indes mein Gemüt noch nicht recht sammeln können, da ich mich nicht isolieren kann und auch zu oft gerufen werbe.

Um doch etwas zu tun, habe ich über die Disposition meiner Malteser-Tragödie nachgedacht, damit ich dem Herzog sogleich bei meiner Ankunft etwas Bedeutendes vorzulegen habe. Es wird mit diesem Stoff recht gut gehen, das Punctum saliens ist gefunden, das Ganze ordnet sich gut zu einer einfachen, großen und rührenden Handlung. An dem Stoff wird es nicht liegen, wenn keine gute Tragödie, und so wie Sie sie wünschen, daraus wird. Zwar reiche ich nicht aus mit so wenigen Figuren, als Sie wünschen, dies

erlaubt der Stoff nicht, aber die Mannigfaltigkeit wird nicht zer=
streuen und der Einfachheit des Ganzen keinen Abbruch tun.

Die vom Herzog vorgeschlagene Geschichte des Martinuzzi
liefert nichts brauchbares für die Tragödie. Sie enthält bloß Be=
gebenheiten, keine Handlung, und alles ist zu politisch darin. Es
ist mir recht lieb, daß der Herzog selbst nicht weiter darauf besteht.

Voßens Almanach zeigt wirklich einen völligen Nachlaß seiner
poetischen Natur. Er und seine Kompagnons erscheinen auf einer
völlig gleichen Stufe der Platitude, und in Ermanglung der Poesie
waltet bei allen die Furcht Gottes.

Ich wünsche morgen von Ihnen zu hören, daß Sie dem Ma=
homet unterdessen etwas abgewonnen habeu.

In der Erlanger Zeitung soll Herder sehr grob rezensiert
worden sein.

Unser Almanach nimmt sich noch ganz gut und neben seinen
Kameraden vornehm genug aus.

Ich habe in den neuen Band von Schlegels Shakespeare hinein=
gesehen und mir deucht, daß er sich viel härter und steifer liest
als die ersten Bände. Wenn Sie es auch so finden, so wärs doch
gut, ihm etwas mehr Fleiß zu empfehlen.

Die Frau grüßt Sie freundlich.

Leben Sie recht wohl.

Sch.

An Wolfgang von Goethe.

Jena, den 25. Oktober 1799.

Seit dem Abend, als ich Ihnen zuletzt schrieb, ist mein Zustand
sehr traurig gewesen. Es hat sich noch in derselben Nacht mit
meiner Frau verschlimmert, und ihre Zufälle sind in ein förmliches
Nervenfieber übergegangen, das uns sehr in Angst setzt. Sie hat
zwar für die große Erschöpfung, die sie ausgestanden, noch viel
Kräfte, aber sie phantasiert schon seit drei Tagen, hat diese ganze

Zeit über keinen Schlaf, und das Fieber ist oft sehr stark. Wir schweben noch immer in großer Angst, obgleich Stark jetzt noch vielen Trost gibt. Wenn auch das Ärgste nicht erfolgt, so ist eine lange Schwächung unvermeidlich.

Ich habe in diesen Tagen sehr gelitten, wie Sie wohl denken können, doch wirkte die heftige Unruhe, Sorge und Schlaflosigkeit nicht auf meine Gesundheit, wenn die Folgen nicht noch nachkommen. Meine Frau kann nie allein bleiben und will niemand um sich leiden als mich und meine Schwiegermutter. Ihre Phantasien gehen mir durchs Herz und unterhalten eine ewige Unruhe.

Das Kleine befindet sich gottlob wohl. Ohne meine Schwiegermutter, die teilnehmend, ruhig und besonnen ist, wüßte ich mir kaum zu helfen.

Leben Sie recht wohl. Ich würde sehr getröstet sein, Sie bald zu sehen, ob ich Sie gleich bei so unglücklichen Umständen nicht einladen darf.

Schiller.

An Wolfgang von Goethe.

28. Oktober [1799].

Ich finde nur ein paar Augenblicke Zeit, um Ihnen zu melden, daß es sich seit gestern Abend ruhiger anläßt, daß die Nacht erträglich gewesen und die Phantasien nicht mehr so unruhig sind, obgleich die liebe gute Frau noch immer im Delirio ist. Der Friesel ist heraus, und die Kräfte sind noch gut. Stark gibt gute Hoffnung und meint, daß es sich auf den Donnerstag wohl anfangen werde zu bessern.

Mit meiner Gesundheit geht es noch recht gut, obgleich ich in sechs Tagen drei Nächte ganz durchwacht habe.

Leben Sie recht wohl, ich schreibe übermorgen wieder.

Sch.

An Wolfgang von Goethe.

30. Oktober 1799.

Ich ergreife die Gelegenheit, die ich eben erhalte, nach Weimar zu schreiben, Ihnen wissen zu lassen, daß nach Starkens Urteil meine Frau jetzt zwar außer Gefahr ist, das Fieber fast ganz aufgehört hat, aber leider die Besinnung noch nicht da ist, vielmehr heftige Akzesse von Verrückung des Gehirns öfters eintreten. Indessen auch darüber beruhigt uns der Arzt, aber Sie können denken, daß wir uns in einem traurigen Zustand befinden. Ich habe mich zwar bis jetzt noch erträglich gehalten, aber heute nach der vierten Nacht, die ich binnen sieben Tagen durchwacht habe, finde ich mich doch sehr angegriffen.

Leben Sie recht wohl und geben Sie mir auch einmal wieder Nachricht von sich.   S.

An Wolfgang von Goethe.

Jena, den 1. November 1799.

Der einundzwanzigste Tag der Krankheit ist jetzt vorbei, das Fieber hat sehr abgenommen und ist oft ganz weg, aber die Besinnung ist noch nicht wieder da, vielmehr scheint sich das ganze Übel in den Kopf geworfen zu haben, und es kommt oft zu völlig phrenetischen Akzessen. Wir sind also zwar wegen des Lebens meiner Frau nicht mehr in Sorgen, aber können uns der Furcht nicht erwehren, daß ihr Kopf leiden möchte. Indessen glaubt Stark noch immer, uns hierüber ganz beruhigen zu können. An wirksamen Mitteln hat er es von Anfang an nicht fehlen lassen und ist nach Maßgabe der Krankheit immer damit gestiegen. Jetzt werden kalte Umschläge um den Kopf gebraucht, die nicht ohne guten Effekt zu bleiben scheinen, denn seitdem diese appliziert werden, hat meine Frau mich und ihre Mutter auf Augenblicke wieder erkannt.

Ich tue das Mögliche, um mich von der Qual bei Tag und Nacht auf Stunden zu erholen und kann mich bis jetzt über meine Gesundheit nicht beklagen. Aber die Sache droht langwierig zu werden, und für diesen Fall weiß ich noch keinen Rat.

Leben Sie recht wohl. Ich werde abgerufen.

Sch.

An Friedrich Cotta.

Jena, den 1. November 1799.

Seit meinem letzten Briefe, wertester Freund, habe ich sehr viel Leiden ausgestanden. Meine Frau ist am neunten Tag nach ihrer Entbindung von einem Nervenfieber befallen worden, wozu sich der Friesel schlug, und liegt schon acht Tage lang ohne Besinnung darnieder. Sie können selbst denken, was ich bei diesem Unglück gelitten habe und noch leibe. Zwar erklärt unser Arzt, daß die Gefahr ihres Lebens vorbei sei und daß auch ihr Verstand nicht dadurch leiden werde, aber das kann uns nicht ganz beruhigen, daß wir uns nicht mit den schrecklichsten Besorgnissen quälen.

Meine eigne Gesundheit hat bis jetzt gottlob nicht gelitten, ob ich gleich eine Nacht über die andere bei meiner Frau wache und den Tag über wenig von ihrem Bette komme. Wie es in die Länge gehen wird, weiß Gott, denn wenn es auch noch so gut geht, so wird der Zustand so schnell nicht vorüber gehen.

Hoffentlich habeu Sie mein Paket mit den zwei Schauspielen für Bell erhalten. Der Sicherheit wegen hab ich einen Valor an Geld darauf geschrieben, um einen Postschein darüber zu empfangen.

Auch hoffe ich, daß Sie die Güte habeu werden, wegen des Geldes, warum ich Sie ersuchte, Verfügung zu treffen. Ich erwarte mit großem Verlangen Ihre Antwort, denn in den jetzigen traurigen Tagen habe ich keine anderweitigen Anstalten treffen können.

Leben Sie recht wohl, wertester Freund, der Himmel gebe, daß ich Ihnen bald mit froherem Herzen wieder schreiben könne.

Leben Sie selbst mit den Ihrigen gesund und glücklich. Ihr ganz ergebener   Schiller.

An Gottfried Körner.

Jena, den 1. November 1799.

Dein Brief, lieber Körner, fand mich in einer höchst traurigen Lage. Meine Frau ist seit drei Wochen von einer Tochter ent= bunden, die Niederkunft war schwer, ging aber doch glücklich von= statten, bald aber in den ersten Tagen zeigte sich ein Nervenfieber mit heftigem Phantasieren und Beängstigungen, der weiße Friesel schlug sich dazu, und jetzt liegt sie seit zehn Tagen ohne Besinnung und hat öfters phrenetische Anfälle. Seit vorgestern zwar erklärt der Arzt sie außer Lebensgefahr, auch versichert er uns, daß ihre Kopfkrankheit keine dauernde Folgen haben werde, aber der Zu= stand ist nichtsdestoweniger schrecklich; oft fürchte ich das Schlimmste; und wenn es noch so gut geht, so droht eine lange Schwächung nachzufolgen.

Du kannst dir denken, was ich bei diesen Umständen leibe. Doch ist meine eigene Gesundheit bis jetzt noch gut, ob ich gleich fast eine Nacht über die andere wache und des Tags nicht von ihrem Bette komme; denn niemand als mich und ihre Mutter duldet sie um sich. Stark, unser Arzt, hat das Mögliche getan; und wenn sie gerettet wird, so ist es sein Werk. Seit heute werden kalte Umschläge um den Kopf angewendet, die Wirkung zu tun scheinen; denn sie hatte einige Augenblicke, wo sie ihre Mutter und mich erkannte; auch schlief sie einige Stunden.

Gebe der Himmel, daß ich dir in acht Tagen etwas Erfreulicheres schreiben könne!

Tausendmal umarme ich euch.

Dein Sch.

An Wolfgang von Goethe.

Jena, den 4. November 1799.

Mit meiner Frau steht es leider noch ganz auf demselben Punkt wie vor drei Tagen, und es ist noch gar nicht abzusehen, was daraus werden will. Seit vorgestern spricht sie keine Silbe; obgleich mehrere Umstände vermuten lassen, daß sie uns kennt und die Zeichen der Liebe erwidert, die wir ihr geben. Sie hat in diesen drei Tagen reichlich geschlafen, aber fast nichts zu sich genommen und das wenige mit großer Mühe. Eine hartnäckige Stumpfheit, Gleichgültigkeit und Abwesenheit des Geistes ist das Symptom, das uns am meisten quält und ängstigt. Gott weiß, wohin all dies noch führen wird, ich kenne keinen ähnlichen Fall, aus dem sich dieser judizieren ließ, und ich fürchte, Starkens Erfindungs= kunst wird auch bald erschöpft sein. Opium, Moschus, Hyosci= amus, China, Kampher, Zinkblumen, Vesikatorien, Sinapismen, kalte Salmiakumschläge um den Kopf, starke Öle zum Einreiben sind nach und nach an der Reihe gewesen, und heute soll mit der Belladonna noch ein Versuch gemacht werden.

Weil der immerwährende quälende Anblick mich ganz nieder= drückt, so habe ich mich entschlossen, vielleicht auf einen halben Tag nach Weimar zu fahren und mein Gemüt zu zerstreuen. Auch meine Schwiegermutter bedarf dieser Veränderung, wir wissen meine Frau während der kurzen Abwesenheit unter den Augen der Griesbachin, die uns bisher große Dienste geleistet hat.

Haben Sie doch die Güte, von Wallensteins Lager und den beiden hier zurückkehrenden Stücken aufs allerschnellste eine Ab= schrift besorgen zu lassen. Ich habe hier in meinem Hause jetzt keinen Raum für die Abschreiber, und aus dem Hause mag ich die Stücke hier nicht geben. Sie erweisen mir eine große Gefällig= keit, wenn Sie mir recht bald Kopien davon schaffen.

Übrigens liegen noch alle Geschäfte bei mir und liegen vielleicht noch lange.

Mögen Sie selbst indeſſen wohl und heiter ſein. Daß ich
Bury neulich nicht ſehen konnte, hab ich beklagt, aber es war unter
den Umſtänden ganz unmöglich.

Ein herzliches Lebewohl.

Sch.

P. S. Die zwei Stücke bringt morgen das Botenmädchen,
weil die reitende Poſt ſie nicht annahm. Wallenſteins Lager aber
hat Seyfarth, und dies könnte alſo gleich angefangen werden.
Auch bitte ich um die Melodien 1) zu dem Anfangslied in Wallen=
ſteins Lager, 2) dem Rekruten=, 3) dem Reiter=Lied und 4) des
Mädchens Klage. Lober hat die Stücke an das Theater zu
Magdeburg verhandelt, wohin ich ſie eilig ſchicken muß. Seyfarth
hat mir zwar Wallenſteins Lager kürzlich kopieren laſſen, aber ich
brauche noch eine Kopie.

An Wolfgang von Goethe.

Jena, den 5. November 1799.

Ich begleite die hier folgenden Stücke nur mit ein paar Worten
zum Gruß. Meine Frau zeigt heute merklich mehr Beſinnung
und ſcheint ſich überhaupt etwas beſſer zu befinden als ſeit acht
Tagen.

Vielleicht komme ich morgen nach Weimar, meine Schwieger=
mutter zurückzubringen, die heute mit meinem Schwager hinüber
iſt. Es wird mich herzlich freuen, Sie wieder zu ſehen.

S.

An Wolfgang von Goethe.

Jena, den 8. November 1799.

Ich habe meine Frau vorgestern bei meiner Zurückkunft gefunden, wie ich sie verließ, der gestrige Tag ist gut und vielversprechend gewesen, aber diese heutige Nacht kam die Unruhe unter heftigen Beängstigungen zurück, und die Besserung scheint wieder weit hinausgeschoben.

Und so ist es denn auch mit mir selbst noch beim alten, ich kann mich mit nichts Erfreulichem beschäftigen.

Meinem Schwager habe ich den bewußten Auftrag gegeben und hoffe bald Wirkungen davon zu sehen.

Leben Sie bestens wohl und grüßen mir den Karl. Seine kleinen Bedürfnisse bringt eine Gelegenheit morgen mit.

S.

An Wolfgang von Goethe.

Jena, den 18. [19.] November 1799.

Die Nacht ist ganz leidlich gewesen, den Tag über aber hat die arme Frau wieder viel mit ihren Einbildungen zu tun gehabt und uns oft sehr betrübt. Etwas zu tun war mir den Vormittag deswegen ganz unmöglich, ich will versuchen, ob mir der Abend einige Stimmung bringt, und Ihnen eine heitere Unterhaltung wünschen.

Die Magdeburger Herren sind Lumpenhunde, sagen Sie dies Lobern von meinetwegen, und daß ich diesem Herrn Ratmann Fritze, an den er mich gewiesen, meine Meinung gestern geschrieben. Die Belege zu meinem Urteil will ich morgen schicken, da ich jetzt eben die Briefe nicht gleich zur Hand habe.

Hier den zweiten Teil der Conti, den ich mir, sobald Sie damit fertig, zurück erbitte. Schlafen Sie recht wohl.

Sch.

An Friedrich Cotta.

Jena, den 18. November 1799.

Seit meinem letzten Brief an Sie, wertester Freund, habe ich
noch sehr viel Not und Sorge ausgestanden, aber endlich fängt
es an, sich mit meiner Frau etwas zu bessern, sie besinnt sich
wieder mehr, das Gedächtnis kommt auch wieder, und obgleich
die kranken Einbildungen sich noch in alles mischen, so nimmt sie
doch wieder Notiz von den Dingen, die sie umgeben, fühlt ihren
Zustand und hat recht gute Augenblicke. Innerhalb der nächsten
zehn Tage läßt der Arzt mich eine glückliche Veränderung hoffen.
Ich selbst habe mich, gottlob, in dieser traurigen Zeit immer noch
wohl befunden, und jetzt, da es besser geht, stellt sich auch meine
Tätigkeit wieder ein.

Empfangen Sie meinen besten Dank für die 200 Laubtaler,
die ich durch Ihre Güte vorgestern von Frege in Leipzig erhalten
habe. Die Erzählungen werden zusammen 18—20 Bogen ausmachen, und soviel Karolin würde ich mir also, wenn Sie das
Manuskript erhalten haben, noch ausbitten.

Was den Almanach betrifft, so bleibt es bei dem, was wir ausgemacht, daß Sie dasselbe Honorar bezahlen, was für den vorigen
bezahlt worden und was Sie in Ihrem Buch finden werden.
Ich weiß es nicht auf den Taler zu bestimmen, soviel weiß ich
nur, daß es zwischen 480—490 Reichstaler betrug. Wenn Sie
die ganze Summe franko an Professor Meyer in Weimar senden
wollen, so wird dieser sich selbst, Fräulein Imhof und den Kupferstecher davon bezahlen. Nur die Decke und das Titelkupfer (also
das eine von den fünfen) werden nicht von dieser Summe bezahlt,
weil wir mit Ihnen ausmachten, daß dasjenige, was auch an die
vorigen Almanache für Verzierungen gewendet worden, nicht von
der Honorarsumme abgezogen werden sollte.

Für meine diesjährigen Beiträge zum Almanache verlange ich
nichts; es hat mich nichts dabei geleitet als der Wunsch, Ihnen

meinen guten Willen zu beweisen, und Sie sollen den heurigen Almanach nicht teurer bezahlen als den vorigen. Wollten Sie aber gelegentlich Herdern für die von ihm geleisteten Beiträge unter der Chiffre D E und F eine Erkenntlichkeit bezeigen, so wird es nicht übel sein.

An Haselmeier will ich, da Sie es wünschen, meine Stücke um 15 Karolin überlassen, es versteht sich, daß, wenn er sie nicht spielen darf, mir die Abschreibegebühren für die drei Manuskripte und für die Melodien zu den Liedern gut getan werden. Mit dem nächsten Posttag folgen die Abschriften; ich habe noch die Mühe dabei übernommen, diejenigen Stellen auszustreichen, an denen ein Stuttgarter Zensor der politischen Verhältnisse wegen Anstoß nehmen könnte.

Für einige gute Zeichnungen zum Wallenstein will ich sorgen. John in Wien wäre mir freilich der liebste Kupferstecher, wenn er Zeit hat und nicht zu teuer ist.

Leben Sie recht wohl. Möge sich alles bei Ihnen wohl befinden! Ganz der Ihrige

Schiller.

An Gottfried Körner.

Jena, den 18. November 1799.

Seit einigen Tagen bessert es sich mit meiner Frau, aber langsam und mit kaum merklichen Schritten. Sie scheint sich und ihren Zustand mehr zu fühlen, zeigt mehr Aufmerksamkeit und Anteil für die Dinge, die sie umgeben, und das Gedächtnis fängt auch an, sich wieder einzustellen, obgleich die Phantasie noch gar nicht beruhigt ist und ihre Phantasmata in alles einmischt. Der Arzt versichert übrigens, daß zwischen jetzt und den nächsten zehn Tagen eine entscheidende und gute Veränderung erfolgen werde.

Das Kleine hat sich immer vortrefflich befunden und ist ein allerliebstes Kind. Es hat eine gesunde und heitre Amme, die

einen glücklichen Einfluß auf seine Gesundheit hat. Der Anblick
dieses gesunden und fein gebildeten Kindes hat uns in dem bis=
herigen Leiden oft erheitert.

Lebe recht wohl.

An Minna und Dorchen herzliche Grüße.

Dein

Sch.

An Georg Göschen.

Jena, den 18. November 1799.

Haben Sie die Güte, mein werter Freund, mir die fünf ersten
Stücke der alten Thalia mit nächster Post zu übermachen.

Ich wünsche herzlich, daß Sie sich mit den Ihrigen recht wohl
befinden mögen. Leider kann ich dies nicht von meinem Hause
sagen; meine Frau ist nach einer sehr glücklichen Entbindung vor
sechs Wochen in ein schweres Nervenfieber gefallen, woran sie vier
Wochen schwer darniederlag und jetzt erst allmählich anfängt, sich
wieder zu erholen.

Mit freundschaftlicher Ergebenheit der Ihrige

Schiller.

An Wolfgang von Goethe.

Jena, den 2. Dezember 1799.

Ich muß Ihnen heut einen schriftlichen guten Abend sagen,
denn meine Packanstalten und übrigen Arrangements werden mich,
wie ich fürchte, bis um 10 Uhr beschäftigen. Morgen nach
10 Uhr hoffe ich Sie noch einen Augenblick vor der Abreise zu
sehen. Mit der Frau ist es gottlob heute gut geblieben. Ich selbst
aber besinne mich kaum.

Anbei sende ich, was Ihnen gehört. Beiliegende Karten bitte
auf Büttners Bibliothek zu senden.

Schiller.

An Wolfgang von Goethe.

Weimar, den 4. Dezember 1799.

Unſre Reiſe iſt gut vonſtatten gegangen, und meine Frau, die bei Frau von Stein wohnt, hat auf die Troubles des vorigen Tags recht gut geſchlafen, ohne eine Spur ihrer alten Zufälle. Der Anfang iſt alſo glücklich gemacht, und ich hoffe das Beſte für die Zukunft.

Übrigens habe ich von hieſigen Perſonen, außer meinen An= verwandten und Frau von Stein, noch niemand zu ſehen Zeit gehabt.

Leben Sie recht wohl und kommen Sie nur bald.

Schiller.

An Charlotte Schiller.

Weimar, den 4. Dezember 1799.

Noch einen herzlichen Gruß an meine liebe Lolo. Ich bin ganz beruhigt, da ich ſie heute ſo wohl gefunden und bei unſerer lieben Frau von Stein ſo gut aufgehoben weiß. Alle Erinnerungen an die letzten acht Wochen mögen in dem Jenaer Tal zurückbleiben, wir wollen hier ein neues heiteres Leben anfangen. Gute Nacht, liebes Kind, meine herzlichen Grüße an die Geſellſchaft, die bei dir iſt.

Hier ſchicke ich ein Pulver, das über eine Bouteille kaltes Waſſer gegoſſen und in eine gelinde Wärme geſtellt wird, [wie] chère mère weiß. Das andere iſt von der Apotheke beſtellt.

Schiller.

An Charlotte Schiller.

[Weimar, den 5. Dezember 1799.]

Herzlich erfreut bin ich darüber, daß ich dich heute wieder so wohl gefunden und daß unsere chère mère so getröstet wegreisen kann. Wir werden sie in einigen Wochen recht froh wiedersehen, und du wirst sie dann in deinem eigenen Hause bewillkommnen. Sage ihr nochmals meinen herzlichen Gruß.

[Anfang und Ende abgeschnitten.]

An Charlotte Schiller.

Weimar, Dezember 1799.

Ich mache eben Feierabend von meinem Geschäft und sage meiner guten Maus noch einen Gruß. Ich benutze diese Tage der Zerstreuung, um jedes Geschäft abzutun, bei dem ich mich nicht erheitern kann, und so werde ich, wenn du wieder da bist, mit desto mehr Lust und Stimmung zu meiner wahren Tätigkeit zurückkehren.

Ich habe Wolzogens heute nicht gesehen, grüße die Frau von mir, wenn sie noch bei dir ist. Morgen sei so gut, dir von einem hiesigen Juden Kattun zu zwei Kleiderchen für Ernst auszusuchen. Wenn ich komme, werde ich das Geld mitbringen. Ernst ist ein lieber Junge, er hat sich heut recht ordentlich bei mir beschäftigt und hat mich gar nicht gestört.

Schlafe recht wohl, Liebes. Der Frau von Stein empfiehl mich.

Sch.

An Charlotte Schiller.

Weimar, Dezember 1799.

Es freute mich, ein paar Zeilen von meiner lieben Lolo zu er=
halten und zu hören, daß du wohl geschlafen hast. Diesen Nach=
mittag gegen 3 Uhr will ich bei Karolinen sein, wo ich dich mit
Frau von Stein zu treffen hoffe. Hier sende ich ein Karolin.
Wenn du mehr brauchst, so wirst du mirs sagen. Adieu, Liebes.

An Charlotte Schiller.

7. Dezember 1799, abends.

Die Schwenkin hat ihre Sache ordentlich gemacht, und es fängt
nun an, recht freundlich und bewohnlich im Haus zu werden. Der
lieben Lolo wird es gewiß wohl darin gefallen.

Ich bin nicht in die Oper gegangen, ich hatte zu tun und will
auch nicht eher etwas hören und treiben, was meine Phantasie
reizen kann, bis ich alle mechanische Arbeiten und uninteressante
Geschäfte abgetan habe; die nächste Woche hoffe ich in Ordnung
damit zu kommen. Unterdessen erholt sich meine Lolo auch und
zieht bei mir ein. Gute Nacht, liebes Kind. Viele Grüße an die
Stein und an die Frau, wenn sie bei dir ist.

Sch.

An Wolfgang von Goethe.

Weimar, den 7. Dezember 1799.

Es war mir sehr erfreulich, heute noch von Ihnen zu hören.
Die Pole an unserer magnetischen Stange haben sich jetzt um=
gekehrt, und was Norden war, ist jetzt Süden. Die Ortveränderung
habe ich übrigens noch nicht viel empfunden, weil es in den ersten
Tagen so viel teils in meinem eigenen Hause zu tun gab, teils

noch alte Reste von Briefen und andern Expeditionen mußten ab=
getan werden, damit ich die neue Existenz auch neu beginnen kann.
Nur dem Herzog habe ich mich vorgestern präsentiert und eine
Stunde dort zugebracht.   Den Inhalt des Gesprächs mündlich.

Die Frau hat sich in diesen fünf Tagen gleichförmig wohl be=
funden, ohne die geringste Spur der vorigen Zustände, Gott gebe
nun, daß es auf dem guten Wege bleibe und die eintretenden
Perioden kein Rezidiv bewirken.

Das bekannte Sonett hat hier eine böse Sensation gemacht,
und selbst unser Freund Meyer hat die Damenwelt verführt, es in
Horreur zu nehmen.   Ich habe mich vor einigen Tagen sehr leb=
haft dafür wehren müssen.   Mich soll es im geringsten nicht be=
fremden, wenn ich hier auch keine andere Erfahrung mache als
die des Widerspruchs mit dem Urteil des Tages.

Den Wert, welchen Eschenburg seiner neuen Ausgabe Shake=
speares nicht gab, wird nun wohl Schlegel der seinigen zu geben
nicht zögern.   Dadurch käme gleich ein neues Leben in die Sache,
und die Leser, die nur aufs Kuriose gehen, fänden hier wieder so
etwas wie bei dem Wolfischen Homer.

Fichte ist, wie ich gehört habe, nun in Jena angelangt, ich bin
neugierig, ob mit Ihrem Fuhrwerk.

Wenn es nicht eine große Gefälligkeit mißbrauchen heißt, so
wünschte ich wohl, mich der Wegbau=Pferde noch einmal bedienen
zu dürfen, um alle meine in Jena noch zurückgebliebene Schränke
und andre Sachen noch herüberzuschaffen, denn das hiesige Lokal
fobert solche, und die weibliche Regierung besonders vermißt diese
Bequemlichkeiten ungern. Ist es aber auch jetzt nicht sogleich tun=
lich, so kann es noch einige Wochen damit anstehen.

Mit großem Verlangen erwarte ich Sie morgen.

Leben Sie recht wohl und haben die Güte, mich Griesbachs
und Loders freundschaftlich zu empfehlen.

                                          Sch.

An Luise von Lengefeld.

Weimar, den 8. Dezember 1799.

Unsre besten Wünsche, chère mère, haben Sie nach Rudolstadt begleitet, und wir hoffen zu hören, daß Sie recht glücklich ange= kommen sind und jetzt endlich die so wohl verdiente Ruhe genießen. Auch hier steht alles gut; unsre liebe Lolo, die Sie tausendmal grüßt, befindet sich täglich besser und hat mich noch heut recht lebhaft und ganz nach ihrer alten Art unterhalten. Diese Woche wird die Stein sie noch bei sich behalten, welches mir deswegen sehr lieb ist, weil in dieser Zeit auch hier im Hause alles fertig werden kann, daß es ihr gleich recht wohl und bequem ist, wenn sie kommt. Morgen geht der Tüncher an die Stube, die er bald fertig zu machen verspricht, auch der Ofen in der Leutestube wird ohne große Kosten zum Kochen eingerichtet.

Ich soll Ihnen sagen, daß die Perücke angekommen ist und Ihnen mit der ersten Gelegenheit wird zugeschickt werden. Weil es eine reitende Post ist, die diesen Brief nach Jena bringt, so konnte ich sie nicht gleich mitschicken. Der Lolo steht die ihrige recht gut, ich habe sie heute darin gesehen.

Da Sie doch einmal an den Magdeburger Jammergeschichten Interesse genommen, so lege ich zu Ihrer Unterhaltung den Brief bei, den ich indessen erhalten. Sie sehen daraus, daß die Haupt= schuld an Loders Voreiligkeit liegt und daß jene Menschen nicht unverschämt, sondern bloß arme Teufel sind.

Wie sehr, beste chère mère, wünschte ich Ihnen jetzt Ruhe, daß Ihre Gesundheit von der langen Anstrengung des Geistes und Körpers sich recht erholen möge. Ich werde es mein Lebtag nie vergessen, wie viel Sie uns allen und mir besonders gewesen sind, und wie man einander eigentlich nur im Unglück recht kennen lernt, so hat diese schreckliche Zeit auch für mich das Gute gehabt, daß ich es in seinem ganzen Umfange fühlen lernte, was wir an unserer chère mère besitzen. Die Erfahrungen, die ich darüber machte, sind meinem Herzen so teuer, daß ich selbst an diese so traurige Veranlassung nie ohne eine gewisse Zufriedenheit werde denken können.

Empfehlen Sie uns den guten Gleichens aufs herzlichste und seien Sie meiner unbegrenzten Verehrung versichert.

Schiller.

An Friedrich Cotta.

Weimar, den 8. Dezember 1799.

Endlich, mein teurer Freund, kann ich wieder mit erleichtertem Herzen schreiben. Seit acht Tagen besserte es sich mit meiner Frau entscheidend, sie hat ihre Besinnung vollkommen wieder, ihre Kräfte stellen sich ein, und kein Rückfall ist mehr gekommen. Ich darf an die überstandene schreckliche sieben Wochen nicht zurück= denken. Wir sind seit vier Tagen hier eingezogen, und ich ver= spreche mir von diesem Aufenthalt auch für meine Frau sehr viel Gutes.

Ich habe den ersten freien Tag benutzt, die Abschrift meiner Stücke durchzugehen und für das Stuttgarter Theater die ver= fänglichsten Stellen daraus wegzustreichen. Wenn die Stücke die Zensur nun noch nicht passieren, so ist es wenigstens meine Schuld nicht. Das dritte Stück folgt mit der nächsten Post; einstweilen mag Haselmeier die zwei ersten der Zensur vorlegen. Das dritte wird ohnehin die allerwenigste Schwierigkeit bei der Zensur machen. Auf jeden Fall versteht sich, daß mir Haselmeier die Schreib= gebühren für die drei Stücke und für die Partitur der Melodien ersetzt, wenn das Theater die Stücke auch nicht geben darf.

Am Drucke gedenk ich in spätestens drei Wochen hier anfangen zu lassen.

Vielleicht könnte ich vom Frankfurter Theater noch einhundert Taler für die Wallensteine erhalten, wenn es durch Ihre Hände ginge. Die Stücke sind schon vor einem Jahr von dort aus von

mir verlangt worden, ich hielt sie aber damals zu hoch, weil ich die
Frankfurter für liberaler hielt und foderte 60 Dukaten, was man
nicht geben wollte. Wenn Sie einen Brief daran wenden wollten
und in Ihrem Namen schrieben, daß Sie Herr über die Stücke
seien, so wären doch vielleicht 30 Dukaten zu bekommen.

Gegen die französische Übersetzung meiner Stücke habe ich nichts
einzuwenden, und da kein Zweifel ist, daß die Stücke doch näch=
stens ins Französische werden übersetzt werden, so hat der Buch=
händler, der sie noch im Manuskript erhält, den großen Vorteil,
der erste auf dem Markte zu sein und keinen Konkurrenten zu
habeu. Dafür, denke ich, könnte er mir auch 400 oder 500 Livres
bezahlen. Machen Sie dieses ab, lieber Freund, wie Sie selbst
wollen, es wird mir alles lieb sein, was Sie tun.

Die 200 Laubtaler habe ich durch Fregen erhalten und danke
Ihnen verbindlichst dafür. Wenn ich nun noch gegen die Mitte
Januars für 20 Bogen Erzählung, die ich binnen 14 Tagen ab=
senden werde, 20 Karolin von Ihnen erhalte, so werde ich mich
Ihnen sehr verpflichtet achten, denn es ist freilich seit den letzten
Monaten viel über meinen Beutel hergegangen.

Mögen Sie das alte Jahrhundert mit den Ihrigen glücklich
und heiter beschließen!

Ganz der Ihrige

Schiller.

An Wilhelm Reinwald.

Jena, den 8. Dezember 1799.

Lieber Bruber,

Du wirst mir gern verzeihen, daß ich euch von der Niederkunft
meiner Frau und von ihrem unglücklichen Wochenbette so spät
Nachricht gebe. Hätte ich vermuten können, daß ihr durch jemand
anders früher davon hören würdet, so hätte ich freilich geschrieben,

aber ihr solltet nicht ehr Nachricht davon haben, als bis ich etwas tröstliches würde schreiben können. Seit einer Woche ist sie nun gottlob von allen schlimmen Zufällen frei geblieben, und wir haben die Reise nach Weimar seit vorgestern glücklich ausgeführt.

Sie war in den ersten Wochen nach ihrer Niederkunft, welche sehr durch Krämpfe erschwert wurde und wobei sie einen starken Blutsturz hatte, in Lebensgefahr und zwar an einem bösen Nerven= fieber, so daß ich einen Tag alle Hoffnung verlor. — Nachdem das Fieber gefallen war, verfiel sie in einen Zustand des Wahn= sinns, wie man ihn nicht selten bei Wöchnerinnen findet, aber dieser war so anhaltend und ging durch soviele Grade und Ge= stalten hindurch, daß ich zuweilen ernstlich für ihren Verstand fürchtete und glaubte, das Übel möchte gar nicht mehr zu heben sein. In der siebenten Woche aber fing es an, sich zu geben, und seit acht Tagen hat sie ihre Besinnung völlig wieder, auch ihre Kräfte nehmen täglich wieder zu, sie ist heiter, und keine Spur des alten Zustands ist mehr übrig.

Was ich in diesen sechs Wochen ausgestanden, könnt ihr euch denken. Ohne meine Schwiegermutter, die die ganze Zeit über da war, hätten meine Kräfte es nicht ausgehalten, denn meine Frau duldete niemand um sich als uns beide, schon der Anblick der Christine machte ihre Zufälle heftiger. Nur die Griesbachin wurde noch von ihr gelitten, und diese hat uns in diesem großen Elend erstaunliche Dienste getan. Meine Gesundheit ist indes doch nicht angegriffen worden, ob ich gleich binnen zwölf Tagen fünf Nächte in kein Bette kam und auch den Tag über geängstigt wurde. Dem Hofrat Stark haben wir unendlich viel zu danken, denn es gab kein Mittel, das er nicht versuchte, und ihre Wieder= herstellung ist sicherlich nur durch seine Kunst bewirkt worden.

Das Kleine, eine Tochter, hat sich in dieser traurigen Zeit immer sehr wohl befunden und uns durch seinen Anblick oft in unsern Leiden getröstet. Denn es ist ein allerliebstes Kind, schön und blühend, und wird bei einer gesunden und fröhlich gesinnten

Amme, die wir ihm verschafft haben, zusehends stärker. Karlchen und Ernstchen sind auch recht wohl geblieben.

Meine Frau sagt euch viele Grüße und ist eures Anteils gewiß. Herzlich umarme ich euch

dein treuer Bruder

Schiller.

An Charlotte Schiller.

Dezember 1799.

Ich werde mich heute zu Hause halten, Liebes, weil ich gestern die Krämpfe stärker gespürt, also nur diesen schriftlichen Gruß, den dir der kleine Ernst bringen wird. Mein Trost ist, daß du in ein paar Tagen selbst wieder da bist und es der Weitläuftigkeiten nicht bedarf, uns zu sehen. Karl sagte mir, daß du wohl seiest, das freut mich sehr. Lebe wohl, liebes Herz; viele Grüße an Frau von Stein.

Sch.

An Charlotte Schiller.

Dezember 1799.

Da das Wetter heut so schön ist, so wirst du hoffentlich ausgehen und besuchst mich vielleicht einen Augenblick. Laß michs nur wissen, und um wie viel Uhr? Ich habe gut geschlafen, werde aber doch wohl noch zu Hause bleiben. Adieu, Liebes. Grüße Frau von Stein.

Sch.

An Wolfgang von Goethe.

Weimar, den 10. Dezember 1799.

Das Stück folgt hier zurück, das Beste, was zu seinem Vorteil gesagt werden kann, ist gestern gesagt worden. Je tiefer man in die Handlung hineinkommt, desto schwächer erscheint das Werk. Die Motive sind schwach, zum Teil sehr gemein und plump. Antonius ist gar zu einfältig, und es ergibt sich aus der Vorrede, daß der Dichter diesen Einwurf voraussah und, sonderbar genug, sich durch die Zeugnisse der Geschichte entschuldigt glaubte. Kleopatra ist nur widerwärtig, ohne Größe, selbst Octavia begreift man nicht, das Motiv mit den Kindern kommt immer wieder, in jeder Gestalt und muß die Armut an andern Mitteln ersetzen.

Es bleibt also bei unserm gestrigen Ausspruch, der rednerische Teil ist brav, der poetische und dramatische insbesondere wollen nicht viel heißen.

S.

An Charlotte Schiller.

Den 15. Dezember 1799.

Du sollst das Zimmer morgen eingerichtet finden, Liebes. Ich halte es auch, des Badens wegen, einstweilen für das Beste, darin zu schlafen.

Die Vorhänge habe ich bei der Griesbach bestellt und an die chère mère auch geschrieben. Gern hätte ich dich heute abend besucht, aber Goethe schickte schon diesen Vormittag zu mir, daß ich den Abend mit ihm zubringen möchte. Diesen Nachmittag wollte ich zu dir kommen, aber da kamen mir Leute vom Theater über den Hals.

Das Beste ist, daß du morgen selbst einziehst.

Schlafe wohl, liebes Herz. Viele Grüße der guten Frau von Stein.

Sch.

An Wolfgang von Goethe.

Weimar, den 23. Dezember 1799.

Ich hatte gestern abend den Anschlag gefaßt, Sie noch zu be=
suchen, vertiefte mich aber zu sehr in mein Geschäft, und die
Stunde wurde versäumt. Weil ich morgen die drei ersten Akte
Mellishen lesen will, so war und ist noch in diesen Tagen viel zu
tun, was mich zu Hanse gehalten, denn nichts ist, wie Sie selbst
aus Erfahrung wissen, zeitverderblicher, als die kleinen Lücken, die
man in der Arbeit gelassen, auszustopfen. Sollte Ihnen aber
heute abend nach ausgestandenem Abenteuer noch Lust und Zeit
zu einem Gespräch übrig bleiben, so lassen Sie michs wissen, und
ich komme. Leben Sie recht wohl. Die Frau wird Ihre Ein=
ladung dankbar benutzen, wenn sie irgend ausgehen kann.

S.

An Wolfgang von Goethe.

30. Dezember 1799.

Ich hoffte, Sie heute entweder in der Komödie oder nach der=
selben zu sehen, aber die warme Stube hielt mich zu fest, und bis
nach 6 Uhr hatten wir Besuch, daß ich nicht abkommen kounte.
Empfangen Sie also noch eine freundliche gute Nacht und lassen
sich das schlafmachende Mittel, welches Cotta schickt, empfohlen
sein. Meyern, wenn er morgen ausgeht, bitte, auf einen Augen=
blick bei mir einzusprechen.

Sch.

An Wolfgang von Goethe.

31. Dezember 1709.

Ich beklage Ihre Unpäßlichkeit von Herzen und hoffe, Sie werden sie nicht in das neue Jahr mit hinübernehmen. Nach 6 Uhr stelle ich mich ein, zwischen jetzt und dem Abend will ich suchen einen meiner Helben noch unter die Erbe zu bringen, denn die Keren des Todes nahen sich ihm schon.

Diesen Vormittag ist mir eine große Lieferung von Papier und andern Sachen zugefertigt worden, die ich Ihrer Güte zu danken habe.   S.

Über die Aufführung der Piccolomini von Goethe und Schiller.

Die Piccolomini.

Wallensteins erster Teil.

Ein Schauspiel in fünf Aufzügen von Schiller.

Aufgeführt zum erstenmal Weimar am 30. Januar 1799, als am Geburtstage der regierenden Herzogin.

Wenn man diesen Tag, der von allen Weimaranern mit freudiger Verehrung begangen wird, auch von seiten des Theaters durch eine würdige Vorstellung zu feiern wünscht, so war es diesmal ein glücklicher Umstand, daß der Verfasser die Vollendung des genannten Stückes in den letzten Monaten des vergangenen Jahrs beschleunigen und eine Vorstellung desselben möglich machen kounte.

Wir legen dem Publiko zuerst den Plan des Stückes vor, um künftighin, wenn das Ganze vollendet sein wird, auf die verschiednen Teile desselben zurückzukehren und die Absichten des Verfassers bei der Organisation desselben zu entwickeln.

Wenn der Dichter in dem Prolog, unsere Aufmerksamkeit zu erregen, sagen läßt:

Von der Parteien Gunst und Haß verwirrt,
Schwankt sein Charakterbild in der Geschichte.
Doch euren Augen soll ihn itzt die Kunst,
Auch eurem Herzen menschlich näher bringen —

so gibt er uns dadurch einen Wink, daß wir bei näherer Be=
trachtung des Stücks hauptsächlich dahin zu sehen haben, von
welcher Seite eigentlich er seinen Helden nehme und ihn darstelle.
Ja auch ohne eine solche Erinnerung würde dieses bei einem
historischen Stücke die Pflicht eines ästhetischen Beobachters sein.
Denn wenn es eine große Schwierigkeit ist, eine historische Figur
in eine poetische zu verwandeln, so verdienen die Mittel, deren sich
der Dichter hierzu bedient, vorzüglich unsere Aufmerksamkeit.

Wir stellen daher gegenwärtig den Helden des Trauerspiels
unsern Lesern vor, indem wir ihnen überlassen, denselben mit dem
Helden der Geschichte zu vergleichen.

Wallenstein ist während dem Laufe eines verderblichen Krieges
aus einem gemeinen Edelmann Reichsfürst und Besitzer von außer=
ordentlichen Reichtümern geworden, er hat dem Kaiser als komman=
dierender General große Dienste geleistet, wofür er aber auch glän=
zend belohnt wird. Die Gewalttätigkeiten hingegen, die er an
mehrern Reichsfürsten ausübt, wecken zuletzt allgemeine Klagen
gegen ihn, so daß der Kaiser, durch Umstände abhängig von den
Fürsten, gezwungen ist, ihn vom Kommando zu entfernen. Wallen=
stein bringt einen unbefriedigten Ehrgeiz in den Privatstand zurück.
Da er schon einen so großen Weg gemacht, so viel von Glück er=
langt hat, so setzt er seinen Wünschen keine Grenzen mehr. Ein
astrologischer Aberglaube nährt seinen Ehrgeiz, er hört Wahr=
sagungen begierig an, die ihm seine künftige Größe versichern, be=
trachtet sich gern als einen besonders Begünstigten des Schicksals
und überläßt sich ausschweifenden Hoffnungen um so zuversicht=
licher, da ihm sein Horoskop die Gewährung derselben zu verbürgen
scheint und manche himmlische Aspekten von Zeit zu Zeit ihm
günstige Ereignisse prophezeien.

Aber auch schon die Ansicht des politischen Himmels rechtfertigt
zum Teil diese Erwartungen.

Die Fortschritte der Schweden im Reich und der Verfall der
kaiserlichen Angelegenheiten machen einen erfahrnen General, wie

er ist, bald notwendig, er erhält das Kommando der kaiserlichen
Armee abermals und zwar unter solchen Bedingungen zurück, die
ihn beinahe zum Herrn des Kriegs und im Heere unumschränkt
machen. Nur auf solche Weise wollte er wieder an diese Stelle
treten, und der Kaiser, der ihn nicht entbehren kann, muß drein=
willigen.

Dieser großen Macht überhebt er sich bald und beträgt sich so,
als wenn er gar keinen Herrn über sich hätte. Er läßt den Kur=
fürsten von Bayern und die Spanier, alte Widersacher seiner
Person, auf jede Art seinen Haß empfinden, achtet die kaiserlichen
Befehle wenig und führt den Krieg auf eine Weise, die nicht bloß
seinen Eifer, die selbst seine Absichten verdächtig macht. Er schont
die Feinde sichtbar, steht mit ihnen in fortdauernden Negoziationen,
versäumt manche Gelegenheit, ihnen zu schaden, und fällt den
kaiserlichen Erbländern durch Einquartierung und andere Be=
drückung sehr zur Last.

Seine Gegner ermangeln nicht, sich dieses Vorteils über ihn zu
bedienen. Sie machen die Eifersucht des Kaisers rege, sie bringen
Wallensteins Treue in Verdacht. Man will Beweise in Händen
haben, daß er mit den Feinden einverstanden sei, daß er damit
umgehe, die Armee zu verführen, ja, man findet es bei seinem
bekannten Ehrgeiz und bei den großen Mitteln, die ihm zu Gebote
stehen, nicht ganz unwahrscheinlich, daß er Böhmen an sich zu
reißen denke.

Seine eignen weitläufigen Besitzungen in diesem Königreiche,
der Geist des Aufruhrs in demselben, der noch immer unter der
Asche glimmt, die hohen Begriffe der Böhmen von der Wahl=
freiheit ihrer Krone, das noch frische Andenken der pfälzischen
Anmaßung, das Interesse der feindlichen Partei, Österreich auf
jede Art zu schwächen, endlich das Beispiel mehrerer im Laufe
dieses Krieges gelungenen Usurpationen konnten ein Gemüt wie
das seinige leicht in Versuchung führen.

Wallensteins Betragen gründet sich auf einen sonderbaren

Charakter. Von Natur gewalttätig, unbiegsam und stolz, ist ihm Abhängigkeit unerträglich. Er will des Kaisers General sein, aber auf seine eigne Art und Weise. In seinen wirklichen Schritten ist noch nichts Kriminelles, indessen fehlt es nicht an starken Versuchungen. Der Glaube an eine wunderbare glückliche Konstellation, der Blick auf die großen Mittel, die er in Händen hat, und auf die günstigen Zeitumstände, verbunden mit den Aufforderungen, die von außen an ihn ergehen, wecken allerdings ausschweifende Gedanken in ihm, mit denen seine Phantasie sich nicht ungern trägt; doch spielt er mehr mit diesen Hoffnungen, insofern ihm die Möglichkeit schmeichelt, als daß er seine Schritte fest zu einem Ziele hinlenkte.

Aber ob er gleich nicht direkt, nicht entscheidend zum Zwecke handelt, so sorgt er doch, die Ausführung immer möglich und sich die Freiheit zu erhalten, Gebrauch von den bereiteten Mitteln zu machen. Er sondiert den Feind, hört seine Vorschläge an, sucht ihm Vertrauen einzuflößen, attachiert sich die Armee durch alle Mittel und verschafft sich leidenschaftliche Anhänger bei derselben. Kurz er vernachlässigt nichts, um einen möglichen Abfall vom Kaiser und eine Verführung des Heers von ferne vorzubereiten, wäre es auch nur um seiner Sicherheit willen, um an der Armee eine Stütze gegen den Hof zu haben, wenn er derselben bedürfen sollte.

Die natürliche Folge dieses Betragens ist, daß seine Gesinnungen immer zweideutiger erscheinen und der Verdacht gegen ihn immer neue Nahrung erhält. Denn eben weil er sich noch keiner bestimmt kriminellen Absicht bewußt ist, so hält er sich in seinen Äußerungen nicht vorsichtig genug, er folgt seiner Leidenschaft und geht sehr weit in seinen Reden. Noch weiter als er selbst gehen seine Anhänger, die seinen Entschluß für entschiedner halten, als er ist. Von der andern Seite wächst der Argwohn. Man glaubt am Hofe das Schlimmste; man hält es für ausgemacht, daß er auf eine Konjunktion mit dem Feinde denke, und ob es gleich an juridischen Beweisen fehlt, so hat man doch alle moralische dafür. Seine Handlungen, seine geäußerten Gesinnungen erregen Verdacht, und der Verdacht steigert seine Gesinnungen und Handlungen.

Man hält also für notwendig, ihn von der Armee zu trennen, ehe er seinen Anschlag mit ihr ausführen kann; aber das ist keine so leichte Sache, da der Soldat ihm äußerst ergeben ist und sehr viele von den vornehmsten Befehlshabern das stärkste Interesse haben, ihn nicht sinken zu lassen. Ehe man also etwas öffentlich gegen ihn beginnt, will man ihn schwächen, seine Macht teilen, ihm seine Anhänger abwendig machen, und der Sohn des Kaisers, König Ferdinand von Ungarn, ist schon bestimmt, das Kommando nach ihm zu übernehmen.

Unter allen Generalen Wallensteins stehen die beiden Piccolomini, Vater und Sohn, im größten Ansehen bei den Truppen; auf diese beiden rechnet Wallenstein besonders, um seine Anschläge auszuführen, und der Hof, um jene Anschläge zu zerstören.

Octavio Piccolomini, der Vater, ein alter Waffenbruder und Jugendfreund Wallensteins, hat alle Schicksale dieses Kriegs mit ihm geteilt; Gewohnheit hat den Herzog an ihn gefesselt, astrologische Gründe haben ihm ein blindes Vertrauen zu demselben eingeflößt, so daß er ihm seine geheimsten Anschläge mitteilt. Aber Octavio Piccolomini hat eine zu pflichtmäßige und geordnete Denkungsart, um in solche Plane mit einzugehen, und da er den Herzog nicht davon zurückhalten kann, so ist er der erste, der den Hof davon unterrichtet. Seine laxe Weltmoral erlaubt ihm, das Vertrauen seines Freundes zum Verderben desselben zu mißbrauchen und auf den Untergang desselben seine eigene Größe zu bauen. Er steht in geheimen Verständnissen mit dem Hof, während daß sich Wallenstein ihm argwohnlos hingibt, und er entschuldigt diese Falschheit vor sich selbst dadurch, daß er sie an einem Verräter und zu einer guten Absicht ausübe.

Neben diesem zweideutigen Charakter steht die reine edle Natur

seines Sohns Max Piccolomini. Dieser ist durch Wallenstein
zum Soldaten erzogen und wie ein Sohn von ihm geliebt und
begünstigt worden. So hat er sich frühe gewöhnt, ihn enthusiastisch
zu verehren und wie einen zweiten Vater zu lieben. Seiner edlen
und reinen Seele erscheint Wallenstein immer edel und groß, und
in den Irrungen desselben mit dem Hof nimmt er leidenschaftlich
die Partei seines Feldherrn.

Max Piccolomini.

> Was gibts aufs neu denn an ihm auszustellen?
> Daß er für sich allein beschließt, was er
> Allein versteht? Wohl, daran tut er recht,
> Und wird dabei auch sein Verbleiben haben. —
> Er ist nun einmal nicht gemacht, nach andern
> Geschmeidig sich zu fügen und zu wenden,
> Es geht ihm wider die Natur, er kanns nicht.
> Geworben ist ihm eine Herrscherseele
> Und ist gestellt auf einen Herrscherplatz.
> Wohl uns, daß es so ist! Es können sich
> Nur wenige regieren, den Verstand
> Verständig brauchen — Wohl dem Ganzen, findet
> Sich einmal einer, der ein Mittelpunkt
> Für viele Tausend wird, ein Halt; sich hinstellt
> Wie eine feste Säul, an die man sich
> Mit Lust mag schließen und mit Zuversicht!
> So einer ist der Wallenstein, und taugte
> Dem Hof ein andrer besser — der Armee
> Frommt nur ein solcher.

Questenberg.

> Der Armee! Jawohl!

Octavio Piccolomini zu Questenberg.

> Ergeben Sie sich nur in gutem, Freund,
> Mit dem da werden Sie nicht fertig.

Max Piccolomini.

> Da rufen sie den Geist an in der Not,
> Und granet ihnen gleich, wenn er sich zeiget.
> Das Ungemeine soll, das Höchste selbst
> Geschehn wie das Alltägliche. Im Feld
> Da bringt die Gegenwart — Persönliches
> Muß herrschen, eignes Auge sehn. Es braucht
> Der Feldherr jedes Große der Natur,
> So gönne man ihm auch, in ihren großen
> Verhältnissen zu leben. Das Orakel
> In seinem Innern, das lebendige, —
> Nicht tote Bücher, alte Ordnungen,
> Nicht modrige Papiere soll er fragen.

Noch hat es Octavio Piccolomini nicht gewagt, über die wahren Absichten Wallensteins seinem Sohn die Augen zu öffnen; denn er fürchtet dessen aufrichtigen Charakter, und von der Pflichtmäßigkeit desselben hat er eine so gute Meinung, daß er ihn ohne Gefahr sich selbst glaubt überlassen zu können.

So stehen die Sachen, als beim Ablauf des Winters 1634 die Handlung des Stücks zu Pilsen eröffnet wird.

Wallenstein besorgt, daß man ihn absetzen und zugrund richten will. Am Hofe fürchtet man, daß Wallenstein etwas Gefährliches machiniere. Jeder Teil trifft Anstalten, sich der drohenden Gefahr zu erwehren; und der Zuschauer muß besorgen, daß gerade diese Anstalten das Unglück, welches man dadurch verhüten will, beschleunigen werden.

Wallenstein darf nicht mehr zweifeln, daß man damit umgeht, ihn vom Kommando zu entfernen. Er ist entschlossen, sich das nicht gefallen zu lassen, er muß also zuvorkommen, jetzt, da er seine Macht noch beisammen hat; das Militär hängt an ihm, es ist imstand, ihn zu halten.

Er versammelt also die Befehlshaber der Regimenter in Pilsen, wo er sich aufhält, um sich ihres Eifers zu versichern; um sich aufs genaueste mit ihnen zu verbinden. Hier ist auch ein kaiserlicher Geschäftsträger mit solchen Aufträgen erschienen, welche Wallensteins Absetzung vorbereiten sollen. Wallenstein nimmt von dem Inhalt dieser kaiserlichen Forderungen Anlaß, den Hof ins Unrecht zu setzen, die Befehlshaber gegen den Kaiser aufzubringen und seine Privatsache zu einer Sache des ganzen Korps zu machen. Einzelne Befehlshaber sind schon ganz und auf jede Bedingung sein, andere sind ihm durch Dankbarkeit, Gewohnheit oder Neigung anhängig, wieder andere haben mit ihm alles zu verlieren, alle müssen seinen Fall als ein Unglück des ganzen Korps ansehen. Dieses noch entfernte Unglück macht er, um ihren Entschluß zu beschleunigen, gegenwärtig und wirklich, indem er sich vor einer Versammlung der Befehlshaber des Kommandos selbst begibt, gleichsam um sich einer beschimpfenden Absetzung zu entziehen. Dieser Schritt tut die erwartete Wirkung, die Sitzung endigt stürmisch, und Wallenstein muß den kaiserlichen Botschafter vor der Wut der Truppen in Sicherheit bringen.

Dieser ganze Auftritt war aber nur eine Maske Wallensteins, der sich durch den Feldmarschall Illo, seinen Vertrauten, der Gesinnungen der Kommandeurs schon vorher versichert hatte und gewiß war, daß sie lieber in alles als in seine Absetzung willigen würden. Illos Absicht dabei ist, diese Furcht der Generale vor einer Veränderung im Regiment dazu zu benutzen, um sich mit dem General gegen den Hof zu vereinigen. Graf Terzky, Wallensteins Schwager, hat alle in Pilsen anwesende Befehlshaber zu einem Bankett eingeladen. Bei dieser Gelegenheit wollte man ihnen einen Revers vorlesen, worin sie dem Wallenstein Treue und Beistand gegen alle seine Feinde angeloben; zwar unter dem ausdrücklichen Vorbehalt ihrer Dienstpflicht gegen den Kaiser, aber diese Klausel sollte in dem Exemplar, welches wirklich unterschrieben wurde, wegbleiben, und man hoffte, daß sie diese Verwechslung in der Hitze des Weins nicht bemerken würden. Doch Wallenstein selbst weiß von diesem Betruge nichts, er selbst sollte vielmehr der Betrogene sein und die unbedingte Verschreibung der Kommandeurs für freiwillig halten.

Indem man sich auf diesem Wege der Kommandeurs zu versichern sucht, hat sich von selbst schon ein neues Band zwischen Wallenstein und dem jüngern Piccolomini angeknüpft.

Der Herzog hat seine Gemahlin und Tochter nach Pilsen kommen lassen und das Geleit dieser Damen dem jüngern Piccolomini aufgetragen. Max bringt eine heftige Neigung zur Prinzessin zurück, die sich gleich bei seinem ersten Auftritt, wo er von der Begleitung der Prinzessin eben zurückkommt, durch eine weichere Stimmung ankündigt; er wird wieder geliebt und erwartet aus Wallensteins Händen das Glück seines Lebens. Die Gräfin Terzky, Wallensteins Schwägerin, wird in das Geheimnis gezogen, und lebhaft interessiert für alles, was die Unternehmung Wallensteins fördern kann, ermuntert und nährt sie ohne Wissen des Herzogs diese Liebe, wodurch sie ihm die Piccolomini aufs engste zu verbinden hofft. Sie selbst veranstaltet eine Zusammenkunft beider Liebenden in ihrem Hause, unmittelbar vorher, ehe Max Piccolomini zum Bankett abgeht, wo der Revers unterschrieben werden soll. Sie behandelt zwar diese Liebe nur als Mittel zu ihrem politischen Zweck, aber schon jetzt zeigt die Leidenschaft der beiden jungen Personen einen zu selbständigen, heroischen und reinen Charakter, als daß sie den Absichten der Gräfin entsprechen könnte.

Bei dem Bankett zeigen sich die Obersten sehr geneigt, Wallensteins Partei zu nehmen, und Buttler, der Chef eines Dragonerregiments, überliefert sich selbst von freien Stücken dem Herzog. Zu diesem Schritte treibt ihn teils die Dankbarkeit gegen Wallen= stein, der ihn belohnte und beförderte, teils die Rachsucht gegen den Hof, woher ihm eine Beschimpfung widerfahren ist. Bei diesem Gastmahl lernt man in der Person des Kellermeisters einen Repräsentanten der böhmischen Unzufriednen kennen, welche, der österreichischen Regierung abgeneigt, der proskribierten Religion im Herzen anhängen, und deren Zahl noch groß genug ist, um Wallensteins Hoffnungen zu rechtfertigen. Ein goldnes Trink= geschirr mit dem böhmischen Wappen geht herum, welches auf die Krönung des Afterkönigs, Friedrichs von der Pfalz, verfertigt worden und eine bequeme Veranlassung gibt, mehrere historische und statistische Notizen über das damalige Böhmen beizubringen.

Neumann.

Zeigt! Das ist eine Pracht von einem Becher!
Von Golde schwer, und in erhabner Arbeit
Sind kluge Dinge zierlich drauf gebildet.
Gleich auf dem ersten Schildlein, laßt mal sehn!
Die stolze Amazone da zu Pferd,
Die übern Krummstab setzt und Bischofsmützen,
Auf einer Stange trägt sie einen Hut
Nebst einer Fahn, worauf ein Kelch zu sehn.
Könnt Ihr mir sagen, was das all bedeutet?

Kellermeister.

Die Weibsperson, die Ihr da seht zu Roß,
Das ist die Wahlfreiheit der böhmschen Kron;
Das wird bedeutet durch den runden Hut
Und durch das wilde Roß, auf dem sie reitet.

Des Menschen Zierat ist der Hut; denn wer
Den Hut nicht sitzen lassen darf vor Kaisern
Und Königen, der ist kein Mann der Freiheit.

Neumann.

Was aber soll der Kelch da auf der Fahne?

Kellermeister.

Der Kelch bezeigt die böhmsche Kirchenfreiheit,
Wie sie gewesen zu der Väter Zeit.
Die Väter im Hussitenkrieg erstritten
Sich dieses schöne Vorrecht übern Papst,
Der keinem Lai'n den Kelch vergönnen will.
Nichts geht dem mährischen Bruder übern Kelch!
Es ist sein köstlich Kleinod, hat dem Böhmen
Sein teures Blut in mancher Schlacht gekostet.

Neumann.

Was sagt die Rolle, die da drüber schwebt?

Kellermeister.

Den böhmschen Majestätsbrief zeigt sie an,
Den wir dem Kaiser Rudolf abgezwungen,
Ein köstlich unschätzbares Pergament,
Das frei Geläut und offenen Gesang
Der neuen Kirche sichert, wie der alten.
Doch seit der Steiermärker über uns regiert,
Hat das ein End, und nach der Prager Schlacht,

Wo Pfalzgraf Friedrich Kron und Reich verloren,
Ist unser Glaub um Kanzel und Altar,
Und unsre Brüder sehen mit dem Rücken
Die Heimat an; den Majestätsbrief aber
Zerschnitt der Kaiser selbst mit seiner Schere.

Auch der Anfang des ganzen Dreißigjährigen Kriegs findet auf diesem Becher eine Stelle.

Neumann.

Erst laß mich noch das zweite Schildlein sehn.
Sieh doch! das ist, wie auf dem Prager Schloß
Des Kaisers Räte Martinitz, Slawata
Kopf unter sich herabgestürzet werden.
Ganz recht! Da steht Graf Thurn, der es befiehlt.

Kellermeister.

Schweigt mir von diesem Tag! Es war der drei=
Undzwanzigste des Mais, da man Eintausend
Sechshundert schrieb und achtzehn. Ist mirs doch,
Als wär es heut, und mit dem Unglückstag
Fings an, das große Herzeleid des Landes.
Seit diesem Tag, es sind jetzt sechzehn Jahr,
Ist nimmer Fried gewesen auf der Erden —

Nach aufgehobener Tafel wird der untergeschobene Revers, worin die Klausel vom Dienste des Kaisers fehlt, unterschrieben; alle Kommandeurs zeigen sich willig, nur Max Piccolomini bittet um Aufschub, nicht aus Argwohn des Betruges, nur aus an= gewohnter Gewissenhaftigkeit, kein Geschäft von Belang in der

Zerstreuung abzutun. Seine Weigerung setzt den ohnehin schon berauschten Illo in Hitze, er glaubt das Geheimnis verraten und verrät es ebendadurch selbst.

Octavio Piccolomini findet nun, daß der Moment gekommen, wo er seinem Sohne das Geheimnis entdecken dürfe und müsse. Er hat die Leidenschaft desselben zur Prinzessin von Friedland bemerkt und muß eilen, ihm die Augen zu öffnen. Die Stand=haftigkeit seines Sohnes, womit er die Unterschrift geweigert, gibt ihm Hoffnung, daß er ein solches Geheimnis zu ertragen und zu bewahren fähig sei. Er entdeckt sich ihm unmittelbar nach dem Gastmahl, alle Machinationen Wallensteins kommen zur Sprache, und man erfährt nun auch die Gegenmine. Octavio Piccolomini weist ein kaiserliches Patent auf, worin Wallenstein in die Acht erklärt, die Armee des Gehorsams gegen ihn entbunden und an die Ordre des Octavio Piccolomini angewiesen ist. Von diesem Patent sollte im dringenden Fall Gebrauch gemacht werden.

Octavio kann aber seinen Sohn von Wallensteins Schuld nicht überzeugen; sie geraten heftig aneinander, und Octavio muß ihm versprechen, nicht eher von diesem kaiserlichen Patent Gebrauch zu machen, als bis er selbst, Max Piccolomini, von Wallensteins Schuld überzeugt sei.

Max.

Auf den Verdacht hin willst du rasch gleich handeln?

Octavio.

Fern sei vom Kaiser die Tyrannenweise!
Den Willen nicht, die Tat nur will er strafen.
Noch hat der Fürst sein Schicksal in der Hand.
Er lasse das Verbrechen unvollführt,

So wird man ihn still vom Kommando nehmen,
Er wird dem Sohne seines Kaisers weichen.
Ein ehrenvoll Exil auf seine Schlösser
Wird Wohltat mehr als Strafe für ihn sein.
Jedoch der erste offenbare Schritt —

Max.

Was nennst du einen solchen Schritt? Er wird
Nie einen bösen tun — du aber könntest
(Du hasts getan) den frömmsten auch mißdeuten.

Octavio.

Wie strafbar auch des Fürsten Zwecke waren,
Die Schritte, die er öffentlich getan,
Verstatteten noch eine milde Deutung.
Nicht eher denk ich dieses Blatt zu brauchen,
Bis eine Tat getan ist, die unwidersprechlich
Den Hochverrat bezeugt und ihn verdammt.

Max.

Und wer soll Richter drüber sein?

Octavio.

— Du selbst.

Noch während dieses Gesprächs, welchem der dritte Aufzug ge=
widmet ist, bringt ein Eilbote dem Octavio Piccolomini die Nach=
richt, daß der vornehmste Unterhändler Wallensteins, Sesina,
mit allen ihm anvertrauten Briefschaften von einem dem Kaiser

treuen General aufgefangen sei und schon nach Wien geführt
werde. Octavio erwartet von diesem Umstand die völlige Auf=
klärung über Wallensteins Absichten; Max hingegen, unerschütter=
lich im Glauben an den Herzog, erklärt ihm rundheraus, daß er
entschlossen sei, sich unmittelbar an Wallenstein selbst zu wenden.

Max.

Wenn du geglaubt, ich werde eine Rolle
In deinem Spiele spielen, hast du dich
In mir verrechnet. Mein Weg muß gerad sein,
Ich kann nicht wahr sein mit der Zunge, mit
Dem Herzen falsch — nicht zusehn, daß mir einer
Als seinem Freunde traut, und mein Gewissen
Damit beschwichtigen, daß ers auf seine
Gefahr tut, daß mein Mnub ihn nicht belogen.
Wofür mich einer kauft, das muß ich sein.
— Ich geh zum Herzog. Heut noch werd ich ihn
Auffordern, seinen Leumund vor der Welt
Zu retten, eure künstlichen Gewebe
Mit einem graden Schritte zu durchreißen,
Er kanns, er wirds. Ich glaub an seine Unschuld,
Doch bürg ich nicht dafür, daß jene Briefe
Auch nicht Beweise leihen gegen ihn. Wie weit
Kann dieser Terzky nicht gegangen sein,
Was kann er selbst sich nicht verstattet haben,
Den Feind zu täuschen, wies der Krieg entschuldigt!
Nichts soll ihn richten, als sein eigner Mund,
Und Mann zu Manne werd ich ihn befragen.

Octavio.

Das wolltest du?

Max.

Das will ich. Zweifle nicht!

Octavio.

Ich habe mich in dir verrechnet, ja.
Ich rechnete auf einen weisen Sohn,
Der die wohltätgen Hände würde segnen,
Die ihn zurück vom Abgrund ziehn — und einen
Verblendeten entdeck ich, den zwei Augen
Zum Toren machten, Leidenschaft umnebelt,
Den selbst des Tages volles Licht nicht heilt.
Befrag ihn! Geh! Sei unbesonnen gnug,
Ihm deines Vaters, deines Kaisers
Geheimnis preiszugeben! Nötge mich
Zu einem lauten Bruche vor der Zeit!
Und jetzt, nachdem ein Wunderwerk des Himmels
Bis heute mein Geheimnis hat beschützt,
Des Argwohns helle Blicke eingeschläfert,
Laß michs erleben, daß mein eigner Sohn
Mit unbedachtsam rasendem Beginnen
Der Staatskunst mühevolles Werk vernichtet.

Max.

O diese Staatskunst, wie verwünsch ich sie!
Ihr werdet ihn durch eure Staatskunst noch
Zu Schritten treiben — ja, ihr könntet ihn,
Weil ihr ihn schuldig wollt, noch schuldig machen.
Ihr sperrt ihm jeden Ausweg, schließt ihn eng
Und enger ein; so zwingt ihr ihn, ihr zwingt ihn,

Verzweifelnd sein Gefängnis anzuzünden,
Sich durch des Brandes Flammen Luft zu machen.
O das kann nicht gut endigen — und mag sich's
Entscheiden, wie es will, ich sehe ahnend
Die unglückselige Entwicklung nahen!
Denn dieser Königliche, wenn er fällt,
Wird eine Welt im Sturze mit sich reißen,
Und wie ein Schiff, das mitten auf dem Weltmeer
In Brand gerät, mit einem Mal und berstend
Auffliegt und alle Mannschaft, die es trug,
Ausschüttet plötzlich zwischen Meer und Himmel,
Wird er uns alle, die wir an sein Glück
Befestigt sind, in seinen Fall hinabziehn.
Halt du es, wie du willst! Doch mir vergönne,
Daß ich auf meine Weise mich betrage.
Rein muß es bleiben zwischen mir und ihm,
Und eh der Tag sich neigt, muß sich's erklären,
Ob ich den Freund, ob ich den Vater soll entbehren.

In der nämlichen Nacht, wo das Bankett gehalten wird und
Octavio Piccolomini seinem Sohn die Augen öffnet, beobachtet
Wallenstein mit seinem Astrologen die Sterne und überzeugt sich
von der glücklichen Konstellation. Indem er noch mit diesen Gedanken beschäftigt ist, wird ihm die Nachricht gebracht, daß Sesina
aufgefangen und mit allen Papieren in den Händen seiner Feinde
sei. Nun hat er zwar selbst nichts Schriftliches von sich gegeben,
alle Negoziationen mit dem Feind sind durch seines Schwagers
Hände gegangen, aber es ist wohl vorauszusehen, daß man ihm
selbst diese letztern alle zurechnen werde. Auch hat er sich mündlich
gegen Sesina sehr weit herausgelassen, und dieser wird alles gestehen, um seinen Hals zu retten. Wallenstein befindet sich in
einer fürchterlichen Bedrängnis, aus der kein Ausweg möglich ist,

und er muß seinen Entschluß schnell fassen. Ein schwedischer
Oberster ist angelangt, der ihm von seiten Oxenstirns die letzten
Propositionen machen will. Läßt er diese Gelegenheit vorbei, so
kann er sein Kommando nicht länger bewahren, und er hat alles
von der Rache seiner Feinde zu fürchten.

Eh er den schwedischen Botschafter vorläßt, hält er sich in einem
Selbstgespräch gleichsam den Spiegel seiner Gesinnungen und
Schicksale vor.

Um diesen wichtigen Teil des Schauspiels recht zu fühlen, zu
genießen und zu beurteilen, muß man den Wallenstein, den uns
der Dichter schildert, aus dem Vorhergehenden gefaßt habeu. Der
Krieger, der Held, der Befehlshaber, der Tyrann sind an und für
sich keine dramatische Personen. Eine Natur, die mit sich ganz
einig wäre, die man nur befehlen, der man nur gehorchen sähe,
würde kein tragisches Interesse hervorbringen; unser Dichter hat
daher alles, was Wallensteins physische, politische und moralische
Macht andeutet, gleichsam nur in die Umgebung gelegt. Wir
sehen seine Stärke nur in der Wirkung auf andere; tritt er aber
selbst, besonders mit den Seinigen und hier im Monolog nun gar
allein auf, so sehen wir den in sich gekehrten, fühlenden, reflek=
tierenden, planvollen und, wenn man will, planlosen Mann, der
das Wichtigste seiner Unternehmungen kennt, vorbereitet und doch
den Augenblick, der sein Schicksal entscheidet, selbst nicht bestimmen
kann und mag.

Wenn der Dichter, um seinem Helben das dramatische Inter=
esse zu geben, schon berechtigt gewesen wäre, diesen Charakter
also zu erschaffen, so erhält er ein doppeltes Recht dazu, indem die
Geschichte solche Züge vorbereitet.

Bei seiner Verschlossenheit beschäftigt sich der historische Wallen=
stein nicht bloß mit politischen Kalküln; sein Glaube an Astrologie,
der freilich in der damaligen Zeit ziemlich allgemein war, jedoch
besonders bei ihm tiefe Wurzeln geschlagen hatte, setzt ein Gemüt
voraus, das in sich arbeitet, das von Hoffnung und Furcht bewegt

wird, über dem Vergangnen, dem Gegenwärtigen und dem Zu-
künftigen immer brütet, großer Vorsätze, aber nicht rascher Ent-
schlüsse fähig ist. Wer die Sterne fragt, was er tun soll, ist gewiß
nicht klar über das, was zu tun ist.

So sind auch kleine Charakterzüge, die uns die Geschichte überliefert, in diesem Sinne besonders merkwürdig, die uns andeuten,
wie reizbar dieser unter dem Geräusch der Waffen lebende Kriegs-
mann in ruhigen Stunden gewesen. Man erzählt, daß er Wachen
um seine Paläste gesetzt, die jeden Lärm, jede Bewegung ver-
hindern mußten, daß er einen Abscheu hatte, den Hahn krähen,
den Hund bellen zu hören — Sonderbarkeiten, die ihm seine
Widersacher noch in einer spöttischen Grabschrift vorwarfen, die
uns aber auf eine große Reizbarkeit deuten, welche darzustellen des
Dichters Pflicht und Vorteil war.

In diesem Sinne ist der Monolog Wallensteins gleichsam die
Achse des Stücks. Man sieht ihn rückwärts planvoll, aber frei,
vorwärts planerfüllend, aber gebunden. Solange er seiner Pflicht
gemäß handelte, reizt ihn der Gedanke, daß er allenfalls mächtig
genug sei, sie übertreten zu können, und in dieser Aussicht auf
Willkür glaubt er sich eine Art von Freiheit vorzubereiten; jetzt
aber, in dem Augenblick, da er die Pflicht übertritt, fühlt er, daß
er einen Schritt zur Knechtschaft tue; denn der Feind, an den er
sich anschließen muß, wird ihm ein weit gestrengerer Herr, als
ihm sonst der rechtmäßige war, ehe er dessen Vertrauen verlor.
Erinnert man sich hierbei an jene Züge, die wir von des dramatischen Wallensteins Charakter überhaupt dargestellt, so wird man
nicht zweifeln, daß dieser Monolog von großer poetischer und
theatralischer Wirkung sein müsse, wie bei uns die Erfahrung gelehrt hat.

Wrangel, der schwedische Bevollmächtigte, erscheint nun
und drängt den Fürsten, eine entscheidende Antwort zu geben,
nennt die Forderungen und die Versprechungen der Schweben.
Wallenstein soll mit dem Kaiser förmlich und unzweideutig

23

brechen, die kaiserlich gesinnten Regimenter entwaffnen, Prag und
Eger in schwedische Hände liefern usw. Dafür wird sich der
Rheingraf, Otto Ludwig, an der Spitze von sechzehntausend
Schweden mit ihm vereinigen. Eine kurze Bedenkzeit wird ihm
gegeben, und Wrangel tritt ab, um ihm zu dem Entschluß Zeit
zu lassen.

Noch schwankt Wallenstein. In größter Unschlüssigkeit finden
ihn seine Vertrauten Illo und Terzky; ja die Konferenz mit
Wrangel hat ihm ganz und gar die Lust benommen. Unerträglich
ist ihm der Übermut der Schweden; die nachteilige Lage, in die
er sich durch seinen Schritt mit dem Feinde setzt, ist ihm fühlbar
worden, jetzt noch will er zurücktreten. Da erscheint die Gräfin
Terzky, und indem sie alle seine Leidenschaften aufreizt und durch
ihre Beredsamkeit alle Scheingründe gelten macht, bestimmt sie
seinen Entschluß; Wrangel wird gerufen, und Eilboten gehen sogleich ab, die Befehle des Herzogs nach Prag und Eger zu überbringen.

Max Piccolomini hatte während dieses Auftritts vergebens
vorzukommen gesucht; seine gerade Weise und die natürliche Beredsamkeit seines Herzens würde es ohne Zweifel über die Sophi-
stereien der Gräfin Terzky davongetragen haben, ebendarum verhindert sie seinen Eintritt.

Octavio Piccolomini ist der erste, welchem Wallenstein seinen
Entschluß mitteilt und einen Teil der Ausführung übergibt. Ihn
erwählt er dazu, die kaiserlich gesinnten Regimenter in der Untätigkeit zu erhalten und die Generale Altringer und Gallas,
welche es mit dem Hof halten, gefangen zu nehmen. Er selbst
treibt den Octavio, Pilsen zu verlassen; ja er gibt ihm seine eignen
Pferde dazu und befördert dadurch die Wünsche seines heimlichen
Widersachers.

Jetzt endlich findet Max Piccolomini Zutritt, und Wallenstein
selbst eröffnet ihm seinen Abfall vom Kaiser. Der Schmerz des
Piccolominis ist ohne Grenzen, er versucht durch die rührendsten

Vorstellungen, den Herzog von dem unglücklichen Entschluß ab=
zubringen, ja es gelingt ihm, ihn wirklich zu erschüttern. Aber die
Tat ist geschehen, die Eilboten haben schon viele Meilen voraus,
Wrangel ist unsichtbar geworden. Max Piccolomini entfernt sich
in Verzweiflung.

Illo und Terzky erscheinen. Sie haben erfahren, daß Wallen=
stein den Octavio verschicken und ihm einen Teil der Armee über=
geben will. Nie haben sie dem Octavio getraut und Wallenstein
öfters vergeblich vor ihm gewarnt; auch jetzt versuchen sie alles,
den Herzog zu bewegen, daß er ihn nicht aus den Augen lasse.
Aber vergebens! Wallenstein besteht fest darauf, und zuletzt, um
sie zum Stillschweigen zu bringen, eröffnet er ihnen den geheimen
Grund seines Glaubens an Octavios Treue.

Wallenstein.

Es gibt im Menschenleben Augenblicke,
Wo er dem Weltgeist näher ist als sonst
Und eine Frage frei hat an das Schicksal.
Solch ein Moment wars, als ich in der Nacht,
Die vor der Lützner Aktion vorherging,
Gedankenvoll an einen Baum gelehnt,
Hinaussah in die Ebene.
Mein ganzes Leben ging, vergangenes
Und künftiges, in diesem Augenblick
An meinem inneren Gesicht vorüber,
Und an des nächsten Morgens Schicksal knüpfte
Der ahnungsvolle Geist die fernste Zukunft.

Da sagt ich also zu mir selbst: „So vielen
Gebietest du! Sie folgen deinen Sternen
Und setzen, wie auf eine große Nummer,

Ihr alles auf dein einzig Haupt und sind
In deines Glückes Schiff mit dir gestiegen.
Doch kommen wird der Tag, wo diese alle
Das Schicksal wieder auseinander streut,
Nur wenge werden treu bei dir verharren.
Den möcht ich wissen, der der Treuste mir
Von allen ist, die dieses Lager einschließt.
Gib mir ein Zeichen, Schicksal! Der solls sein,
Der an dem nächsten Morgen mir zuerst
Entgegenkommt mit einem Liebeszeichen."
Und dieses bei mir denkend, schlief ich ein.

Und mitten in die Schlacht ward ich geführt
Im Geist. Groß war der Drang. Mir tötete
Ein Schuß das Pferd, ich sank, und über mir
Hinweg, gleichgültig, setzten Roß und Reiter,
Und keuchend lag ich wie ein Sterbender,
Zertreten unter ihrer Hufe Schlag.
Da faßte plötzlich hilfreich mich ein Arm,
Es war Octavios — und schnell erwach ich,
Tag war es, und Octavio stand vor mir.
"Mein Bruder," sprach er, "reite heute nicht
Den Schecken, wie du pflegst. Besteige lieber
Das sichre Tier, das ich dir ausgesucht.
Tus mir zulieb! Es warnte mich ein Traum" —
Und dieses Tieres Schnelligkeit entriß
Mich Banniers verfolgenden Dragonern.
Mein Vetter ritt den Schecken an dem Tag,
Und Roß und Reiter sah ich niemals wieder.

Octavio Piccolomini verliert nun keinen Augenblick, von dem
kaiserlichen Patente Gebrauch zu machen. Die Tat, welche den
Wallenstein unwidersprechlich verdammt, ist geschehen, das Reich
ist in Gefahr. Ehe er also Pilsen verläßt, macht er einen Versuch,
mehrere Kommandeurs zu ihrer Pflicht zurückzuführen, und es
gelingt ihm mit mehreren, er beredet sie, in derselben Nacht zu
entfliehen.

Diejenigen unter ihnen, die bloß durch ihren Leichtsinn verführt
wurden, Wallensteins Partei zu ergreifen, werden durch einen Ton
des Ansehens überrascht, ins Gedränge gebracht und zu einer
kategorischen Erklärung genötigt; dieser allgemeinere Fall wird
uns in der Person des Grafen Isolani, Anführers der Kroaten,
vorgehalten. Gegen diesen braucht Octavio das Verbrechen, zu
welchem er sich hinreißen lassen wollte, bloß zu nennen, um ihn
schnell andres Sinnes zu machen. Ein ganz anderes Betragen
wird gegen Buttler, den Anführer der Dragoner, beobachtet, der
aus lebhaftem Gefühl einer vom Hof erlittnen Beschimpfung in
das Komplott eingegangen und sich entschlossen zeigt, es aufs
Äußerste kommen zu lassen. Ihn überführt Octavio Piccolomini
durch Vorzeigung authentischer Dokumente, daß Wallenstein selbst
der Urheber jener Beschimpfung gewesen und ihm dieselbe in der
Absicht zugezogen habe, ein desto bereitwilligeres Werkzeug seiner
Entwürfe aus ihm zu machen.'

Buttler, erfüllt von Rache gegen den Herzog, bittet um Er=
laubnis, mit seinem Regiment bleiben zu dürfen; seine Absicht ist,
Wallenstein zugrund zu richten.

Die Trennung beider Piccolomini endigt das Stück, Octavio
versucht umsonst, seinen Sohn mitzunehmen. Dieser besteht dar=
auf, seine Geliebte noch zu sehen, gibt aber sein Wort, die pflicht=
mäßig gesinnten Regimenter aus Pilsen hinwegzuführen oder in
dem Versuch zu erliegen.

Aus dieser kurzen Darlegung der dramatischen Fabel geht klar
hervor, daß dieser erste Teil Wallensteins von den beiden
Piccolomini seinen Namen nicht mit Unrecht führt. Obgleich
der Dichter uns darin nur den Teil eines Ganzen liefert, so ist
dieses Ganze doch der Anlage nach schon darin enthalten, und
alles ist vorbereitet, was der zweite Teil nur dramatisch ausführen
wird. Man sieht den allgemeinen Abfall der Regimenter von
ihrem Feldherrn voraus, auch das Mordschwert, wodurch Wallen=
stein zu Eger umkommt, ist jetzt schon über seinem Haupt auf=
gehangen. Zwar sehen wir Max Piccolomini, von seiner Leiden=
schaft zur Prinzessin festgehalten, zur großen Besorgnis seines
Vaters noch in Pilsen zurückbleiben; aber seine Gemütsart kennen
wir so genau, der Charakter seiner Liebe und seiner Geliebten ist
so gezeichnet, daß über den Entschluß, den er fassen wird, kein
Zweifel stattfinden kann. Er wird seiner Dienstpflicht das
schmerzhafte Opfer bringen, aber er wird es nicht überleben. Und
so sehen wir von fern schon eine Kette von Unfällen aus einer
unglücklichen Tat sich entwickeln und mit dem Einzigen, der alles
hielt, alles zusammenstürzen.

Wollte man das Objekt des ganzen Gedichts mit wenig
Worten aussprechen, so würde es sein: die Darstellung einer phan=
tastischen Existenz, welche durch ein außerordentliches Individuum
und unter Vergünstigung eines außerordentlichen Zeitmoments
unnatürlich und augenblicklich gegründet wird, aber durch ihren
notwendigen Widerspruch mit der gemeinen Wirklichkeit des
Lebens und mit der Rechtlichkeit der menschlichen Natur scheitert
und samt allem, was an ihr befestigt ist, zugrunde geht. Der
Dichter hat also zwei Gegenstände darzustellen, die miteinander
im Streit erscheinen: den phantastischen Geist, der von der
einen Seite an das Große und Idealische, von der andern an
den Wahnsinn und das Verbrechen grenzt, und das gemeine
wirkliche Leben, welches von der einen Seite sich an das Sitt=
liche und Verständige anschließt, von der andern dem Kleinen,

dem Niedrigen und Verächtlichen sich nähert. In die Mitte zwischen beiden als eine ideale, phantastische und zugleich sittliche Erscheinung stellt er uns die Liebe, und so hat er in seinem Gemälde einen gewissen Kreis der Menschheit vollendet.

Nun bleibt uns noch übrig, von der Aufführung selbst zu reden, und wir können dieser Pflicht mit Vergnügen gehorchen.

In der gefühlvollen Darstellung unsers Graff erschien die dunkle, tiefe, mystische Natur des Helden vorzüglich glücklich; was er sprach, war empfunden und kam aus dem Innersten. Seine pathetische Rezitation des Monolog, seine ahnungsvollen Worte (in der Szene mit der Gräfin Terzky), als er den unglücklichen Entschluß faßt, die Erzählung des oben angeführten Traums riß alle Zuhörer mit sich fort. Nur daß er zuweilen, von seinem Gefühl fortgezogen, eine zu große Weichheit in seinen Ausdruck legte, der dem männlichen Geist des Helden nicht ganz entsprach.

Vohs, als Max Piccolomini, war die Freude des Publikums, und er verdiente es zu sein. Immer blieb er im Geist seiner Rolle, und das feinste zarteste Gefühl wußte er am glücklichsten auszudrücken.

Der Auftritt, wo er Wallenstein von der unglücklichen Tat zurückzubringen bemüht ist, war sein Triumph, und die Tränen der Zuschauer bezeugten die eindringende Wahrheit seines Vortrags.

Thekla von Friedland wurde durch Demoiselle Jagemann zart und voll Anmut dargestellt. Eine edle Simplizität bezeichnete ihr Spiel und ihre Sprache, und beides wußte sie, wo es nötig war, auch zu einer tragischen Würde zu erheben. Ein Lied, welches Thekla singt, gab dieser vorzüglichen Sängerin Gelegenheit, das Publikum auch durch dieses Talent zu entzücken.

Madame Teller, welche die weimarische Bühne vor kurzem

betreten, führte die wichtige Rolle der Gräfin Terzky mit der sorgfältigsten Genauigkeit aus. Durch ihren präzisen und belebten Vortrag in der entscheidenden Szene mit Wallenstein, wo alles von der Beredsamkeit der Gräfin Terzky abhängt, erwarb sie sich ein entschiedenes Verdienst um das ganze Stück.

Becker stellte uns den kaiserlichen Abgesandten im Lager mit Anstand und Würde dar, und glücklich wußte er die Klippe des Lächerlichen zu vermeiden, dem diese Höflingsfigur unter dem Hohn einer übermütigen stolzen Soldateska leicht ausge= setzt war.

Malkolmi als Buttler, Leißring als Graf Terzky, Korbe= mann als Illo, Demoiselle Malkolmi als Herzogin von Friedland, Weyrauch als Kellermeister, Beck als Astrolog, Genast als Isolani drückten den Sinn ihrer Rollen glücklich aus und bewiesen durch die Leichtigkeit, womit sie die Aufgabe einer rhythmischen Sprache zu lösen wußten, daß ein allgemeinerer Gebrauch des Silbenmaßes auf der Bühne recht wohl statt= finden könne.

Hunnius als schwedischer Geschäftsträger stellte in seiner Person den einfachen, schlichten und rechtlichen Krieger, den be= denklichen vorsichtigen Negoziateur, den religiösen bibelkundigen Protestanten, den mißtrauischen, zugleich aber kühnen und sich selbst fühlenden Schweden überaus treffend und glücklich dar.

Auch die ganz kleine Rolle des General Tiefenbach beim Gastmahl, welches Terzky gibt, wurde von Haiden zur großen Ergötzung des Publikums ausgeführt.

Um die theatralische Anordnung der ganzen so verwickelten Repräsentation hatte sich Schall, dem sie aufgetragen war, ein großes Verdienst erworben, und der Fleiß, den er auf seine eigene beträchtliche Rolle, die des Octavio Piccolomini, wandte, hinderte ihn nicht, seine Aufmerksamkeit auf das Ganze zu wenden.

Die Direktion sparte keinen Aufwand, durch Dekoration und Kleidung den Sinn und Geist des Gedichts würdig auszuführen

und die Aufgabe, das barbarische Kostüm jener Zeit, welches
dargestellt werden mußte, dem Auge gefällig zu behandeln und eine
schickliche Mitte zwischen dem Abgeschmackten und dem Edlen
zu treffen, so viel es möglich sein wollte, zu lösen.

Das Publikum ehrte das Werk des Dichters und die Bemühungen der Schauspieler durch eine fortgesetzte wachsende Aufmerksamkeit, es zeigte sein Interesse und seine Rührung.

Das Stück wurde am nächsten Spieltag wiederholt, und die
größere Bekanntschaft der Zuschauer mit dem Werk hat dem
Eindruck desselben nichts geschadet.

Zur Ästhetik.

Über epische und dramatische Dichtung

von Goethe und Schiller.

1797.

Der Epiker und Dramatiker sind beide den allgemeinen poetischen Gesetzen unterworfen, besonders dem Gesetze der Einheit und dem Gesetze der Entfaltung; ferner behandeln sie beide ähnliche Gegenstände und können beide alle Arten von Motiven brauchen; ihr großer wesentlicher Unterschied beruht aber darin, daß der Epiker die Begebenheit als vollkommen vergangen vorträgt und der Dramatiker sie als vollkommen gegenwärtig darstellt. Wollte man das Detail der Gesetze, wonach beide zu handeln haben, aus der Natur des Menschen herleiten, so müßte man sich einen Rhapsoden und einen Mimen, beide als Dichter, jenen mit seinem ruhig horchenden, diesen mit seinem ungeduldig schauenden und hörenden Kreise umgeben, immer vergegenwärtigen, und es würde nicht schwer fallen, zu entwickeln, was einer jeden von diesen beiden Dichtarten am meisten frommt, welche Gegenstände jede vorzüglich wählen, welcher Motive sie sich vorzüglich bedienen wird; ich sage vorzüglich: denn, wie ich schon zu Anfang bemerkte, ganz ausschließlich kann sich keine etwas anmaßen.

Die Gegenstände des Epos und der Tragödie sollten rein menschlich, bedeutend und pathetisch sein: die Personen stehen am

beſten auf einem gewiſſen Grade der Kultur, wo die Selbſt=
tätigkeit noch auf ſich allein angewieſen iſt, wo man nicht moraliſch,
politiſch, mechaniſch, ſondern perſönlich wirkt.   Die Sagen aus
der heroiſchen Zeit der Griechen waren in dieſem Sinne den
Dichtern beſonders günſtig.

Das epiſche Gedicht ſtellt vorzüglich perſönlich beſchränkte
Tätigkeit, die Tragödie perſönlich beſchränktes Leiden vor; das
epiſche Gedicht den außer ſich wirkenden Menſchen: Schlachten,
Reiſen, jede Art von Unternehmung, die eine gewiſſe ſinnliche
Breite fordert; die Tragödie den nach innen geführten Menſchen,
und die Handlungen der echten Tragödie bedürfen daher nur
weniges Raums.

Der Motive kenne ich fünferlei Arten:

1. Vorwärtsſchreitende, welche die Handlung fördern; deren
bedient ſich vorzüglich das Drama.

2. Rückwärtsſchreitende, welche die Handlung von ihrem
Ziele entfernen; deren bedient ſich das epiſche Gedicht faſt aus=
ſchließlich.

3. Retardierende, welche den Gang aufhalten oder den Weg
verlängern; dieſer bedienen ſich beide Dichtarten mit dem größten
Vorteile.

4. Zurückgreifende, durch die dasjenige, was vor der Epoche
des Gedichts geſchehen iſt, hereingehoben wird.

5. Vorgreifende, die dasjenige, was nach der Epoche des
Gedichts geſchehen wird, antizipieren; beiden Arten braucht der
epiſche ſowie der dramatiſche Dichter, um ſein Gedicht vollſtändig
zu machen.

Die Welten, welche zum Anſchauen gebracht werden ſollen,
ſind beiden gemein:

1. Die phyſiſche, und zwar erſtlich die nächſte, wozu die
dargeſtellten Perſonen gehören und die ſie umgibt. In dieſer ſteht
der Dramatiker meiſt auf einem Punkte feſt, der Epiker bewegt
ſich freier in einem größeren Lokal; zweitens die entferntere Welt,

wozu ich die ganze Natur rechne. Dieſe bringt der epiſche Dichter, der ſich überhaupt an die Imagination wendet, durch Gleichniſſe näher, deren ſich der Dramatiker ſparſamer bedient.

2. Die ſittliche iſt beiden ganz gemein und wird am glück=lichſten in ihrer phyſiologiſchen und pathologiſchen Einfalt dar=geſtellt.

3. Die Welt der Phantaſien, Ahnungen, Erſcheinungen, Zufälle und Schickſale. Dieſe ſteht beiden offen, nur verſteht ſich, daß ſie an die ſinnliche herangebracht werbe; wobei denn für die Modernen eine beſondere Schwierigkeit entſteht, weil wir für die Wundergeſchöpfe, Götter, Wahrſager und Orakel der Alten, ſo ſehr es zu wünſchen wäre, nicht leicht Erſatz finden.

Die Behandlung im ganzen betreffend, wird der Rhapſode, der das vollkommen Vergangene vorträgt, als ein weiſer Mann erſcheinen, der in ruhiger Beſonnenheit das Geſchehene überſieht; ſein Vortrag wird dahin zwecken, die Zuhörer zu beruhigen, damit ſie ihm gern und lange zuhören, er wird das Intereſſe egal ver=teilen, weil er nicht imſtande iſt, einen allzu lebhaften Eindruck geſchwind zu balancieren, er wird nach Belieben rückwärts und vorwärts greifen und wandeln; man wird ihm überall folgen, denn er hat es nur mit der Einbildungskraft zu tun, die ſich ihre Bilder ſelbſt hervorbringt, und der es auf einen gewiſſen Grad gleich=gültig iſt, was für welche ſie aufruft. Der Rhapſode ſollte als ein höheres Weſen in ſeinem Gedicht nicht ſelbſt erſcheinen; er läſe hinter einem Vorhange am allerbeſten, ſo daß man von aller Per=ſönlichkeit abſtrahierte und nur die Stimme der Muſen im all=gemeinen zu hören glaubte.

Der Mime dagegen iſt gerade in dem entgegengeſetzten Fall; er ſtellt ſich als ein beſtimmtes Individuum dar, er will, daß man an ihm und ſeiner nächſten Umgebung ausſchließlich teilnehme, daß man die Leiden ſeiner Seele und ſeines Körpers mitfühle, ſeine Verlegenheiten teile und ſich ſelbſt über ihn vergeſſe. Zwar wird auch er ſtufenweiſe zu Werke gehen, aber er kann viel lebhaftere

Wirkungen wagen, weil bei sinnlicher Gegenwart auch sogar der stärkere Eindruck durch einen schwächeren vertilgt werden kann. Der zuschauende Hörer muß von Rechts wegen in einer steten sinnlichen Anstrengung bleiben, er darf sich nicht zum Nachdenken erheben, er muß leidenschaftlich folgen, seine Phantasie ist ganz zum Schweigen gebracht, man darf keine Ansprüche an sie machen, und selbst was erzählt wird, muß gleichsam darstellend vor die Augen gebracht werden.

	Nutzen	Schaden	Nutzen	Schaden
	fürs Subjekt.		fürs Ganze.	
oesie. Lyrisch. Pragmatisch.	Ästhetische Ausbildung.	Flachheit.	Geselligkeit. Idealität.	Mittelmäßigkeit.
Zeichnen, Malen und Skulptur.	Ausbildung des Sehorgans, die komplizierten Formen zu bemerken.		Strengere Forderung an Richtigkeit der Formen.	Falsche Kennerschaft.
usik. Hervorbringung. Ausübung.	Zeitvertreib mit einem gewissen Ernst aus mechanischer Applikation. Ausbildung des Sinns.	Gedankenleerheit. Sinnlichkeit.	Gesellschaftlichkeit und augenblickliche Verbindung ohne Interesse.	Schlechte Nachbarschaft. Leerheit.
Tanz.	Ausbildung des Körpers.	Falsche Bildung des Körpers.	Allgemeine Gesellschaftlichkeit mit Lebhaftigkeit.	Unmäßigkeit und wildes Vergnügen.
rchitektur.	Richtung nach mathematischen Formen, die ins Ästhetische übergehen.	Nichtübergang zum Schönen und vollständig Gesetzlichen, welches doch bei dieser Kunst unerläßlich ist. Nicht so beim Tanz.	Findet nur in rohen Verhältnissen statt.	Nicht nützlich u. nicht schön, Perennierende Unform und Verderbniß des Geschmacks.
artenkunst.	Ideales im Realen. Spazierengehen.	Phantastische und sentimentalische Nullität. Reales wird als ein Phantasiewerk behandelt.	Geselliges Lokal.	Vorliebnehmen mit dem Schein. Vermischung von Kunst und Natur.
Theater.	Dem Tanz ähnlich. Anstand. Sprache. Gegenwart.	Karikatur der eigenen Fehler wegen der Rollenwahl nach der Individualität.	Findet nur in rohen Verhältnissen statt.	Summa.

Dilettantismus
Schiller. 1799.

Alte Zeit	Neue Zeit	Ausland.
in Deutschland.		
Pedantismus.	Schöngeisterei.	Französische Ausbildung in eigener Sprache. Latein der Engländer.
	Zeichnen nach der Natur.	Frankreich: Miniatur. England: Landschaften, Vues und Skizzen.
Größerer Einfluß aufs leidenschaftliche Leben durch tragbare Saiteninstrumente. Medium der Galanterie.	Klimpern.	Besonderer Fall in Italien, wo die größere Vokalität der Nation der Pfuscherei mehr widerstrebt. Gilt auch von bildenden Künsten.
Charakter und symbolische Bedeutung.	Bauerntanz.	Französische Tänze gesellig und anständig. Refrains. Englische freier, ohne Refrains sans façon. In Italien herrscht noch das Charakteristische und ist mehr Beziehung auf Kunst. Polnischer Tanz eine anständige Promenade in vornehmer Gesellschaft. Fandango und sarmatischer Tanz, mechanisch, künstlich und sinnlich.
Keine Liebhaberei. Handwerk.	Reisen nach Italien und Frankreich und besonders Gartenliebhaberei haben diesen Dilettantismus sehr befördert.	
Bloße Rücksicht auf die Pflanzung selbst; Nützlichkeit.	Englischer Geschmack. Chinesischer.	
	Ursachen, warum diese Liebhaberei jetzt so überhand nimmt, Gelegenheit dazu.	In Frankreich weniger Pfuscherei beim Dilettantismus wegen ausgebildeter Sprache, Tanz und einer obligateren Theaterkunst.

Nachtrag zu den Gedichten.

1797   1797

❀❀❀

Das Regiment.

[Aus dem Musenalmanach für 1798.]

Das Gesetz sei der Mann in des Staats geordnetem Haushalt,
Aber mit weiblicher Huld herrsche die Sitte darin.

Gedruckt für den Verlag Georg Müller in
München auf Hadernpapier von Hoffmann
und Engelmann in Neustadt a. d. H. in der
Offizin W. Drugulin in Leipzig im April
und Mai 1914. Gebunden von Hübel
und Denck in Leipzig. Zweihundertfünfzig
Exemplare wurden auf holländisches Bütten
abgezogen und in Ganzmaroquin gebunden.